Um Legado de Espiões

JOHN
leCARRÉ

Um Legado de Espiões

Tradução de
ROBERTO MUGGIATI

1ª edição

2017

CIP-BRASIL. CATALOGAÇÃO NA PUBLICAÇÃO
SINDICATO NACIONAL DOS EDITORES DE LIVROS, RJ

C31L

Carré, John le, 1931-
Um legado de espiões / John le Carré; tradução de Roberto Muggiati. – 1ª ed. – Rio de Janeiro: Record, 2017.
252 p.; 23 cm.

Tradução de: A Legacy of Spies
ISBN 978-85-01-11115-9

1. Romance inglês. I. Muggiati, Roberto. II. Título.

17-43899

CDD: 823
CDU: 821.111-3

Título em inglês:
A Legacy of Spies

Texto revisado segundo o novo Acordo Ortográfico da Língua Portuguesa.

Composição de miolo: Abreu's System

Direitos exclusivos de publicação em língua portuguesa somente para o Brasil adquiridos pela
EDITORA RECORD LTDA.
Rua Argentina, 171 – Rio de Janeiro, RJ – 20921-380 – Tel.: (21) 2585-2000,
que se reserva a propriedade literária desta tradução.

Impresso no Brasil

ISBN 978-85-01-11115-9

CÓPIA NÃO AUTORIZADA É CRIME
ABDR
RESPEITE O DIREITO AUTORAL
EDITORA AFILIADA

Seja um leitor preferencial Record.
Cadastre-se no site www.record.com.br e receba informações sobre nossos lançamentos e nossas promoções.

Atendimento e venda direta ao leitor:
mdireto@record.com.br ou (21) 2585-2002.

I.

O que se segue é um relato verídico, da melhor forma que posso fazer, do meu papel na operação britânica de dissimulação de codinome Windfall, armada contra o Serviço de Inteligência da Alemanha Oriental (Stasi) no fim da década de 1950 e início da década de 1960, que resultou na morte do melhor agente secreto britânico com quem trabalhei e da mulher inocente por quem ele deu a vida.

Um oficial de inteligência profissional não é mais imune aos sentimentos humanos do que o restante da humanidade. Para ele, a questão reside em ser capaz de ocultá-los, suprimi-los, seja em tempo real ou, no meu caso, cinquenta anos depois. Até poucos meses atrás, deitado na cama, à noite, na remota fazenda na Bretanha que chamo de lar, ouvindo o mugido das vacas e o cacarejo das galinhas, eu lutava, determinado, contra as vozes acusadoras que, de tempos em tempos, tentavam tumultuar meu sono. Naquela época eu era jovem demais, protestava a minha mente, era inocente demais, ingênuo demais, inexperiente demais. Se vocês querem escalpelar alguém, eu dizia às vozes, procurem os grandes mestres da dissimulação: George Smiley e o chefe dele, Control. Foram suas refinadas astúcias, eu insistia, foram seus intelectos eruditos e ardilosos, não os meus, que desencadearam o triunfo e o tormento que foi Windfall.

Só agora, depois de ser chamado às falas pelo Serviço ao qual devotei os melhores anos da minha vida, sou levado pela idade e pela perplexidade a pôr no papel, custe o que custar, os lados transparentes e obscuros do meu envolvimento no caso.

Como cheguei a ser recrutado pelo Serviço de Inteligência Secreto — o Circus, como nós, "Jovens Turcos", o chamávamos naqueles dias supostamente pacíficos em que estávamos instalados não numa fortaleza grotesca à beira do Tâmisa, mas numa pilha de tijolinhos vermelhos vitoriana pomposa construída numa das curvas de Cambridge Circus — continua a ser um mistério tão grande para mim quanto as circunstâncias do meu nascimento; e, mais ainda, por esses dois acontecimentos serem indissociáveis.

Segundo minha mãe, meu pai, de quem mal consigo me lembrar, era o filho pródigo de uma rica família anglo-francesa da região central da Inglaterra, um homem de apetites vorazes, dilapidador ágil do próprio patrimônio e com um amor redentor pela França. No verão de 1930, ele aproveitava a temporada de águas minerais no balneário de Saint Malo, no litoral norte da Bretanha, frequentando os cassinos e as *maisons closes* e, em geral, causando boa impressão por sua elegância. Minha mãe, única descendente de uma longa linhagem de fazendeiros bretões, e com 20 anos na época, por acaso estava na cidade também, cumprindo os deveres de dama de honra no casamento da filha de um próspero leiloeiro de gado. Pelo menos foi o que ela disse. No entanto, como era a única fonte da informação, e adepta de enfeitar um pouco quando os fatos não lhe eram favoráveis, não me surpreenderia se ela tivesse ido à cidade com propósitos menos nobres.

Depois da cerimônia, segundo seu relato, ela e outra dama de honra, sob o efeito de uma ou duas taças de champanhe, saíram de fininho da recepção e, ainda com seus vestidos de festa, seguiram para um passeio noturno pelo calçadão repleto, onde meu pai também caminhava. Minha mãe era bela e volúvel; sua amiga, um pouco menos. Uma paixão avassaladora se seguiu. Minha mãe demonstrou uma compreensível relutância com o rumo acelerado que as coisas tomaram. Um outro casamento foi logo marcado. Eu fui a consequência. Meu pai, ao que parece, não nascera para a vida de casado e, mesmo nos primeiros anos do matrimônio, se fez mais ausente que presente.

Mas então a história sofre uma reviravolta heroica. A guerra, como todos sabem, muda tudo e, num instante, mudou meu pai. Mal ela foi declarada e ele já batia às portas do Departamento de Guerra britânico, oferecendo seus serviços voluntários para quem quer que o aceitasse. Sua missão, segundo minha mãe, era salvar a França sozinho. Se era também para fugir das obrigações familiares, essa é uma heresia que nunca tive permissão de proferir na presença de minha mãe. Os britânicos tinham uma Executiva de Operações Especiais recém-formada por Winston Churchill em pessoa para "botar fogo na Europa". As cidades litorâneas do sudoeste da Bretanha eram um viveiro de atividade de submarinos alemães, e nossa cidadezinha de Lorient, uma ex-base naval francesa, o viveiro mais intenso de todos. Lançado cinco vezes de paraquedas nas planícies bretãs, meu pai se aliou a todos os grupos da Resistência que encontrou pela frente, promoveu sua cota de caos e sofreu uma morte terrível na prisão de Rennes, nas mãos da Gestapo, deixando como legado um exemplo de dedicação abnegada impossível de ser igualada por um filho. Seu outro legado foi uma fé equivocada no sistema britânico de internatos, que, não obstante o péssimo desempenho dele em seu próprio colégio interno, me condenou ao mesmo destino.

Meus primeiros anos de vida foram passados no paraíso. Minha mãe cozinhava e tagarelava, meu avô era austero, mas bondoso, a fazenda prosperava. Em casa, falávamos bretão. Na escola primária católica de nosso vilarejo, uma bela jovem freira que havia passado seis meses em Huddersfield como *au pair* me ensinava o básico da língua inglesa e, por determinação do governo, o francês. Nas férias escolares, eu corria descalço pelos campos e pelos rochedos ao redor da fazenda, colhia trigo-sarraceno para os crepes que minha mãe fazia, cuidava de uma porca velha chamada Fadette e participava de brincadeiras ao ar livre com as crianças do vilarejo.

O futuro não significava nada para mim até que me atingiu.

Em Dover, uma senhora gorducha chamada Murphy, prima do meu falecido pai, me pegou da mão de minha mãe e me levou para sua casa, em Ealing. Eu tinha oito anos. Pela janela do trem, vi balões barragem pela primeira vez. Durante o jantar, o Sr. Murphy disse que tudo terminaria em poucos meses, e a Sra. Murphy disse que não, ambos falando devagar e se repetindo para facilitar o meu entendimento. No dia seguinte, a Sra. Murphy me levou à loja Selfridges e me comprou um uniforme escolar, tomando o cuidado de guardar os recibos. Um dia depois, na plataforma da estação de Paddington, ela chorou enquanto eu acenava para ela, o barrete da nova escola já na minha cabeça.

A anglicização desejada para mim por meu pai requer pouca explanação. Havia uma guerra em andamento. As escolas precisavam trabalhar com o que tinham à mão. Eu não era mais Pierre, e sim Peter. Meu inglês precário era ridicularizado por meus colegas de turma; meu francês com sotaque bretão, por meus professores sitiados. Nossa pequena aldeia de Les Deux Églises, me informaram quase *en passant*, fora ocupada pelos alemães. As cartas da minha mãe chegavam, quando chegavam, em envelopes pardos com selos britânicos e carimbos postais de Londres. Somente anos depois parei para pensar nas bravas mãos pelas quais elas deviam ter passado. Os recessos escolares eram, para mim, um borrão de colônias de férias para garotos e monitores. Escolas preparatórias para o ensino médio, de tijolinhos vermelhos, eram transformadas em internatos com prédios de granito cinza, mas o programa educacional permanecia o mesmo: a mesma margarina, os mesmos sermões sobre patriotismo e Império, a mesma violência aleatória, a crueldade casual e o desejo sexual não saciado e negligenciado. Numa noite de primavera em 1944, pouco antes dos desembarques do Dia D, o diretor me chamou ao seu gabinete e me contou que meu pai havia morrido em combate e que eu deveria me orgulhar dele. Por questões de segurança, nenhuma explicação adicional foi disponibilizada.

Eu tinha dezesseis anos quando, ao fim de um segundo bimestre especialmente tedioso, voltei à Bretanha pacificada como um desajustado inglês ainda em fase de crescimento. Meu avô tinha morrido. Minha mãe dividia a cama com um novo companheiro chamado Monsieur Emile. Não dei muita bola para ele. Metade de Fadette fora entregue aos alemães; a outra, à Resistência. Fugindo das contradições da minha infância e estimulado por um sentimento de obrigação de filho, embarquei como clandestino num trem para Marselha e, acrescentando um ano à minha idade, tentei me alistar na Legião Estrangeira francesa. Minha aventura quixotesca chegou a um fim sumário quando a Legião, fazendo uma rara concessão às súplicas de minha mãe, que alegou que eu não era estrangeiro, mas francês, me liberou para voltar ao desterro, dessa vez no subúrbio londrino de Shoreditch, onde o peculiar meio-irmão do meu pai, Markus, tinha uma empresa de importação que trazia peles e tapetes valiosos da União Soviética — embora ele sempre a chamasse de Rússia — e se ofereceu para me ensinar o ofício.

Tio Markus permanece como outro enigma não solucionado na minha vida. Até hoje não sei se sua oferta de emprego foi de alguma forma inspirada por aqueles que viriam a ser meus mestres. Quando lhe perguntei como meu pai tinha morrido, ele balançou a cabeça em desaprovação — não por causa do meu pai, mas em razão da falta de sensibilidade do meu questionamento. Às vezes me pergunto se é possível alguém nascer misterioso, da mesma forma que as pessoas nascem ricas, ou altas, ou com talentos musicais. Markus não era mau, rígido demais ou inclemente. Era apenas misterioso. Originário da Europa Central, seu sobrenome era Collins. Nunca soube qual tinha sido antes disso. Falava inglês muito rápido e com sotaque, mas eu jamais descobri qual era sua língua materna. Chamava-me Pierre. Tinha uma namorada chamada Dolly que era dona de uma loja de chapéus em Wapping e o apanhava na porta do depósito nas tardes de sexta-feira. Mas eu nunca tive a menor ideia de aonde iam nos fins de semana, se eram casados um com o outro, ou com outras pessoas. Dolly tinha um Bernie em sua vida, mas eu nunca soube se o sujeito era seu marido, seu filho ou seu irmão, porque Dolly também tinha nascido misteriosa.

Nem pensando em retrospecto eu sei dizer se a Companhia Transiberiana Collins de Peles & Tapetes Finos era uma empresa de importação verdadeira ou uma fachada montada com o propósito de coletar informações secretas. Tempos depois, quando resolvi investigar o assunto, minhas buscas não me levaram a lugar nenhum. Só sei que toda vez que tio Markus se preparava para visitar uma feira de negócios, fosse em Kiev, Perm ou Irkutsk, ele tremia muito; e, quando voltava, bebia muito. E que, nos dias anteriores a uma feira dessas, um inglês de fala refinada chamado Jack aparecia na firma, bajulava as secretárias, surgia à porta da área de separação, só a cabeça à mostra, e gritava: "Oi, Peter, tudo bem com você?" — nunca Pierre —, e então levava Markus para um almoço demorado em algum lugar. E, depois do almoço, Markus voltava para seu escritório e trancava a porta.

Jack se dizia um negociante de peles de marta finas, mas então fiquei sabendo que o negócio dele eram informações secretas, porque, quando Markus anunciou que seu médico não lhe permitiria mais participar de feiras, Jack sugeriu que eu fosse almoçar com ele e me levou ao Travellers Club, em Pall Mall, perguntou se eu teria preferido a vida na Legião, se eu tinha intenções sérias em relação a alguma de minhas namoradas e por que eu havia abandonado o colégio interno levando em conta o fato de que eu era capitão da equipe de boxe, e se eu já havia pensado em fazer algo útil pelo meu país, referindo-se à Inglaterra, porque, se eu achava que tinha perdido a oportunidade de lutar na guerra por causa de minha idade, esta era a minha chance de recuperar o tempo perdido. Só mencionou meu pai uma vez, durante o almoço, de um jeito tão fortuito que daria para supor que o assunto poderia ter fugido totalmente de sua lembrança:

— Ah, e a respeito de seu tão reverenciado e falecido pai. Cá entre nós, e você não ouviu isso de mim, pois é confidencial. Tudo bem?

— Tudo.

— Ele foi um cara muito corajoso, de verdade, e fez um trabalho de primeira por seu país. Seus dois países. Ficou satisfeito?

— Se é o que você diz...

— Então, um brinde a ele.

A ele, concordei, e bebemos em silêncio.

Numa elegante casa de campo em Hampshire, Jack e seu colega Sandy, junto com uma garota eficiente chamada Emily, por quem me apaixonei imediatamente, me deram um curso intensivo sobre como extrair material de uma *dead letter box* no centro da cidade de Kiev — na verdade, essa "caixa de correio desativada" era um esconderijo improvisado atrás de um pedaço de alvenaria solta na parede de um velho quiosque de tabaco —, do qual eles tinham uma réplica no jardim. E sobre como identificar o sinal que me avisaria que estava tudo certo para a extração — no caso, uma fita verde esfarrapada amarrada a um gradil. E sobre como, em seguida, indicar que eu havia tirado o material do esconderijo, jogando um maço de cigarro russo vazio numa lixeira perto de um ponto de ônibus.

— E, Peter, quando você solicitar seu visto russo, talvez seja melhor usar o passaporte francês em vez do britânico — sugeriu ele num tom jovial, e me relembrou que o tio Markus tinha uma empresa afiliada em Paris. — A propósito, Emily está fora de questão — acrescentou ele, caso eu estivesse pensando o contrário, e eu estava.

*

E aquele foi meu primeiro trabalho, minha primeira missão para o que depois eu ficaria conhecendo como o Circus, e minha primeira visão de mim mesmo como um "guerreiro secreto", à imagem do meu falecido pai. Já não consigo enumerar as outras missões das quais participei nos anos seguintes, mas foram pelo menos uma meia dúzia, em Leningrado, Gdansk e Sofia, e em seguida em Leipzig e Dresden, e todas elas, até onde eu sempre soube, rotineiras, descontando o esforço de me preparar todo e depois levantar acampamento.

Em feriados prolongados, numa outra casa de campo com outro lindo jardim, acrescentei novos truques ao meu repertório, como contravigilância e esbarrões em estranhos numa multidão para fazer uma entrega furtiva. A certa altura no meio desses exercícios, numa cerimônia reservada dentro de um apartamento seguro na South Audley Street, eu tive a permissão de me apossar das medalhas de bravura do meu pai: uma francesa, uma inglesa, e as menções honrosas que as explicavam. Por que tanto tempo depois?, eu poderia ter indagado. Mas, àquela altura, eu já havia aprendido a não fazer perguntas.

Foi só quando comecei a visitar a Alemanha Oriental que o barrigudo de óculos e eternamente preocupado, George Smiley, entrou na minha vida. Era uma tarde de domingo, em West Sussex, quando eu estava sendo interrogado após retornar da missão, não mais por Jack, mas por um sujeito rude chamado Jim, de ascendência tcheca e da minha idade, cujo sobrenome, quando finalmente lhe foi concedido um, era nada menos que Prideaux. Eu o menciono porque ele, posteriormente, também desempenhou um papel crucial na minha carreira.

Smiley não falou muito no meu interrogatório, simplesmente ficou sentado escutando e, vez ou outra, me espiava como uma coruja através de seus óculos de armação grossa. Mas, quando terminou, ele sugeriu que déssemos uma volta pelo jardim, que parecia não ter fim e era ligado a um parque. Conversamos, sentamos num banco, caminhamos, sentamos de novo e continuamos falando. Minha querida mãe — estava viva e passava bem? Ela está bem, obrigado, George. Meio caduca, mas bem. E as medalhas do meu pai — eu as havia guardado? Contei que minha mãe as polia todo domingo, o que era verdade. Não mencionei que às vezes ela as pendurava no meu peito e chorava. Mas, ao contrário de Jack, Smiley não me perguntou sobre minhas namoradas. Devia achar que não havia risco por eu ter mais de uma.

E, agora, quando me lembro daquela conversa, não consigo evitar pensar que, conscientemente ou não, ele estava se oferecendo como a figura paterna que depois se tornaria. Mas talvez esse sentimento estivesse em mim, e não nele. O fato é que, quando ele enfim disparou a pergunta, eu tive a sensação da volta ao lar, ainda que meu lar estivesse do outro lado do Canal, na Bretanha.

— Estávamos nos perguntando, sabe — disse, de um jeito meio vago —, se você não gostaria de trabalhar conosco com maior regularidade. As pessoas que trabalham por fora nem sempre se encaixam trabalhando dentro. Mas, no seu caso, achamos que isso seria possível. Não pagamos muito, e as carreiras tendem a ser interrompidas. Mas sentimos que é um trabalho importante, quando se leva em conta o fim, e não tanto os meios.

2.

Minha fazenda em Les Deux Églises consiste em um solar de granito do século XIX — a parede dos fundos uma grande reta, sem maiores distinções —, em um celeiro em ruínas com uma cruz de pedra na cumeeira, em remanescentes de fortificações de guerras já esquecidas, em um antigo poço de pedra — agora sem uso, mas um dia requisitado pelos combatentes da Resistência para esconder suas armas do invasor nazista —, em um forno de pedra ao ar livre igualmente antigo, em um moinho de cidra obsoleto, e em cinquenta hectares de pasto inexpressivo descendo até as terras do penhasco e à beira-mar. O lugar pertence à família há quatro gerações. Eu sou a quinta. Não me parece um bem nobre, nem lucrativo. À minha direita, quando olho pela janela da sala de estar, vejo a ponta nodosa da torre de uma igreja do século XIX. À minha esquerda, uma capela branca isolada, com telhado de palha. O nome do vilarejo lhe foi atribuído por causa delas. Em Les Deux Églises, como em toda a Bretanha, somos católicos ou não somos nada. Eu não sou nada.

Para chegar à nossa fazenda vindo da cidade de Lorient, você dirige aproximadamente meia hora pela estrada da costa sul, que no inverno é ladeada por álamos finos, passando a caminho do oeste por partes da Muralha do Atlântico de Hitler que, por serem irremovíveis, estão rapidamente adquirindo o status de uma Stonehenge moderna. Depois de uns trinta quilômetros, você acaba se deparando com uma pizzaria pretensiosamente chamada Odyssée à sua esquerda e, logo depois dela, à sua direita, um malcheiroso ferro-velho onde Honoré — cuja pessoa não faz jus ao nome, um vagabundo bêbado que minha mãe sempre me aconselhou a evitar, conhecido na região como anão venenoso —, mascateia bugigangas, velhos pneus de automóvel e estrume. Ao alcançar uma placa velha com a palavra *Delassus*, que é o sobrenome da minha mãe, você pega uma trilha esburacada, pisando fundo no freio ao passar por cada buraco enorme ou, se você é Monsieur Denis, o carteiro, costurando habilmente por entre eles a toda velocidade: e era o que ele fazia nesta manhã ensolarada de começo de outono, para a indignação das galinhas no pátio e para a sublime indiferença de Amoureuse, minha querida cadela setter irlandesa, ocupada demais lambendo sua última ninhada para dar atenção a meras questões humanas.

Quanto a mim, na hora em que Monsieur Denis — aliás, *le Général*, graças a sua elevada altura e suposta semelhança com o presidente De Gaulle — desembarcou de sua van amarela e dirigiu-se aos degraus da frente, eu soube, com um só olhar, que a carta que ele segurava em sua mão delgada tinha o Circus como remetente.

*

Num primeiro momento, não fiquei alarmado, apenas achei uma certa graça. Algumas coisas nunca mudam quando se trata de um serviço secreto britânico. Uma delas é a preocupação obsessiva com que tipo de papel usar para a correspondência regular. Nada oficial demais, nem com uma aparência muito formal: isso seria ruim para o disfarce. Um envelope sem transparência, de preferência forrado. Branco total fica visível demais: o melhor é escolher uma tonalidade discreta, nada chamativa. Um azul-claro, um acinzentado, ambos são aceitáveis. Este era cinza-claro.

A questão seguinte: datilografamos o endereço ou o escrevemos à mão? A resposta: leve sempre em conta as necessidades do homem em campo, nesse caso, eu: Peter Guillam, ex-integrante, forçado a me aposentar por causa da idade e grato por isso. Residente na França rural há muitos anos. Não comparece a reuniões de veteranos. Sem registro de cônjuge. Recebe pensão integral e, portanto, é torturável. Conclusão: num remoto povoado bretão, onde estrangeiros são uma raridade, um envelope acinzentado de aparência semiformal, com um selo britânico e datilografado, poderia aguçar a curiosidade da população local, por isso a escolha do escrito à mão. Então vem a parte mais difícil. A Central, ou seja lá como o Circus se autodenomina nos dias de hoje, não consegue resistir a uma classificação de segurança, ainda que seja apenas um *Privado.* Talvez acrescentar um *Particular* para reforçar? *Privado & Particular, ao destinatário apenas*? Um pouco exagerado. Melhor só o *Privado.* Ou melhor, como nesse caso, *Pessoal.*

1 Artillery Buildings
Londres, SE14

Meu caro Guillam,

Não nos conhecemos, mas permita que eu me apresente. Sou gerente administrativo em sua velha firma, responsável tanto por casos recentes quanto pelos remotos. Uma questão na qual você parece ter desempenhado um papel significativo há alguns anos veio à tona de forma inesperada, e não tenho opção senão lhe pedir que esteja disponível em Londres o quanto antes para nos ajudar a preparar uma resposta.

Estou autorizado a lhe oferecer reembolso por suas despesas de viagem (classe econômica) e um *per diem* avaliado para Londres em 130 libras esterlinas enquanto sua presença se fizer necessária.

Como parece que não temos nenhum telefone seu cadastrado, por favor, sinta-se à vontade para contatar Tania no número acima (a cobrar) ou, se tiver e-mail, no endereço eletrônico abaixo. Sem a intenção de lhe causar nenhum inconveniente, devo enfatizar que o assunto envolve certa urgência. Permita-me encerrar chamando sua atenção para o Parágrafo 14 do seu contrato de rescisão.

Atenciosamente,
A. Butterfield
(AJ para CS)

P.S.: Por gentileza, lembre-se de trazer o passaporte para quando for se apresentar à recepção. A.B.

Por "AJ para CS", leia-se *Assessor Jurídico para Chefe de Serviço*. Por "Parágrafo 14", leia-se *dever vitalício de obedecer, caso as necessidades do Circus assim o determinem*. E, por "permita-me chamar sua atenção", leia-se *lembre-se de quem paga a sua aposentadoria*. E eu não tenho e-mail. E por que ele não datou a carta: por questões de segurança?

Catherine está no pomar com Isabelle, sua filha de nove anos, brincando com dois jovens bodes indóceis que recentemente caíram de paraquedas em nossas vidas. Ela é uma jovem miúda com um rosto bretão largo e olhos castanhos de piscar lento que o avaliam sem expressão. Se Catherine estende os braços, os bodes saltam neles, e a pequena Isabelle, que se diverte à sua própria maneira, junta as mãos e dá piruetas de puro deleite. Mas Catherine, por mais musculosa que seja, precisa tomar cuidado para pegar os bodes um de cada vez, porque, se permitir que os dois pulem juntos, eles podem derrubá-la. Isabelle me ignora. O contato visual a incomoda.

No campo atrás delas, o surdo Yves, trabalhador eventual, está arqueado colhendo repolhos. Com a mão direita, ele corta os caules; com a esquerda, joga-os numa carroça, mas o ângulo de suas costas encurvadas nunca muda. Ele é observado por um velho cavalo cinza chamado Artemis, outro dos animais adotados por Catherine. Há dois anos acolhemos um avestruz que tinha fugido de uma fazenda vizinha. Quando Catherine alertou o fazendeiro, ele disse que podíamos ficar com o bicho, que já era velho demais. O avestruz morreu dignamente e nós fizemos para ele um enterro de chefe de Estado, com toda pompa e circunstância.

— Deseja alguma coisa, Pierre? — pergunta Catherine.

— Tenho que viajar por alguns dias — respondo.

— Vai a Paris?

Catherine não aprova que eu vá a Paris.

— Londres — digo. E porque, mesmo aposentado, preciso de uma desculpa: — Uma pessoa morreu.

— Alguém que você ama?

— Não mais — respondo, com uma convicção que me pega de surpresa.

— Então não é importante. Você parte hoje à noite?

— Amanhã. Pegarei o primeiro voo saindo de Rennes.

Houve um tempo em que bastava o Circus assobiar que eu corria para Rennes atrás de um avião. Não mais.

*

Seria preciso que você tivesse ascendido à posição de espião no antigo Circus para entender a aversão que tomou conta de mim quando, às quatro horas da tarde seguinte, paguei meu táxi e comecei a subir a passarela de concreto que leva ao exageradamente suntuoso novo quartel-general do Serviço. Você precisaria ter estado no meu lugar no auge da minha vida de espião, voltando morto de cansaço de um posto avançado em algum fim de mundo do império — muito provavelmente do império soviético, ou de algum integrante dele. Do aeroporto de Londres pega-se o ônibus e, em seguida, o metrô até Cambridge Circus. A equipe de Produção está à sua espera para interrogá-lo sobre a missão. Você sobe cinco degraus desgastados até a porta da monstruosidade vitoriana que alternadamente chamamos de Escritório Central, só de Central, ou simplesmente de Circus. E você está em casa.

Esqueça as brigas que vinha tendo com os departamentos de Produção, Requisições ou Administração. São apenas rusgas de família entre o campo e a base. De sua cabine, o porteiro lhe dá bom-dia com um estudado "bem-vindo de volta, Sr. Guillam" e pergunta se gostaria que ele guardasse sua mala. E você diz obrigado, Mac, ou Bill, ou quem quer que esteja de serviço naquele dia, sem se dar ao trabalho de lhe mostrar o crachá. Você está sorrindo e não sabe bem por quê. À sua frente, estão os três elevadores decrépitos que você odeia desde o seu primeiro dia — só que dois deles estão presos lá em cima e o terceiro é exclusivo de Control, por isso nem adianta perder tempo. E, de qualquer maneira, você prefere se perder no labirinto de corredores e caminhos sem saída que é a encarnação física do mundo no qual escolheu viver, com suas escadarias de madeira carcomidas por cupins, extintores de incêndio lascados, espelhos convexos e o fedor rançoso de fumaça de cigarro, Nescafé e desodorante.

E agora esta monstruosidade. Este Bem-vindo à Espiãolândia Junto ao Tâmisa.

Sob o escrutínio de homens e mulheres austeros de agasalhos esportivos, apresento-me à recepção de vidro blindado e vejo meu passaporte britânico ser recolhido por uma bandeja de metal deslizante. O rosto por trás do vidro é o de uma mulher. As ênfases ridículas em certas palavras e a voz eletrônica são do Homem de Essex:

— Queira, por favor, colocar *todas* as chaves, celulares, dinheiro, relógios *de pulso*, canetas e quaisquer *outros* objetos de metal que tenha em seu poder *na* caixa sobre a mesa *à* sua esquerda, retenha a etiqueta *branca* que identifica sua caixa, e, então, com os *sapatos* na mão, *atravesse* a porta com a indicação para Visitantes.

Meu passaporte é devolvido. Sigo as instruções e sou revistado com uma dessas raquetes, tipo as de pingue-pongue, por uma menina sorridente que parece ter uns quatorze anos, depois passo por um escâner corporal que é um caixão de vidro na vertical. Após devolver os sapatos aos meus pés e amarrar os cadarços — de certo modo, um procedimento muito mais humilhante do que o de tirá-los —, sou escoltado até um elevador sem identificação pela menina sorridente, que me pergunta se eu tive um bom dia. Não tive. E nem uma boa noite, se ela quer saber, o que não quer. Graças à carta de A. Butterfield, eu tive a pior noite da última década, mas também não posso dizer isso a ela. Sou um animal do campo, ou fui. Meu hábitat natural era espionar espaços abertos. O que estou descobrindo nos meus chamados anos maduros é que uma carta vinda do nada e enviada pelo Circus em sua nova encarnação, requisitando minha presença imediata em Londres, desencadeia em mim uma viagem noturna da alma.

Chegamos ao que parece ser o último andar, mas nada sinaliza isso. No mundo que um dia habitei, seus maiores segredos estavam sempre no último andar. Minha jovem acompanhante tem um punhado de fitas penduradas no pescoço contendo etiquetas eletrônicas. A menina abre uma porta também sem identificação, eu entro, ela fecha a porta. Tento girar a maçaneta. Nada acontece. Já fui trancafiado algumas vezes na vida, mas sempre pelo inimigo. Não há janelas ali; só pinturas infantis de flores e casas. Será que são os trabalhinhos da aula de artes dos filhos de A. Butterfield? Ou desenhos de ex-encarcerados?

E o que aconteceu com todos os barulhos? Quanto mais presto atenção, mais o silêncio piora. Nenhum ruído prazeroso de máquinas de escrever, nenhum telefone tocando sem parar, nenhum carrinho de pastas e arquivos chacoalhando como a van do leiteiro pelos corredores de tábuas corridas, nenhum urro furioso e gutural mandando parar *essa porra de assobio*! Em algum lugar no caminho entre Cambridge Circus e o Embankment, algo morreu, e não foi apenas o rangido dos carrinhos de pastas e arquivos.

Empoleiro meu traseiro numa cadeira de aço e couro. Folheio um exemplar encardido de *Private Eye* e me pergunto qual de nós perdeu o senso de humor. Eu me levanto, tento abrir a porta de novo e me sento em outra cadeira. A esta altura, concluí que A. Butterfield está fazendo uma análise detalhada da minha linguagem corporal. Se estiver, boa sorte para ele, porque, quando a porta se escancara e uma mulher despachada, na casa dos quarenta, de cabelos curtos e terninho entra impetuosamente e diz, com um sotaque neutro, sem entregar sua classe social, "Ah. Oi, Peter, beleza? Meu nome é Laura, quer entrar agora?", devo ter revivido em rápida sucessão cada fracasso e cada desastre em que me envolvi em uma vida inteira de inescrupulosidade autorizada.

Marchamos ao longo de um corredor vazio e entramos numa sala branca, asséptica, com janelas lacradas. Um rapaz inglês que mais parece um aluno de colégio interno — a cara limpa, de óculos, idade indefinida —, de camisa social e suspensório, sai de trás de uma mesa e pega minha mão.

— *Peter*! Cara! Você é bem *estiloso*! *E* parece ter metade da idade que tem! Fez boa viagem? Quer café? Chá? *Tem certeza* que não? Sério, que maravilha você ter vindo. Uma *baita* ajuda. Já conheceu a Laura? Mas é claro que já. *Mil desculpas* por ter feito você esperar lá dentro. Um telefonema lá de cima. Tudo bem agora. Senta aí.

Tudo isso pontuado por olhares semicerrados, como se em confidência, para promover intimidade extra ao me guiar até uma cadeira reta desconfortável com braços para uma longa permanência. Então ele se senta do outro lado da mesa, que está abarrotada de velhas pastas do Circus identificadas com as cores de todas as nações. Em seguida, apoia os cotovelos cobertos pela camisa entre as pastas onde não posso vê-los e junta as mãos numa cama de gato sob o queixo.

— Então, eu sou o *Bunny* — anuncia. — Um apelido idiota, mas me persegue desde pequeno e não consigo me livrar dele. Provavelmente o motivo pelo qual vim parar *neste* lugar, pensando bem. Não dá para fazer bonito no Superior Tribunal de Justiça com todo mundo correndo atrás de você gritando "Bunny, Bunny", dá?

É sempre assim o jeito de falar dele? É dessa forma que um advogado de meia-idade do Serviço Secreto fala nos dias de hoje? Ora cheio de vigor, ora com um pé no passado? Meu ouvido para o inglês contemporâneo está meio capenga, mas, a julgar pela expressão facial de Laura quando ocupa seu lugar ao lado dele, sim, é isso mesmo. Sentada, ela parece selvagem, pronta para o ataque. Anel de sinete no dedo médio da mão direita. De seu pai? Ou um sinal codificado de sua preferência sexual? Passei tempo demais fora da Inglaterra.

Uma conversa fiada, conduzida por Bunny. Suas duas filhas adoram a Bretanha. Laura já foi à Normandia, mas não à Bretanha. Ela não diz com quem.

— Mas você nasceu na Bretanha, Peter! — protesta Bunny de repente, do nada. — Devíamos chamá-lo de Pierre!

Peter está ótimo, digo.

— Então, o que *temos aqui*, Peter, objetivamente, é um *mingau jurídico* meio sério para resolver — retoma Bunny num ritmo mais lento e mais alto, tendo reparado em meus novos aparelhos auditivos por entre meus cachos brancos. — Não é uma *crise* ainda, mas está ativa e, receio, bastante *volátil*. E nós precisamos muito da sua ajuda.

Respondo que fico muito feliz em poder ajudar, com o que estiver ao meu alcance, Bunny, e é bom saber que ainda se pode ser útil depois de todos esses anos.

— Obviamente estou aqui para proteger o *Serviço*. Esse é o meu trabalho — continua Bunny, como se eu não tivesse falado. — E *você está* aqui como pessoa física, sem dúvida nenhuma como ex-integrante, com uma longa e feliz aposentadoria, tenho certeza, mas o que eu *não posso* garantir é que *seus* interesses e *nossos* interesses vão coincidir o tempo todo. — Olhos semicerrados. Sorriso com a boca contraída. — Então, Peter, o que estou dizendo a você *é*: por mais que o respeitemos muito por todas as coisas esplêndidas que fez para a Central nos velhos tempos, isto aqui *é* a *Central*. E você é *você* e *eu* sou um advogado impiedoso. Como vai Catherine?

— Muito bem, obrigado. Por que pergunta?

Porque eu não a mencionei em nenhum registro. Para me meter medo. Para me avisar que a coisa é séria. E mostrar como os olhos do Serviço enxergam tudo.

— Ficamos nos perguntando se deveríamos acrescentá-la à longa lista de mulheres com quem você se envolveu — explica Bunny. — Regulamentos do Serviço e coisa e tal.

— Catherine é minha inquilina. É filha e neta de ex-locatários. Escolhi morar naquelas instalações, e, na medida em que isso é importante para você, nunca dormi com ela e não pretendo dormir. Isso o satisfaz?

— Extremamente, obrigado.

Minha primeira mentira, dita com muita habilidade. Agora, a rápida guinada:

— Está me parecendo que preciso de meu próprio advogado — digo.

— Muito cedo para isso, e você não pode se dar a esse luxo. Não com honorários como os de hoje. Nos registros, você aparece como casado e depois separado. Ambas as anotações estão corretas?

— Estão.

— Tudo no mesmo ano. Estou impressionado.

— Obrigado.

Estamos brincando? Ou provocando? Suspeito da segunda opção.

— Uma loucura juvenil? — insinua Bunny, no mesmo tom cortês de inquérito.

— Um mal-entendido — retruco. — Alguma outra pergunta?

Mas Bunny não se deixa vencer assim tão facilmente e faz questão de que eu saiba disso.

— Quer dizer, então quem foi que... a criança? De quem era? O pai? — ainda no mesmo tom de voz polido.

Finjo que estou ponderando.

— Sabe, não creio que jamais tenha pensado em perguntar a ela — respondo. E enquanto ele ainda reflete sobre isso: — Já que estamos falando sobre quem faz o que com quem, talvez você possa me dizer o que Laura está fazendo aqui — sugiro.

— Laura é a História *em pessoa* — responde Bunny, bem alto.

História na forma de uma mulher impassível de cabelos curtos, olhos castanhos e sem maquiagem. E ninguém mais sorri, só eu.

— Então, o que consta do auto de acusação, Bunny? — pergunto, demonstrando um certo vigor, agora que já estamos entrando em combate direto. — Atear fogo nas docas da Rainha?

— Ora, o que é isso, *auto de acusação* já é exagero, Peter! — protesta Bunny, exibindo o mesmo vigor. — Coisas a resolver, só isso. Deixe-me fazer *uma* pergunta para adiantar o serviço. Posso? — Olhos semicerrados. — Operação *Windfall*. Como foi montada, quem a comandou, onde foi que as coisas deram errado e qual foi o seu papel nela?

A alma se alivia quando você percebe que suas piores expectativas foram confirmadas? Não no meu caso.

— Windfall, Bunny, foi isso o que você disse?

— Windfall — mais alto, para o caso de a voz dele não ter chegado aos meus aparelhos de surdez.

Vá devagar. Lembre-se de que você já tem uma certa idade. A memória não é mais o seu forte. Não tenha pressa.

— Esta Windfall era *o quê,* exatamente, Bunny? Me dê uma pista. A que época estamos nos referindo?

— Início dos anos sessenta, por aí. Hoje.

— Uma operação, você disse?

— Secreta. Chamada Windfall.

— Contra que alvo?

Laura, vindo do meu ponto cego:

— Soviético e nações satélites soviéticas. Dirigida contra o Serviço de Inteligência da Alemanha Oriental. Também conhecido como *Stasi* — berrando para me ajudar a ouvir.

Stasi? Stasi? Só um momento. Ah, sim, a Stasi.

— Com que finalidade, Laura? — pergunto, tendo juntado todas as peças.

— Organizar uma dissimulação, enganar o inimigo, proteger uma fonte vital. Penetrar a Central de Moscou com o propósito de identificar o suposto traidor, ou traidores, dentro das fileiras do Circus. — E, mudando o tom para puro lamento: — Só que não temos mais absolutamente nenhum arquivo da operação. *Nadica de nada*. Apenas um punhado de referências cruzadas a pastas que evaporaram. Tipo, desapareceram, supostamente roubadas.

— Windfall, Windfall — repito, balançando a cabeça e sorrindo do jeito que os velhos fazem, ainda que não sejam tão velhos quanto outras pessoas possam pensar que são. — Perdão, Laura. Nada me vem à memória. Sinto muito.

— Nem mesmo um fragmento de memória? — Bunny.

— Nenhum, infelizmente. Branco total — tentando afastar da mente imagens de meu eu jovem com um uniforme de entregador de pizza, debruçado sobre os guidões da minha motocicleta de aprendiz enquanto levo, tarde da noite, uma encomenda especial de pastas do quartel-general do Circus até Algum Lugar em Londres.

— E só no caso de eu não ter mencionado, ou de você não ter ouvido — diz Bunny, com um tom de voz mais suave. — É de nosso conhecimento que a Operação Windfall envolveu seu amigo e colega de trabalho Alec Leamas, que, talvez você *ainda* lembre, morreu alvejado por tiros no Muro de Berlim enquanto corria para salvar a namorada Elizabeth Gold, que já tinha sido morta da mesma forma no Muro de Berlim. Mas talvez você tenha esquecido isso também?

— Uma ova que esqueci — explodi. E só então, à guisa de explicação: — Vocês estavam me perguntando sobre Windfall, não sobre Alec. E a resposta é não. Não lembro. Nunca ouvi falar dela. Desculpem.

*

Em qualquer interrogatório, a negação é o ponto da virada. Esqueça as cortesias que a precederam. A partir do momento da negação, as coisas nunca mais serão as mesmas. No nível da polícia secreta, a negação é capaz de provocar uma retaliação instantânea, ainda mais porque o policial secreto comum é mais estúpido do que seu interrogado. O interrogador sofisticado, por outro lado, ao ter a porta batida na cara, não tenta arrombá-la a pontapés de imediato. Ele prefere se reorganizar e avançar sobre o alvo por um outro ângulo. E, a julgar pelo sorriso de satisfação de Bunny, é o que ele está prestes a fazer.

— Então, Peter. — Sua voz para os que ouvem mal, apesar das minhas garantias: — Deixando a questão da Operação Windfall de lado por um instante, você se importaria se Laura e eu lhe fizéssemos algumas *perguntas fundamentais* a respeito de uma questão mais genérica?

— Que é?

— Responsabilidade individual. O velho problema de onde a *obediência* a ordens superiores *cessa*, e a responsabilidade pela ação individual de cada um começa. Está conseguindo me acompanhar?

— Mal e porcamente.

— Você está em ação. A Central lhe deu luz verde, mas nem tudo corre conforme planejado. Sangue inocente é derramado. Você, ou um colega de trabalho próximo, parece ter se excedido em relação ao que lhe foi pedido. Já chegou a pensar numa situação dessas?

— Não.

Ou ele esqueceu que ouço mal, ou concluiu que ouço bem:

— E você não consegue pensar, hipoteticamente, em como uma situação tão estressante dessas poderia surgir? Fazendo uma retrospectiva das muitas sinucas de bico em que você se viu envolvido durante uma longa carreira operacional?

— Não. Não consigo. Sinto muito.

— Nem um único momento em que você sentiu que havia ido além do que lhe foi ordenado pela Central, que começou algo que não podia parar? Talvez colocando seus próprios sentimentos, necessidades, *desejos* até, acima do dever? Com terríveis consequências que você não teve a intenção de provocar ou não conseguiu prever?

— Ora, isso me valeria uma repreensão da Central, não? Ou uma chamada de volta a Londres. Ou, num caso realmente grave, o olho da rua — insinuei, mostrando a ele minha carranca disciplinar.

— Procure ir um pouco mais longe que isso, Peter. Estou sugerindo que poderia haver terceiros lesados nessa história. Pessoas comuns do mundo lá fora que, em consequência de algo que você fez, por um equívoco, no calor do momento, ou quando a carne fraquejou, digamos, sofreram danos colaterais. Pessoas que poderiam resolver, *anos depois*, talvez uma geração depois, entrar com uma ação bem lucrativa contra este Serviço. Ou por danos sofridos ou, se isso não colar, um processo individual por homicídio culposo ou algo pior. Contra o Serviço como um todo ou — arqueando as sobrancelhas em surpresa fingida — determinado ex-integrante dele. Você nunca pensou *nisso* como uma possibilidade? — soando menos como advogado e mais como um médico preparando seu espírito para uma má notícia.

Dê um tempo. Coce a velha cabeça. Nada.

— Ocupado demais criando problemas para o inimigo, suponho. O inimigo na sua frente, a Central na sua cola, sem muito tempo para filosofar. — Um sorriso cansado de veterano. — O caminho *mais fácil* é começar com um *procedimento parlamentar* e preparar o cenário para o *processo judicial* por meio do envio de uma *notificação extrajudicial*, mas não levar adiante.

Ainda pensando, Bunny.

— Então, claro, quando o *processo judicial* é iniciado, o *inquérito parlamentar* sai de cena. O que dá carta branca aos tribunais.

Ele espera, em vão, e volta a atacar com mais ênfase.

— E Windfall, nenhuma lembrança ainda? Uma operação secreta que durou dois anos e na qual você desempenhou um papel importante, até heroico, diriam alguns. E você não se lembra de nada?

E Laura me fazendo a mesma pergunta com seus olhos castanhos de freira que nunca piscam, enquanto finjo de novo que estou mergulhando na minha memória de velho e — que chato — não consigo arrancar absolutamente nada dela, mas é o peso dos anos, suponho — balançando, pesaroso, minha cabeça branca, em sinal de frustração.

— Não foi alguma espécie de treinamento, foi? — pergunto de forma resoluta.

— Laura acabou de lhe contar o que foi — retruca Bunny.

— Ah, sim, claro que ela me contou — digo, e tento parecer constrangido.

*

Deixamos Windfall de lado e voltamos a considerar o espectro de uma pessoa comum do mundo exterior, primeiro perseguindo determinado ex-integrante do Serviço via Parlamento, e então fazendo uma segunda investida nos tribunais de justiça. Mas nós ainda não dissemos o nome *de quem* está em jogo, ou de *qual* ex-integrante poderíamos estar falando. Eu digo *nós* porque, se você já experimentou uma fase de interrogatório e se viu na berlinda, existe uma cumplicidade que coloca você e seus inquisidores juntos de um lado da mesa, e as questões a serem resolvidas do outro.

— Quer dizer, considere a questão da sua ficha pessoal, o que restou dela, Peter — queixa-se Laura. — Não é que ela tenha sido simplesmente rasurada. Ela foi toda fragmentada. Tudo bem, ela continha anexos sensíveis considerados secretos demais para o Arquivo Geral. Ninguém pode se queixar disso, até certo ponto. Anexos secretos são para isso. Mas, quando vamos ao Arquivo *Restrito*, o que encontramos? Um grande espaço vazio.

— Ah, vai se foder — intervém Bunny. — Sua carreira inteira no Serviço, segundo sua ficha, é um monte de certificados de destruição.

— Se é que chega a isso — comenta Laura, evidentemente inabalada por essa exibição de palavreado chulo imprópria para um advogado.

— Ah, mas, para ser *justo*, Laura — Bunny, assumindo o manto espúrio de amigo do prisioneiro —, nós poderíamos muito bem estar vendo aqui uma obra de Bill Haydon, não é mesmo? — E então para mim: — Mas talvez você tenha esquecido quem é Haydon também?

Haydon? *Bill* Haydon. Sei bem quem era: agente duplo na mão dos soviéticos que, como chefe do onipotente Comitê Diretor Conjunto do Circus, mais conhecido como Conjunto, havia diligentemente vazado os segredos dele para a Central de Moscou por três décadas. Ele também é o homem cujo nome passa pela minha cabeça várias vezes por dia, mas não estou a fim de dar um pulo e gritar "aquele filho da mãe, eu podia quebrar o pescoço dele" — o que, no fim das contas, foi o que outra pessoa que eu conheço acabou fazendo, de qualquer maneira, para felicidade geral da nossa nação.

Laura, enquanto isso, prossegue em sua conversa com Bunny:

— Ora, não tenho a menor dúvida, Bunny. Aquele Arquivo Restrito inteiro tem a marca de Bill Haydon por toda parte. E o Peter aqui foi um dos primeiros a farejá-lo, não foi, Pete? Em seu papel como braço direito de Smiley. Seu guardião e discípulo fiel. Não era isso o que você era?

Bunny balança a cabeça, admirado.

— George Smiley. O melhor operador que já tivemos. A consciência do Circus. Seu Hamlet, como diziam alguns, talvez não com tanta propriedade. Que homem. Ainda assim, você não acha que, no caso da Operação Windfall — continua ele, ainda se dirigindo a Laura como se eu não estivesse na sala —, poderia não ter sido *Bill Haydon* quem estava saqueando o Arquivo Restrito, mas Smiley, sei lá por que motivo? Tem umas assinaturas estranhas naqueles certificados de destruição. Nomes dos quais nunca ouvimos falar. Não estou dizendo Smiley *pessoalmente*. Ele teria usado um representante, voluntário, claro. Alguém que obedeceria às suas ordens cegamente, sendo um ato lícito ou não. Nunca foi de sujar as próprias mãos, nosso George, grande homem que era.

— Tem uma opinião sobre isso, Pete? — pergunta Laura.

Com certeza tenho uma opinião, e uma opinião radical. Odeio *Pete*, e essa conversa está saindo seriamente dos eixos:

— Por que cargas d'água, Laura, George Smiley, de todas as pessoas neste mundo, precisaria sair por aí roubando os arquivos do Circus? Bill Haydon, sim, concordo com você. Bill teria roubado a esmola de uma viúva e dado uma boa gargalhada depois.

E uma risadinha discreta, e uma sacudida da velha cabeça para indicar que vocês, jovens de hoje, não teriam condições de saber como as coisas eram realmente naquela época.

— Ah, eu acho que George poderia ter uma razão para roubar os arquivos, sim — retruca Bunny, falando por Laura. — Ele foi chefe do departamento de Operações Secretas nos dez anos mais glaciais da Guerra Fria. Travou uma guerra inescrupulosa por território com o Conjunto. Um vale-tudo, fosse derrubando os agentes ou arrombando os cofres um do outro. Foi o cabeça das operações mais obscuras em que esse Serviço já meteu as mãos. Ignorava sua consciência sempre que uma necessidade maior assim determinava, o que parece ter acontecido com muita frequência. Acho que consigo ver seu George enfiando algumas pastas para baixo do tapete com muita facilidade. — E para mim agora, direto na minha cara: — E eu também consigo ver você ajudando George, sem titubear. Algumas daquelas assinaturas esquisitas se parecem bastante com sua caligrafia. Você sequer precisava roubá-las. Bastava assiná-las com o nome de outra pessoa e bingo. E quanto ao mui pranteado Alec Leamas, que morreu tão tragicamente no Muro de Berlim, a ficha pessoal *dele* não chegou nem a ser fragmentada. Ela simplesmente sumiu sem deixar vestígios. Sobrou só um cartão gasto pelo uso no índice geral. Você parece estranhamente impassível.

— Estou surpreso, se quer saber. E abalado, também. Muito.

— Por quê? Simplesmente porque estou sugerindo que você afanou a pasta de Leamas do arquivo secreto e a escondeu numa árvore oca? Você afanou algumas pastas de arquivo na sua época para seu Tio George. Por que não a de Leamas? Uma lembrança do amigo depois que ele foi abatido com... como se chamava mesmo a namorada dele?

— Gold. Elizabeth Gold.

— Ah, você lembra. E Liz, para encurtar. A pasta *dela* também desapareceu. Podíamos elaborar romanticamente a ideia de as pastas de Alec Leamas e de Liz Gold desaparecerem juntas para além do horizonte. A propósito, como foi que você e Alec Leamas se tornaram tão grandes amigos? Irmãos de armas até o fim, pelo que a gente ouve dizer.

— Fizemos algumas coisas juntos.

— Coisas?

— Alec era mais velho que eu. E mais sábio. Se houvesse uma operação em andamento e ele precisasse de um assistente, me chamava. Se o departamento Pessoal e George concordassem, fazíamos uma parceria.

— Então nos dê alguns exemplos dessa *parceria* — voltou a falar Laura, num tom de voz que claramente desaprovava parcerias, mas eu fiquei bem feliz em poder divagar.

— Ora, Alec e eu devemos ter começado no Afeganistão, acho, em meados dos anos cinquenta. Nosso primeiro trabalho juntos foi infiltrar pequenos grupos no Cáucaso, e depois na Rússia. Provavelmente soa como algo *do tempo do onça* para vocês.

Outra risadinha. Um movimento de cabeça.

— Não foi um sucesso estrondoso, devo admitir. Nove meses depois, eles o transferiram para o Báltico, botando uns *joes* para dentro e para fora da Estônia, da Letônia e da Lituânia. Ele me chamou de novo e assim fui como seu apoio. — E, só para esclarecer: — Os Estados Bálticos faziam parte do bloco soviético naqueles tempos, Laura, como estou certo de que você já sabia.

— E *joes* eram agentes. Dizemos *ativos* hoje. E Leamas estava oficialmente baseado em Travemünde, correto? No norte da Alemanha.

— Correto, Laura. Disfarçado como integrante do Grupo Internacional de Pesquisa Marinha. Proteção à pesca durante o dia, desembarques de lancha à noite.

Bunny interrompe nosso *tête à tête*.

— Esses desembarques noturnos chegavam a ter um nome?

— Jackknife, se não me falha a memória.

— Então não era Windfall?

Ignore-o.

— Jackknife. Funcionou por uns dois anos e depois foi desativado.

— Funcionou como?

— Primeiro, arranje voluntários. Treine-os na Escócia, na Floresta Negra ou sei lá onde. Estonianos, letões. Depois coloque-os de volta no lugar de onde vieram. Espere por noites sem lua. Bote de borracha. Motor de popa silencioso. Visão noturna. Comitê de recepção na praia sinaliza que está tudo limpo. Você desembarca. Ou seus *joes*.

— E quando seus *joes* desembarcavam, o que você e Leamas faziam? Além de abrirem uma garrafa de bebida, obviamente, arte em que Leamas era mestre, pelo que soubemos.

— Bem, não íamos lá para ficar sentados, não é mesmo? — retruco, recusando-me de novo a me exaltar. — O negócio era sair o mais rápido de lá. Deixá-los entregues à sua tarefa. Por que está me perguntando tudo isso, afinal?

— Em parte, para sondar você. Em parte, porque me pergunto como você se lembra de Jackknife tão claramente quando não consegue lembrar porra nenhuma de Windfall.

Laura de novo:

— Por *deixá-los entregues à sua tarefa*, presumo que você queira dizer deixar os agentes entregues à própria sorte?

— Se é assim que você quer colocar, Laura.

— E qual era a sorte deles? Ou você já esqueceu?

— Eles morriam para nós.

— Morriam literalmente?

— Alguns eram agarrados assim que desembarcavam. Outros, um ou dois dias depois. Alguns se voltavam contra nós, atuavam contra nós e só eram executados mais tarde — respondo, sentindo a raiva aumentar em minha voz e não querendo muito refreá-la.

— E então quem devemos culpar por isso, Pete? — ainda Laura.

— Pelo quê?

— Pelas mortes.

Uma pequena explosão não faz mal a ninguém.

— O filho da mãe do Bill Haydon, nosso traidor, quem você acha? Os pobres-diabos eram apanhados antes mesmo de deixarmos a costa alemã. Pelo nosso próprio querido chefe do Comitê Diretor Conjunto, o mesmo departamento que havia planejado a operação!

Bunny abaixa a cabeça, consulta algo sob o parapeito. Laura olha primeiro para mim, depois para as próprias mãos, o que ela prefere. Unhas curtas como as de um menino, imaculadamente limpas.

— Peter — agora é a vez de Bunny, atirando em grupos, e não com tiros isolados. — Estou muito preocupado, como advogado principal do Serviço, não como *seu* advogado, repito, com certos aspectos de seu passado. Ou seja, seria possível criar uma impressão a seu respeito por meio de advogados habilidosos, se o Parlamento chegasse a sair do caminho, deixando o campo livre para os tribunais, secretos ou não, que os céus o protejam, de que, no curso de sua carreira, você se associou a uma quantidade exorbitante de mortes, e foi indiferente a elas. De que você foi designado, digamos, pelo impecável George Smiley, para operações secretas em que a morte de pessoas inocentes era considerada uma consequência aceitável ou até necessária. Inclusive, quem sabe, uma consequência desejada.

— Consequência desejada? A morte? Do que você está falando?

— Windfall — diz Bunny, pacientemente.

3.

— Peter?

— Bunny.

Laura adotou um silêncio reprovador.

— Podemos só voltar por um instante a 1959, quando, acredito, Jackknife foi arquivado?

— Não sou muito bom com datas, Bunny.

— Arquivado pelo Escritório Central com base no fato de a operação ter se mostrado improdutiva e custosa, tanto em valores quanto em vidas. Você e Alec Leamas, por outro lado, suspeitaram de que havia algum trabalho sujo sendo feito dentro de casa.

— O Comitê Diretor Conjunto alegava incompetência. Alec alegava conspiração. Fosse qual fosse o trecho do litoral em que desembarcássemos, o inimigo estava sempre lá antes de nós. Conexões por rádio grampeadas. Tudo grampeado. Tinha que ser alguém de dentro. Era a opinião de Alec e, do meu humilde ponto de vista, eu tendia a concordar com ele.

— Então vocês decidiram, os dois, que iriam fazer uma *démarche* junto a Smiley. Imagino que vocês acreditassem que o próprio Smiley estivesse acima de qualquer de suspeita como potencial traidor.

— Jackknife era uma operação do Conjunto. Sob o comando de Bill Haydon. Haydon, depois Alleline, Bland, Esterhase. Os Garotos do Bill, era como os chamávamos. George nem chegou perto disso.

— E Conjunto e Operações Secretas estavam prontos para a briga?

— Conjunto conspirava o tempo todo para controlar o departamento de Operações Secretas. George viu isso como uma luta pelo poder e resistiu. Bravamente.

— Onde ficava nosso nobre chefe do Serviço em tudo isso? *Control*, como devemos chamá-lo.

— Jogando Conjunto e Secretas um contra o outro. Dividindo para dominar, como de costume.

— Estou certo em pensar que havia questões pessoais entre Smiley e Haydon?

— É possível. Havia um papo pelos corredores de que Bill tivera um caso com Ann, a mulher de George. Aquilo anuviou a visão de George. O tipo de manobra que você podia esperar de Bill. Ele era um canalha esperto.

— Smiley falava sobre sua vida pessoal com você?

— Nem pensar. Isso não é coisa que se fale com um subalterno.

Bunny pensa um pouco, não acredita, parece querer insistir na questão, muda de ideia.

— Então, com o fim da Operação Jackknife, você e Leamas foram chorar as mágoas com Smiley. Cara a cara. Os três. Você, apesar de sua condição de novato.

— Alec pediu que eu fosse com ele. Não confiava em si mesmo.

— Por que não?

— Alec tinha o pavio curto.

— Onde esse encontro *à trois* aconteceu?

— Que raio de importância tem isso?

— Porque estou imaginando um porto seguro. Um lugar do qual você ainda não me falou, mas vai acabar falando, em algum momento. Achei que esta seria a hora certa para perguntar.

Eu havia me iludido e acreditado que, com toda essa lengalenga, nós estaríamos entrando em águas menos perigosas.

— Nós podíamos ter ido para uma casa segura do Circus, mas elas eram rotineiramente grampeadas pelo Conjunto. Podíamos ter usado a casa de George em Bywater Street, mas Ann morava lá. Havia uma espécie de consenso de que ela não deveria ser envolvida em situações com as quais fosse incapaz de lidar.

— Ela iria correndo para Haydon?

— Não foi o que eu disse. Era só uma sensação genérica. Nada mais. Quer que eu continue ou não?

— Quero muito, se não se importa.

— Pegamos George em Bywater Street e o fizemos caminhar por South Bank, pensando em sua saúde. Era uma noite de verão. Ele estava sempre se queixando de que não se exercitava o suficiente.

— E nessa caminhada noturna à margem do rio nasceu a Operação Windfall?

— Ah, pelo amor de Deus! Cresça!

— Ah, já sou bem crescidinho, não se preocupe. E você está ficando mais jovem a cada minuto. Como foi a conversa? Sou todo ouvidos.

— Falamos sobre traição. No geral, não em detalhe, não havia sentido nisso. Qualquer um que fosse integrante, antigo ou recente, do Conjunto, tornava-se suspeito por princípio. Portanto, cinquenta, sessenta pessoas, todas traidores em potencial. Falamos sobre quem tinha o tipo de acesso à operação para boicotar Jackknife, mas sabíamos que, com Bill chefiando o Conjunto e Percy Alleline comendo na sua mão, além de Bland e Esterhase participando do show do jeito que podiam, tudo o que qualquer traidor precisava fazer era aparecer nas sessões de planejamento do Conjunto, abertas a quem quisesse ir, ou frequentar o bar dos oficiais graduados e ouvir o falastrão do Percy Alleline. Bill sempre dizia que a compartimentalização era uma chatice, vamos deixar todo mundo saber de tudo. Isso lhe dava toda a cobertura de que precisava.

— Como Smiley reagiu a essa *démarche*?

— Ele pensaria um pouco e depois nos daria um retorno. Isso era o máximo que qualquer um conseguia de George. Então... Acho que vou aceitar aquele café que você me ofereceu, se não se importa. Puro. Sem açúcar.

Eu me espreguicei, balancei a cabeça, bocejei. Já tenho uma certa idade, pelo amor de Deus. Mas Bunny não estava caindo nessa, e Laura tinha desistido de mim havia muito tempo. Eles me olhavam como duas pessoas já fartas de mim e o café tinha sido tirado do cardápio.

*

Bunny colocara sua máscara jurídica. Nada de semicerrar os olhos mais. Nada de erguer a voz para um homem mais velho de miolo mole que não ouvia muito bem.

— Quero voltar para o lugar onde começamos... Tudo bem por você? Você e o Estado de Direito. O Serviço e o Estado de Direito. Tenho sua atenção plena?

— Creio que sim.

— Mencionei a você o insaciável interesse do público britânico por crimes históricos. Um fato de modo algum negligenciado por nossos nobres parlamentares.

— Você mencionou? É provável.

— *Ou* pelos tribunais de justiça. O jogo de culpa histórica que está na moda. Nosso novo esporte nacional. A geração sem culpa de hoje contra a sua, cheia de culpa. Quem expiará os pecados de nossos pais, mesmo que estes não fossem considerados pecados na época? Mas você não é pai, é? Embora sua ficha sugira que deveria estar cheio de netos.

— Achei que você tinha dito que minha ficha tinha sido fragmentada. Está me dizendo agora que não foi?

— Estou tentando interpretar suas emoções. Não consigo. Ou você não tem nenhuma ou tem emoções demais. Você é indiferente à morte de Liz Gold. Por quê? É indiferente à morte de Alec Leamas. Você finge amnésia total em relação a Windfall, quando nós sabemos que você tinha acesso irrestrito à operação. O que chama atenção é o fato de seu falecido amigo Alec Leamas não ter tido um acesso *tão irrestrito* assim, embora tenha morrido enquanto trabalhava nela. Não estou lhe pedindo para interromper, então, por favor, não o faça. No entanto — ele continuou, perdoando-me por meus maus modos —, começo a discernir as linhas gerais de um acordo entre nós. Você admitiu que a Operação Windfall talvez possa lhe soar familiar, ainda que remotamente. Quem sabe alguma espécie de treinamento, você disse de um jeito gracioso e estúpido. Como vai ser, então? Em troca de uma maior transparência da *nossa* parte, essa memória remota poderia se tornar um pouco mais clara, da *sua* parte?

Eu pondero, balanço a cabeça, tento resgatar aquelas lembranças distantes. Tenho a sensação da luta até o último homem, e o último homem sou eu.

— O modo como acho que me lembro *vagamente*, Bunny — admito, sinalizando uma ligeira mudança de rumo a seu favor —, se é que me volta alguma coisa à memória mesmo, é que Windfall não era uma *operação*, mas uma *fonte*. Um fiasco de fonte. Acho que é por isso que não estamos nos entendendo direito — na expectativa de obter algum tipo de trégua do outro lado da mesa, sem sucesso —, uma fonte *em potencial* que caiu de quatro no primeiro obstáculo. E foi imediatamente, e de um modo muito sensato, descartada. Arquivada e esquecida. — Sigo em frente: — A fonte Windfall era uma relíquia do passado de George. Outro caso *histórico,* se preferir — um aceno de cabeça em deferência a Laura —, um cidadão da Alemanha Oriental, professor de Literatura Barroca na Universidade de Weimar. Um amigo de George dos anos de guerra que tinha feito uma coisa ou outra por nós. O sujeito contatou George por intermédio de um acadêmico sueco ou coisa parecida, por volta de 1959.

Mantenha o fluxo, seja impreciso, uma regra de ouro.

— O *Prof,* como o chamávamos, dizia ter notícias quentíssimas sobre um superpacto sendo firmado entre as duas metades da Alemanha e o Kremlin. Contou que ficara sabendo disso por meio de um amigo da administração da Alemanha Oriental que era simpatizante nosso.

Agora está tudo na ponta da língua, como nos bons e velhos tempos.

— As duas metades da Alemanha iriam se reunificar sob a condição de que permanecessem neutras e desarmadas. Em outras palavras, exatamente o que o Ocidente não queria: um vácuo de poder bem no centro da Europa. Se o Circus pudesse trazer o Prof para o Ocidente, ele nos contaria a história toda.

Um sorriso pesaroso, uma sacudida da velha cabeça branca. E nenhuma reciprocidade do outro lado da mesa.

— Acabou que tudo que o Prof queria era uma cátedra em Oxford, um emprego vitalício, um título de cavaleiro e um chá com a Rainha — uma risadinha. — Claro que ele tinha inventado a história toda. Tremenda balela do começo ao fim. Caso encerrado — concluí, sentindo que havia feito um bom trabalho, no fim das contas, e que Smiley, onde quer que estivesse, estaria aplaudindo em silêncio.

Mas Bunny não aplaudiu. Nem Laura. Bunny fingia preocupação e Laura parecia simplesmente não estar acreditando.

— Sabe, Peter, o problema — explicou Bunny depois de algum tempo — *é que* o que você acabou de despejar sobre nós é exatamente a mesma merda que temos encontrado nos arquivos *falsos* de Windfall, no velho arquivo central. Estou certo, Laura?

Evidentemente, estava, porque ela logo pegou a deixa.

— Quase palavra por palavra, Bunny. Fabricada com o único propósito de desviar qualquer abelhudo do caminho certo. Esse professor nunca existiu, e a história é totalmente inventada do início ao fim. Pensando bem, acho que até se justificava: se Windfall precisava ser protegida dos olhares intrometidos dos Haydons da vida, fazia sentido haver uma pasta falsa como cortina de fumaça no arquivo central.

— Mas o que *não* faz sentido, Peter, é que você venha aqui, do alto da sua senioridade, tentar vender para nós a mesma merda de desinformação que você, George Smiley e os demais da Secretas já vendiam uma geração atrás — retrucou Bunny, com um meio semicerrar amistoso dos olhos.

— Encontramos os velhos relatórios financeiros de Control, sabe, Pete — explicou Laura, prestativa, enquanto ainda estou pensando na minha réplica. — Da verba destinada ao suborno. Essa é a parte do voto secreto que Control leva por seus gastos pessoais, mas ainda assim ele precisa prestar contas até o último centavo, não é, Peter? — falando como se estivesse se dirigindo a uma criança. — Entregue em mãos pelo homem em pessoa a seu confiável aliado no Tesouro. Oliver Lacon, era o nome dele, depois Sir Oliver, hoje o falecido Lorde Lacon, de Ascot West...

— Você se importaria de dizer o que tudo isso tem a ver *comigo*?

— Tudo, na verdade — disse Laura, calmamente. — Nos seus relatórios financeiros ao Tesouro, para os olhos de Lacon apenas, Control dá o nome de dois oficiais do Circus que, caso requisitados, fornecerão amplo e preciso esclarecimento sobre os custos pertinentes a uma certa Operação Windfall. Isso no caso de a despesa extra ser um dia questionada pela posteridade. Control levava essas questões muito a sério, por mais que não fizesse isso em relação a outras coisas. O Nome Um era George Smiley. O Nome Dois era Peter Guillam. Você.

Por um instante, Bunny não pareceu ter ouvido nada desse diálogo. Estava com a cabeça baixa de novo, os olhos sob o parapeito, e o que quer que estivesse lendo exigia sua plena atenção. Por fim, ele emergiu.

— Conte a ele do apartamento seguro de Windfall que você desencavou, Laura. O cafofo obscuro da Operações Secretas onde Peter escondia todas as pastas de arquivos que roubava — insinuou Bunny num tom que deu a entender que ele estava ocupado com outros assuntos.

— Sim, bem, há um apartamento seguro que é mencionado nos relatórios, como Bunny disse — explicou Laura, de novo prestativa. — E *mais*: existe uma governanta do apartamento seguro — falou, indignada — *e* um misterioso senhor de sobrenome Mendel, que não está sequer nos registros do Serviço, mas foi contratado por Operações Secretas exclusivamente como agente de Windfall. Duzentos paus por mês na sua conta poupança dos Correios em Weybridge, mais despesas de viagem e extras da ordem de outros duzentos, a serem justificados, pagos por intermédio da conta de um cliente não identificado, administrada por uma firma de advocacia metida a besta da City. E um George Smiley com procuração para movimentar a conta sozinho.

— E Mendel era *quem mesmo*? — perguntou Bunny.

— Policial aposentado, Operações Especiais — respondi, agora já no piloto automático. — Seu nome era Oliver. Não confundir com Oliver Lacon.

— Contratado como e onde?

— George e Mendel se conheciam havia muito tempo. George tinha trabalhado com ele num caso anterior. Gostava do seu jeito. Gostava que não fosse do Circus. Meu sopro de ar fresco, ele o chamava.

Bunny se cansou de repente de toda aquela conversa. Ele tinha se jogado de novo na cadeira e girava os pulsos, refestelando-se.

— Vamos cair na real, para variar, pode ser? — sugeriu, com um bocejo silencioso. — A verba para suborno de Control é, neste exato ponto, ou momento, a única prova confiável que nos fornece (a) um caminho para desvendar as condutas e o propósito da Operação Windfall, e (b) um meio para a nossa defesa em qualquer ação imaterial civil ou privada contra esse Serviço, e contra você, Peter Guillam, pessoalmente, da parte de um tal *Christoph* Leamas, único herdeiro do falecido Alec, e de uma tal de *Karen* Gold, solteirona, única filha da falecida Elizabeth ou Liz. Já tinha ouvido falar nisso? Já. Não diga que enfim o surpreendemos.

Ainda afundado na cadeira, ele exclamou um *"Jesus"* em voz baixa enquanto esperava minha reação. E deve ter esperado muito, porque eu me lembro de ele ter berrado um imperioso: *E então?*

*

— Liz Gold tinha uma *filha*? — eu me ouço perguntando.

— Uma versão briguenta da mãe, atualmente em cartaz. Liz tinha acabado de fazer quinze anos quando engravidou de um babaca qualquer da escola. Por insistência dos pais, entregou o bebê para adoção. Alguém a batizou de Karen. Ou talvez nem tenha sido batizada. Ela é judia. Ao chegar à maioridade, essa tal de Karen exerceu seu direito legal de conhecer a identidade dos pais biológicos, e ficou naturalmente curiosa em relação ao local em que a mãe morreu e de que forma.

Ele fez uma pausa, caso eu tivesse alguma pergunta a fazer. Tardiamente, eu tinha: de onde raios foi que Christoph e Karen tiraram nossos nomes? Ele prosseguiu.

— Karen foi muito encorajada em sua busca pela verdade e pela paz de espírito por Christoph, filho de Alec, que, desde a queda do Muro, vinha, sem que ela fizesse a menor ideia, lutando para descobrir como e por que o pai havia morrido; sem contar com o auxílio desse Serviço, devo acrescentar, que fez o que pôde para colocar todo e qualquer obstáculo no caminho deles, e muito mais. Infelizmente, nossos melhores esforços se mostraram contraproducentes, apesar de o tal Christoph Leamas ter uma ficha criminal do tamanho de um bonde na Alemanha.

Outra pausa. E nenhuma pergunta minha.

— Os dois querelantes se uniram agora. Convenceram a si mesmos, não sem razão, de que seus respectivos pais morreram em consequência do que parece ter sido uma cagada de primeira qualidade deste Serviço, e sua e de George Smiley pessoalmente. Estão querendo acesso total e absoluto aos fatos, uma indenização punitiva e um pedido público de desculpas que dê nomes aos bois. O seu é um deles. Você sabia que Alec Leamas tinha um filho?

— Sabia. Onde está Smiley? Por que ele não está aqui em vez de mim?

— Então você sabe, por acaso, quem era a felizarda mãe?

— Uma mulher alemã que ele conheceu na guerra quando operava atrás das linhas inimigas. Depois ela se casou com um advogado de Düsseldorf de sobrenome Eberhardt, que adotou o menino. Ele não é um Leamas, é um Eberhardt. Eu perguntei onde George está.

— Mais tarde. E obrigado por seus excelentes poderes de recordação. Quem mais tinha conhecimento da existência do menino? *Outros* colegas de trabalho do seu amigo Leamas? Nós saberíamos, mas a pasta dele foi roubada, sabe?

E já cansado de esperar pela minha resposta:

— Era de conhecimento geral ou não, dentro ou fora desse Serviço, que Alec Leamas era pai de um bastardo alemão chamado Christoph, residente em Düsseldorf? Sim ou não?

— Não.

— Porra, como não?

— Alec não falava muito de si.

— Exceto para você, aparentemente. Você o conheceu?

— Quem?

— Christoph. Não Alec. Christoph. Acho que você voltou a dar uma de surdo.

— Não estou fazendo nada disso e a resposta é *não*, eu não conheci Christoph Leamas — retruquei, pois por que razão eu deveria mimar Bunny com a verdade? E enquanto ele ainda digere isso: — Eu perguntei onde Smiley está.

— E eu ignorei a pergunta, como você deve ter notado.

Uma pausa enquanto nós dois nos recompúnhamos e Laura olhava melancolicamente pela janela.

— *Christoph*, como podemos chamá-lo — recomeçou Bunny num tom de voz letárgico —, é uma criatura de talentos, Peter, ainda que criminosos ou semicriminosos. Talvez seja genético. Depois de confirmar que seu pai biológico morreu no lado oriental do Muro de Berlim, ele conseguiu ter acesso, de que modo nós não sabemos, mas respeitamos, a um baú de arquivos supostamente secretos da Stasi, e extraiu deles três nomes dignos de nota. O seu, o da falecida Elizabeth Gold e o de George Smiley. Em poucas semanas, ele estava no rastro de Elizabeth, e depois, por meio de registros públicos, chegou à filha dela. Um encontro foi marcado. O par improvável se uniu, até que ponto não cabe a nós investigar. Juntos, eles consultaram um daqueles magnânimos advogados dos direitos civis com sandálias de dedo que são a desgraça deste Serviço. Em resposta, estamos considerando oferecer aos querelantes uma fortuna em dinheiro público pelo seu silêncio, mas também estamos cientes de que, ao fazermos isso, daremos a eles a confirmação de que o caso procede e, assim, os encorajaremos a se tornarem ainda mais estridentes. "Para o inferno com seu dinheiro, homens do mal! A História precisa dar a sua versão dos fatos. O câncer deve ser extirpado. Cabeças devem rolar." A sua sendo uma delas.

— E a de George também, presumo.

— Estamos, portanto, sendo confrontados com a burlesca premissa shakespeariana na qual os fantasmas de duas vítimas de uma conspiração diabólica do Circus se levantam para nos acusar nas pessoas de seus filhos. Até aqui, conseguimos conter a mídia ao insinuar, o que não é exatamente verdade, mas quem se importa?, que, se o Parlamento se abstiver para abrir caminho para um processo jurídico, o caso será tratado na privacidade honrosa de um tribunal *secreto,* e nós sozinhos decidiremos a quem intimar. Os querelantes, em resposta, instigados como sempre por seus advogados superdesagradáveis, dirão: "Que se foda esse esquema! Queremos transparência, queremos total acesso às informações." Você perguntou, um tanto ingenuamente, de onde eles poderiam ter tirado seus nomes. Ora, da Central de Moscou, claro, que devidamente os encaminhou à Stasi. E de onde a Central de Moscou pegou seus nomes? Desse Serviço aqui, claro, graças, mais uma vez, ao sempre diligente Bill Haydon, àquela época agindo livremente e destinado a permanecer assim por mais seis anos, até que São George atacou montado em seu cavalo branco e fez poeira dele. Você ainda mantém contato?

— Com George?

— Com George.

— Não. Onde ele está?

— E não manteve contato nos últimos anos?

— Não.

— Então, quando foi a última vez que você se comunicou com ele?

— Há oito anos. Dez.

— Descreva.

— Eu estava em Londres. Eu o procurei.

— Onde?

— Em Bywater Street.

— Como ele estava?

— Bem, obrigado.

— Nós o procuramos aqui, nós o procuramos ali. E a rebelde Lady Ann? Você não manteve contato com ela também? *Contato* no sentido apenas metafórico, naturalmente.

— Não. E dispenso a insinuação.

— Muito bem, eu preciso do seu passaporte.

— Para quê?

— O mesmo que você apresentou lá embaixo na recepção, por favor. Seu passaporte do Reino Unido — a mão estendida acima do parapeito.

— Por que cargas d'água?

Entreguei o documento para ele, de qualquer modo. O que mais eu poderia fazer? Brigar com ele pelo passaporte?

— Só esse? — perguntou, folheando com atenção as páginas dele. — Você tinha vários passaportes no passado, sob várias identidades. Onde estão?

— Devolvidos. Retalhados.

— Você tem dupla nacionalidade. Onde está seu passaporte francês?

— Sou filho de britânico, servi como britânico, o documento britânico é suficiente para mim. Pode me devolver meu passaporte agora?

Mas ele já havia desaparecido sob o parapeito.

— Então, Laura. *Você* de novo — disse Bunny, redescobrindo-a. — Podemos ir um pouco mais fundo agora naquele apartamento seguro de Windfall, por favor?

É o fim. Lutei até a última mentira. Estou morto e totalmente sem munição.

*

Mais uma vez Laura examina alguns papéis abaixo da minha linha de visão e eu faço o melhor para ignorar as gotas de suor que rolam pelo meu peito.

— Sim, sim, apartamento seguro *e como*, Bunny — concorda ela, levantando a cabeça com um ar de satisfação. — Um apartamento seguro para uso exclusivo de Windfall, e a descrição se resume a isso. A ser localizado em algum ponto da região central de Londres, com a determinação de que o dito apartamento seja conhecido, para fins de disfarce, como Estábulo, e que tenha uma governanta permanente a ser designada por Smiley como bem desejar. E é isso o que temos.

— Alguma lembrança, enfim? — pergunta Bunny.

Eles esperam. Eu também. Laura retoma sua conversa privada com Bunny.

— É como se Control não quisesse que nem Lacon soubesse onde ficava o lugar, nem quem cuidava dele, Bunny. O que, levando em conta o alto cargo que Lacon ocupava no Tesouro e seu conhecimento amplo de outras áreas de negócios do Circus, me parece um pouco paranoico da parte de Control, mas quem somos nós para julgar?

— Quem somos nós, né? Estábulo como referência ao ato de "limpar os estábulos"? — perguntou Bunny, curioso.

— Presumo que sim — diz ela.

— Escolha de Smiley?

— Pergunte a Pete — sugere, solícita.

Mas Pete, que eu detesto, ficou ainda mais surdo do que finge ser.

— E a *boa* notícia é — Bunny para Laura de novo — que o apartamento seguro de Windfall ainda *existe*! Porque, seja intencionalmente ou por puro deslize, e *suspeito* de que seja a segunda opção, o Estábulo permaneceu na "caixinha" de quatro Controls *seguidos*. E continua lá *até hoje*. Nossa própria chefia não sabe que ele existe, muito menos onde fica. O mais engraçado, nestes tempos de crise, é que sua existência nunca foi questionada pelo pessoal do bom e velho Tesouro. Eles o têm aprovado, benditos sejam, ano após ano.

Ele começa a falar com a língua entre os dentes, de um jeito afetado.

— *"Secreto demais para questionar, queridos. Assinem na linha pontilhada e não digam nenhuma palavra para a mamãe. É um contrato de locação, e não temos a menor ideia de quando expira, quem é o responsável por ele e nem quem é o babaca generoso que paga as contas"* — diz ele, e, virando-se para mim, no mesmo tom homofóbico: — Peter. Pierre. Pete. Você está muito silencioso. Esclareça para nós, por favor. Quem *é* o babaca generoso?

Quando você está encurralado, quando já tirou todos os truques da manga e nenhum deles funcionou, não sobra muito espaço para manobras. Você pode inventar uma história dentro da história. Eu tinha feito isso e não havia surtido efeito. Você pode tentar uma confissão parcial e esperar que se encerre ali. Fiz isso também e não foi o caso. Então você aceita que chegou a um beco sem saída e que a única opção que lhe resta é ser ousado, contar a verdade, ou o mínimo com que possa se safar, e ganhar alguns pontos por ter sido um bom menino — nada que me parecesse um desenlace muito provável, mas poderia pelo menos me valer meu passaporte de volta.

*

— George tinha um advogado adestrado — falei, enquanto o alívio pecaminoso da confissão me assolava, sem que eu pudesse controlar. — Que você chamou de metido a besta. Um parente distante de Ann, que concordou em fazer figuração. Não se trata de um apartamento seguro, e sim de uma casa segura de três andares que foi alugada por uma empresa registrada no paraíso fiscal das Antilhas Holandesas.

— Falou como herói — a aprovação de Bunny —, e a governanta da casa segura?

— Millie McCraig. Uma ex-agente de George. Ela havia atuado como governanta para ele antes. Reunia todas as habilidades. Quando Windfall começou, ela cuidava de uma casa segura para o Conjunto em New Forest. Um lugar chamado Acampamento 4. George pediu a ela que se demitisse e depois se candidatasse a um emprego em Secretas. Ele a transferiu para a verba destinada a subornos e a instalou no Estábulo.

— Que fica situado onde, podemos saber agora? — perguntou Bunny.

Então eu lhes contei isso também, além do número de telefone do Estábulo, que saiu tão fácil da minha boca que parecia morar na ponta da minha língua. A isso se seguiu uma série de movimentos ensaiados, com Bunny e Laura empilhando as pastas de arquivos na mesa que nos separava, e criando um espaço entre as pilhas. Bunny, então, colocou naquele vão um telefone de base larga e de uma complexidade que me escapava totalmente à compreensão. Após digitar uma sequência de teclas à velocidade de um relâmpago, me passou o fone.

A um décimo da velocidade de Bunny, teclei o número de telefone do Estábulo e fiquei surpreso ao ouvir o tom de discagem soando pela sala inteira, o que não era só extremamente perigoso ao meu ouvido culpado, mas um ato de total traição, como se eu tivesse sido desmascarado, capturado e preso de uma só vez. O telefone berrava seus toques enquanto chamava. Nós esperamos. Nada. E eu elucubrava: ou Millie está na igreja, porque costumava fazer muito isso, ou está passeando de bicicleta, ou ficou um pouco menos ágil do que era, como o restante de nós. O mais provável é que esteja morta e enterrada, porque, apesar de bonita e inatingível como era, tinha pelo menos uns cinco anos a mais do que eu.

A campainha cessou. Houve um ruído e deduzi que a chamada estivesse sendo direcionada para a secretária eletrônica. Então, para meu espanto e incredulidade, ouvi a voz de Millie, a mesma voz serrilhada de reprovação puritana escocesa que eu imitava para fazer George rir quando ele estava deprimido.

— *Alô?* — Fiquei em silêncio. — Quem *é*, por favor? — indignada, como se fosse meia-noite, e não sete horas.

— Sou eu, Peter Weston, Millie — falei. E jogando um dos codinomes de Smiley para compor o cenário: — Amigo do Sr. Barraclough, está lembrada?

Eu esperei, desejei até, que uma vez na vida Millie McCraig fosse precisar de algum tempo para se recompor, mas ela reagiu tão prontamente que fui eu, e não ela, quem ficou desconcertado.

— Sr. *Weston?*

— Ele mesmo, Millie, não a sombra dele.

— Por favor, Sr. Weston, queira se identificar.

Me identificar? Mas eu não tinha acabado de dizer dois codinomes para ela? Então me dei conta: ela quer meu *pinpoint*, uma forma de comunicação codificada obscura usada com maior frequência no sistema telefônico de Moscou do que no de Londres, mas Smiley, em nossos dias mais sombrios, havia insistido no uso dele. Sendo assim, peguei um lápis de madeira marrom que estava à minha frente na mesa e, sentindo-me um completo idiota, debrucei-me sobre o telefone superelaborado de Bunny e bati o meu código *pinpoint* de mil anos de idade no alto-falante, esperando que fosse surtir o mesmo efeito que teria se eu o tivesse feito no bocal: três batidas, pausa, uma batida, pausa, duas batidas. E, evidentemente, funcionou, porque, mal dei a última batida, Millie estava de volta, toda doce e atenciosa, dizendo que era um prazer ouvir minha voz depois de todos estes anos, Sr. Weston, e o que ela podia fazer por mim?

Ao que eu poderia ter respondido: Bem, já que você perguntou, Millie, você poderia, por favor, confirmar que estes eventos estão ocorrendo no mundo real, e não em algum canto escuro do mundo intermediário reservado para espiões insones de outra era?

4

Ao chegar da Bretanha na manhã anterior, eu havia me hospedado num hotel meio caído perto da estação de Charing Cross e morrido em noventa libras por um quarto do tamanho de um rabecão. A caminho de lá, também tinha feito uma visita de cortesia ao meu velho amigo e ex-*joe* Bernie Lavendar, alfaiate do Corpo Diplomático, cujo ateliê ficava num minúsculo semiporão nos arredores da Saville Row. Mas tamanho nunca foi importante para Bernie. O que importava para ele — e para o Circus — era frequentar os salões diplomáticos de Kensington Palace Gardens e de St. John's Wood, e fazer sua parte pela Inglaterra, ganhando de quebra um modesto salário livre de impostos.

Nós nos abraçamos, ele fechou as venezianas e trancou a porta. Em homenagem aos velhos tempos, experimentei algumas de suas "sobras": paletós e ternos feitos para diplomatas estrangeiros que, por motivos desconhecidos, não foram buscá-los. E, por fim, também em honra aos velhos tempos, confiei a ele um envelope selado que ficaria guardado em seu cofre até a minha volta. Continha meu passaporte francês, mas, se nele estivessem os planos para os desembarques do Dia D, Bernie não o teria tratado com maior reverência.

Agora eu voltava para pegá-lo.

— E, então, como vai o Sr. Smiley? — pergunta ele, baixando a voz em tom de reverência ou por uma exagerada preocupação com segurança. — Chegamos a ter alguma notícia dele, Sr. G?

Não tivemos. Bernie teve? Infelizmente, também não, por isso só nos resta rir do hábito que George tem de desaparecer por longos períodos sem dar satisfação a ninguém.

Por dentro, porém, eu não estava rindo. Seria possível que George estivesse *morto*? E que Bunny *soubesse* que ele estava morto e não quisesse contar? Mas nem mesmo George podia morrer em segredo. E quanto a Ann, sua sempre-infiel mulher? Pouco tempo atrás, eu soube que, cansada de suas muitas aventuras, ela havia se engajado numa instituição de caridade de grande visibilidade. Mas, se aquela ligação tinha durado mais do que as antecedentes, isso ninguém podia saber.

Com meu passaporte francês de novo no bolso, fui até Tottenham Court Road e investi em dois celulares descartáveis com dez libras de crédito em cada um. E, porque me lembrei do assunto, adquiri a garrafa de uísque que deixei de comprar no aeroporto de Rennes, o que provavelmente explica o fato misericordioso de eu não me recordar de nada da noite que se seguiu.

Levantei com a alvorada, caminhei por uma hora sob a garoa e tomei um café da manhã nada satisfatório numa lanchonete. Só então, com um sentimento de resignação mesclado com ceticismo, reuni coragem para chamar um táxi e dar ao motorista o endereço que por dois anos fora o cenário de mais alegria, tensão e angústia do que qualquer outro lugar na minha vida.

*

Na minha lembrança, o número 13 da Disraeli Street, também conhecido como Estábulo, era uma construção vitoriana muito antiga e não restaurada ao fim de uma fileira de casas geminadas numa rua secundária de Bloomsbury. E, para meu espanto, é esta a casa que se encontra diante de mim agora: inalterada, impenitente, uma censura viva a suas vizinhas reluzentes e adornadas. São nove horas da manhã, o horário marcado, mas o degrau em frente à porta está ocupado por uma mulher magra de jeans, tênis e jaqueta de couro, proferindo ofensas ao celular. Estou prestes a dar outra volta quando me dou conta de que é a Laura-que-é-a-História-em-pessoa com uma roupa mais moderna.

— Dormiu bem, Pete?

— Como um anjo.

— Que botão eu aperto sem pegar gangrena?

— Tente o botão Ética.

Ética foi a opção de Smiley pela campainha menos atraente que ele pôde arranjar. A porta se abriu e ali, na penumbra, estava o fantasma de Millie McCraig, os cabelos antes pretos como o breu agora brancos como os meus, seu corpo atlético encurvado pela idade, mas o mesmo brilho zeloso nos olhos azuis marejados enquanto me permitia um beijinho no ar perto de cada bochecha frugal céltica.

Laura passou rapidamente por nós e entrou no hall. As duas mulheres se analisaram como lutadoras de boxe antes do combate, enquanto eu experimentava sentimentos tão turbulentos de reconhecimento e remorso que meu único desejo era voltar correndo para a rua, fechar a porta e fingir que nunca tinha estado ali. O que eu via ao meu redor teria superado as expectativas do mais exigente arqueólogo: uma câmara funerária meticulosamente preservada, seus selos intactos, dedicada à Operação Windfall e a todos que nela haviam embarcado, completa com cada artefato original, desde meu uniforme de entregador de pizza pendurado no cabideiro de parede até a bicicleta de Millie McCraig — um modelo *vintage* já naquela época, com cestinha de vime, campainha trim-trim e sacolas de compra retornáveis — estacionada no suporte, logo na entrada.

— Gostaria de dar uma olhada geral? — pergunta Millie a Laura, indiferente, como se estivesse falando com um potencial comprador.

— Tem uma porta nos fundos — diz Laura a Millie, sacando uma planta da casa; e onde, por Deus, ela tinha conseguido *aquilo*?

Paramos à porta de vidro da cozinha. Abaixo de nós, um pequeno jardim e, no centro dele, a horta de Millie. Oliver Mendel e eu cavamos o primeiro buraco. O varal estava vazio, mas Millie esperava por nós. A mesma casa de passarinho. Mendel e eu a tínhamos construído certa noite com sobras de madeira. Mendel, sob a minha orientação ligeiramente ébria, a embelezara com uma placa gravada em pirografia: *Todos os pássaros são bem-vindos*. E lá estava ela, tão orgulhosa e ereta quanto no aniversário que celebrara. Um caminho de pedra entre os canteiros de verduras leva à porteira tipo quebra-corpo, que, por sua vez, leva ao estacionamento privado e à rua lateral. Nenhuma casa segura aprovada por George estava completa sem uma entrada pelos fundos.

— Alguém costumava entrar por aqui? — pergunta Laura.

— Control — respondo, poupando Millie de responder. — Ele não entraria pela frente nem que fosse para salvar a própria vida.

— E o restante de vocês?

— Usávamos a porta principal. Quando Control decidiu que a dos fundos seria sua, ela se tornou "seu elevador de uso exclusivo".

Seja generoso em detalhes de menor importância, aconselho a mim mesmo. Mantenha o restante trancado em sua memória e jogue a chave fora. Em seguida, no nosso itinerário, vem a escada de madeira sinuosa — uma réplica em miniatura de cada escadaria sombria no Circus. Estamos prestes a subir quando, ao tinir de um sininho, um gato aparece: grande, preto, de pelos longos, um animal de aparência maligna com uma coleira vermelha. Ele se senta, boceja e nos encara. Laura o encara também e então se vira para Millie.

— Ela está prevista no orçamento?

— É um macho, e eu pago as despesas dele do meu bolso, obrigada.

— Tem nome?

— Tem.

— Mas é confidencial?

— É.

Com Laura à frente e o gato seguindo em seu encalço, ainda que com certa cautela, subimos até o patamar que separa dois lances de escada e paramos diante da porta de baeta verde com fechadura de combinação. Atrás dela fica a sala da criptografia. Quando George ocupou o imóvel, a porta era vitrificada, mas Ben, o criptógrafo, não queria que seus dedos fossem vigiados, daí a baeta.

— *Certo*. Quem tem a combinação? — indaga Laura no modo escoteira-chefe.

Como Millie não diz nada, mais uma vez, eu recito, com alguma relutância, a combinação: 21 10 05, o dia da Batalha de Trafalgar.

— Ben era da Marinha Real Britânica — explico, mas, se Laura entende a referência, não dá nenhuma indicação.

Acomodando-se na cadeira giratória, ela olha carrancuda para o arsenal de botões e interruptores. Vira um interruptor. Nada. Gira um botão. Nada.

— A energia está desligada desde então — murmura Millie para mim, não para Laura.

Girando na cadeira de Ben, Laura aponta um dedo para um cofre de parede verde.

— *Certo*. Essa coisa tem chave?

Os *certos* dela estão me dando nos nervos. Como Pete. De um molho na cintura, Millie separa uma chave. A fechadura gira, a porta do cofre se abre. Laura espia lá dentro e, com um movimento de foice do braço, varre o conteúdo para cima do capacho: livros de códigos exibindo a identificação "Ultrassecreto & Além", lápis, envelopes reforçados, cifras de uso único desbotadas dentro de pacotes de celofane, doze em cada.

— Vamos deixar tudo como está, certo? — anuncia ela, virando-se para nós. — Ninguém toca em nada em lugar nenhum. Entenderam? Pete? Millie?

Ela está no meio do lance de escadas seguinte quando Millie a faz parar bruscamente:

— Alto lá! Você está pretendendo entrar nos meus aposentos?

— E se eu estiver?

— Você pode ficar à vontade para inspecionar meu apartamento e meus pertences contanto que eu receba um aviso por escrito, e com a devida antecedência, assinado pela autoridade competente da Central — declara Millie numa frase única e sem modulação na voz que, suspeito, ela vinha ensaiando. — Nesse meio-tempo, eu lhe peço que respeite minha privacidade como convém à minha idade e à minha posição.

Ao que Laura responde com uma heresia que nem Oliver Mendel teria arriscado num dia bom:

— Por que isso, Mill? Tem alguém escondido lá em cima?

*

O gato confidencial retirou-se. Estamos na Sala do Meio, assim chamada desde o dia em que Mendel e eu removemos as velhas divisórias de compensado. Olhando para ela da rua, tudo o que se via era uma janela de térreo como outra qualquer, com uma cortina de renda. Mas, do lado de dentro, não havia janela nenhuma, porque, numa tarde de sábado de fevereiro com neve, nós a preenchemos com tijolos, condenando o aposento à escuridão eterna até que se acendessem as luminárias com quebra-luz verde que havíamos comprado numa loja no Soho.

Duas grandes escrivaninhas vitorianas preenchiam o centro, uma de Smiley, a outra — mas só de vez em quando —, de Control. A origem delas tinha permanecido um mistério até uma noite em que Smiley, bebendo uma dose de uísque, nos revelou que uma prima de Ann vinha se desfazendo de uma pilha de móveis em Devon para pagar impostos sobre herança.

— Pelo amor de tudo o que é mais sagrado, o que é *aquela coisa* hedionda ali, que mal lhe pergunte?

O olhar de Laura se deparou, o que não foi surpresa para mim, com o espalhafatoso mapa de 90 cm x 60 cm pendurado na parede atrás da mesa de Control. Hediondo? Não na minha opinião. Mas perigoso; isso, sim. Sem me dar conta, eu já tinha pegado a bengala de freixo que pendia do encosto da cadeira de Control e embarcado numa explanação destinada não a esclarecer, mas a desviar a atenção.

— Esta seção *aqui*, Laura — apontando a bengala para um labirinto de linhas coloridas e nomes falsos no que parecia um mapa maluco do metrô de Londres —, é uma representação caseira da rede do Circus no Leste Europeu, sob codinome Mayflower, como era antes que a Operação Windfall fosse concebida. Aqui temos o chefão, fonte Mayflower, inspiração da rede, fundador, mediador e ponto central, aqui suas fontes secundárias, e aqui, em ordem decrescente, as secundárias *delas*, cientes ou não, junto a uma descrição concisa de seu produto, de sua cotação no mercado de Whitehall, e nossa própria avaliação da confiabilidade das fontes primárias e secundárias numa escala de um a dez.

Dito isso, devolvi a bengala ao encosto da cadeira. Mas Laura não pareceu desviar a atenção ou ter ficado tão confusa quanto eu desejaria. Examinava os codinomes no mapa, verificando-os um a um. Atrás de mim, Millie começa a sair da sala.

— Muito bem, agora sabemos *algumas* coisas sobre a Operação Mayflower, pelo que parece — observou Laura, num tom de superioridade. — De uma pasta ou outra que você teve a gentileza de deixar no Arquivo Geral. Além de algumas outras fontes nossas. — E, tendo dado um tempo para que eu absorvesse a informação: — Aliás, que história é essa de dar nome de planta para todo mundo?

— Ah, bem, isso é do tempo em que recorríamos a *temas*, Laura — retruquei, mantendo, da melhor maneira possível, o tom altivo. — Mayflower, nome da flor, não do navio.

Mas eu já a tinha perdido de novo.

— Para que diabo servem essas *estrelas*?

— Centelhas, Laura. Não estrelas. Centelhas figurativas. Para os casos em que os agentes de campo tenham sido dotados de aparelhos de rádio. Vermelho para ativo, amarelo para ocultado.

— *Ocultado*?

— Enterrado. Em geral envolto em tecido oleado, totalmente impermeável.

— Se eu *escondo* alguma coisa, ela fica *escondida*, certo? — informa ela, ainda caçando algo entre os codinomes. — E não *ocultada*. Não falo como espião e não faço parte do clube fechado para meninos obtusos. Enfim, o que são estes *sinais de mais*? — colocando a ponta do dedo no círculo em volta de uma fonte secundária e mantendo-a ali.

— Não são *sinais de mais*, na verdade, Laura. São *cruzes*.

— Quer dizer que são agentes duplos? Que foram traídos?

— Quero dizer que estão extintos.

— Como assim?

— Foram desmascarados. Se demitiram. Uma série de razões.

— O que aconteceu com esse homem?

— Codinome Violet?

— Sim. O que aconteceu com Violet?

Estaria ela me cercando? Eu começava a suspeitar que sim.

— Desaparecido, supostamente interrogado. Baseado em Berlim Oriental de 1956 a 1961. Chefiava uma equipe que fazia o monitoramento dos trens. Está tudo aí — querendo dizer: leia você mesma.

— E este sujeito, Tulip?

— Tulip é uma mulher.

— E a *hashtag*?

Será que ela estava esperando esse tempo todo para que a ponta de seu dedo pousasse onde está agora?

— A *hashtag*, como você chama, é um *símbolo*.

— Acho que essa parte eu já entendi. De quê?

— Tulip era uma convertida à Igreja Ortodoxa Russa, por isso escolheram para ela uma cruz da ortodoxia russa. — Mantenho a voz firme. Ela continua.

— Quem escolheu?

— As mulheres. As duas secretárias seniores que trabalhavam aqui.

— Todo agente que tinha religião ganhava uma cruz?

— A ortodoxia de Tulip era parte de sua motivação para trabalhar para nós. A cruz simbolizava isso.

— O que aconteceu com ela?

— Desapareceu dos nossos monitores, infelizmente.

— Vocês não tinham monitores.

— Nós achamos que ela decidiu cair fora. Alguns *joes* fazem isso. Interrompem o contato e desaparecem.

— O sobrenome verdadeiro dela era *Gamp*, certo? Doris Gamp?

Isso que estou sentindo não é, de modo algum, uma onda de náusea. Meu estômago não está se revirando.

— Provavelmente. Gamp. Sim, acho que era. Fico surpreso que saiba disso.

— Talvez você não tenha roubado tantas pastas do arquivo assim. Foi uma grande perda?

— O que foi uma grande perda?

— A decisão dela de cair fora.

— Não creio que ela tenha *anunciado* sua decisão. Simplesmente deixou de operar. Mas, sim, na época *foi* uma perda. Tulip era uma fonte importante. Essencial. Sim.

Muita informação? Pouca? Inofensiva? Ela fica pensando a respeito. Por tempo demais.

— Pensei que estivessem interessados em Windfall — lembro a ela.

— Ah, estamos interessados em tudo. Windfall é apenas um pretexto. O que aconteceu com Millie?

Millie? Ah, Millie. Não Tulip. Millie.

— Quando? — pergunto, estupidamente.

— Agora mesmo. Aonde ela foi?

— Subiu para o apartamento dela, provavelmente.

— Você se incomodaria de assobiar para ela? Ela me odeia.

Mas, quando abro a porta, lá está Millie à espera, com suas chaves. Passando por ela, Laura segue a passos largos pelo corredor, mapa na mão. Eu fico para trás.

— Onde está George? — sussurro para Millie.

Ela balança a cabeça negativamente. Não sabe? Ou não pergunte?

— As chaves, Millie?

Millie obedientemente destranca as portas duplas da biblioteca. Laura dá um passo à frente e, então, no melhor estilo comédia pastelão, recua dois passos e grita: *Puta merda!* Um grito tão agudo que deve ter acordado os mortos no Museu Britânico. Sem acreditar no que vê, ela avança nas fileiras de tomos esfarrapados que entulham as prateleiras da estante do chão ao teto. Com cuidado, ela seleciona um primeiro livro: o volume 18 de uma coleção de trinta livros incompleta da *Encyclopaedia Britannica*, publicada em 1878. Ela o abre, folheia, estupefata, algumas páginas, joga-o numa mesa lateral e se entrega ao *Trilhas pelo mundo árabe e além*, publicado em 1908, também parte de uma coleção incompleta, e que custou, nem sei como me lembro disso, cinco xelins e seis pence cada volume, uma libra pelo lote, depois de Mendel ter dobrado o vendedor.

— Você se importaria em me dizer quem lê essa porcaria? Ou lia? — para mim de novo.

— Quem quer que tivesse acesso irrestrito a Windfall e uma boa razão para isso.

— Como assim?

— George Smiley achava que, já que não tínhamos sido agraciados com uma fortaleza armada à margem do Tâmisa, a ocultação natural era melhor do que a proteção física — respondo com tanta dignidade quanto consigo demonstrar. — E que, enquanto janelas com grades e cofres de aço agiam como um convite para qualquer assaltante arrombar e entrar, estava para nascer o ladrão cujo roubo ideal fosse um monte de...

— Só me mostre, ok? O que você roubou. O que estiver aqui.

Posicionando uma escadinha de madeira em frente à lareira cheia das flores secas de Millie, retiro da prateleira superior um exemplar do *Guia do leigo para a ciência da frenologia*, de Henry J. Ramken, MA (cantab.), e, da cavidade dentro do livro, uma pasta com grampo. Passando a pasta para Laura, recoloco o Dr. Ramken na prateleira dele e desço à terra firme. Encontro Laura empoleirada no braço de uma cadeira de biblioteca examinando seu butim; e Millie novamente fora do alcance da visão.

— Tenho um *Paul* aqui — diz Laura, acusadoramente. — Quem é Paul e onde ele está, que mal lhe pergunte?

Dessa vez, não tenho tanto sucesso em controlar a inflexão da minha voz:

— Ele está morto, Laura. *Paul*, com a pronúncia alemã, era um dos vários codinomes que Alec Leamas usava em Berlim para seus *joes*. — Retomei, então, o tom casual: — Ele alternava. Não confiava muito no mundo. Bem, não confiava no Conjunto, melhor dizendo.

Ela está interessada, mas não quer que eu perceba.

— E estas são *todas* as pastas, certo? O trem todo? Tudo o que você roubou está bem aqui, escondido nestes livros velhos? É isso?

Fico bem feliz em esclarecer:

— Não *tudo*, de modo algum, Laura, sinto dizer. A política de George era guardar o mínimo possível. Tudo aquilo que pudesse ser dispensado era triturado. Nós triturávamos e depois queimávamos os picotes. Ordens de George.

— Onde está o triturador de papel?

— Bem ali no canto.

Ela não o tinha visto.

— Onde queimavam tudo?

— Naquela lareira.

— Vocês guardavam certificados de destruição?

— Se fosse assim, nós teríamos tido que destruir os certificados de destruição, não teríamos?

Enquanto ainda estou saboreando minha pequena vitória, o olhar dela se desloca para o canto mais escuro e mais distante do cômodo, onde duas fotografias compridas de homens em pé estão penduradas lado a lado. E dessa vez ela não grita nem "Puta merda" nem nada, mas avança até eles a passos lentos, como se receasse que elas fossem sair voando.

— E essas belezuras?

— Josef Fiedler e Hans-Dieter Mundt. Respectivamente, chefe e subchefe da diretoria operacional da Stasi.

— Vou começar com aquele da esquerda.

— Esse é o Fiedler.

— Descrição?

— Judeu-alemão, único filho sobrevivente de mãe e pai professores universitários que morreram em campos de concentração. Estudou Ciências Humanas em Moscou e Leipzig. Integrante tardio da Stasi. Eficiente, esperto, com ódio mortal pelo homem ao lado dele.

— Mundt.

— Por eliminação, sim, Mundt — concordo. — Primeiro nome, Hans-Dieter.

Hans-Dieter Mundt com um terno de paletó transpassado todo abotoado. Hans-Dieter Mundt com os braços de assassino colados na lateral do corpo, polegares para baixo, olhando com desprezo para a câmera. Está assistindo a uma execução. À sua própria. À de outra pessoa. Seja o que for, sua expressão nunca muda, o corte a faca no lado do rosto nunca desaparece.

— Ele era seu alvo, certo? O homem que seu amigo Alec Leamas foi enviado para eliminar, certo? Só que foi Mundt quem eliminou Leamas. Certo? — Ela volta a Fiedler. — E Fiedler era sua superfonte. Certo? O melhor voluntário secreto que se possa querer. O desertor que não desertou. Simplesmente despejou uma pilha de informações secretas "quentes" em frente à sua porta, tocou a campainha e fugiu sem deixar o nome. Várias vezes. E você ainda não sabe com certeza que ele era seu *joe*, como o chama. Certo?

Respiro fundo.

— Todo o material não solicitado de Windfall que recebemos apontava na direção de Fiedler — retruco, escolhendo as palavras com precisão. — Chegamos até a nos perguntar se Fiedler estava se preparando para desertar e por isso estava sendo generoso, digamos assim, sem segundas intenções.

— Por odiar Mundt com todas as suas forças? Mundt, o ex-nazista que nunca se regenerou de verdade?

— Esse teria sido um motivo. Combinado, nós presumimos, com uma desilusão com a democracia, ou com a falta dela, conforme era prática na República Democrática Alemã, a RDA. O sentimento de que seu deus comunista falhou com ele virando convicção. Tinha havido uma contrarrevolução fracassada na Hungria, que os soviéticos reprimiram com muita brutalidade.

— Obrigada. Acho que eu já sabia disso.

Claro que sabia. Ela é a História em pessoa.

Dois jovens desgrenhados estavam parados à porta: um homem e uma mulher. Meu primeiro pensamento foi que eles deviam ter entrado pela porta dos fundos, que não tinha campainha; e meu segundo — uma ideia meio louca, devo admitir —, que eram Karen, filha de Elizabeth, e seu parceiro querelante, Christoph, filho de Alec, vindo dar aquele tipo de voz de prisão por cidadão comum. Laura sobe na escada da biblioteca para elevar sua autoridade.

— Nelson. Pepsi. Digam oi para Pete — ordena ela.

— Oi, Pete.

— Oi, Pete.

— Oi.

— Muito bem. Agora, escutem aqui. As instalações em que vocês se encontram serão, a partir de agora, tratadas como cena de crime. Elas também são instalações do *Circus*. Isso inclui o jardim. Cada pedaço de papel, pasta de arquivo, detrito, o que estiver nas paredes, como mapas, painéis perfurados, o que houver nas gavetas e estantes, tudo é propriedade do Circus e potencial prova processual, a ser devidamente fotocopiado, fotografado e registrado. Certo?

Ninguém diz que não está certo.

— O *Pete* aqui é o nosso *leitor*. Para sua leitura, *Pete* vai ser acomodado aqui na biblioteca. Pete vai ler, e será instruído e interrogado pelo chefe do Jurídico e por mim. *Apenas*. — E, de volta aos jovens desgrenhados: — Vocês só vão socializar com Pete, certo? Suas conversas girarão em torno de amenidades. Em nenhum momento tocarão no assunto do material que ele está lendo ou perguntarão os motivos pelos quais está lendo. Vocês dois já sabem de tudo isso, mas estou repetindo para que Pete fique ciente. Caso um de vocês tenha motivo para supor que Pete ou Millie, por engano ou deliberadamente, estejam tentando retirar documentos ou provas dessas instalações do Circus, vai notificar imediatamente o Jurídico. Millie.

Nenhuma resposta, mas ela está junto à porta.

— Sua área, ou apartamento, já foi usada ou é usada *atualmente* para algum tipo de atividade do Serviço?

— Não que eu saiba.

— Sua área contém equipamentos do Serviço? Câmeras? Aparelhos de escuta? Material para escrita secreta? Pastas de arquivo? Documentos? Correspondência oficial?

— Não.

— Máquina de escrever?

— Minha própria máquina. Eu a comprei. Com meu dinheiro.

— Elétrica?

— Remington manual.

— Rádio?

— Um aparelho sem fio. Meu. Comprado por mim.

— Gravador?

— Para o rádio sem fio. Comprado por mim.

— Computador? iPad? Smartphone?

— Só um telefone comum, obrigada.

— Millie, você acaba de receber seu aviso prévio. A confirmação por escrito vem pelo correio. Pepsi. Por favor, acompanhe Millie ao apartamento dela *agora*, certo? Millie, por favor, forneça qualquer assistência de que Pepsi necessite. Quero o lugar vasculhado pedacinho por pedacinho. Pete.

— Laura.

— Como identifico os volumes ativos nestas estantes?

— Todos os livros com formato 24 cm x 32 cm na prateleira superior, com autores de sobrenome começado por A a R, devem conter documentos, se não foram destruídos.

— Nelson. Você fica na biblioteca até a equipe chegar. Millie.

— O que foi agora?

— A bicicleta no corredor. Retire-a, por favor. Está atrapalhando.

*

Sentados na Sala do Meio, Laura e eu estamos sozinhos pela primeira vez. Ela me ofereceu a cadeira de Control. Eu prefiro a de Smiley. Ela se apropria da de Control, recostando-se meio de lado, ou para relaxar ou para meu deleite.

— Sou advogada. Certo? Boa pra caralho. Comecei num escritório de advocacia, depois fui contratada por uma empresa. Então fiquei de saco cheio e me candidatei para me juntar a esse seu povo. Eu era jovem e bonita, por isso me deram História. Tenho sido História desde então. Toda vez que o passado ameaça dar uma mordida na bunda do Serviço, é um tal de *tragam a Laura*. E Windfall, acredite em mim, está com cara de uma mordida e tanto.

— Você deve estar muito satisfeita.

Se percebe a ironia na minha voz, ela a ignora.

— E o que queremos saber de *você*, por mais brega que possa parecer, é toda a verdade, nada mais que a verdade, e que se foda sua lealdade a Smiley ou a quem quer que seja. Certo?

Não está certo de jeito nenhum, mas por que me dar ao trabalho de dizer isso?

— Assim que tivermos a verdade, saberemos como tratá-la. Talvez a seu favor também, quando nossos interesses coincidirem. Meu trabalho é desviar a merda antes que ela atinja o ventilador. É isso que você quer também, certo? Nada de escândalos, por mais históricos que sejam. Eles são uma distração, favorecem comparações desagradáveis com a nossa época. Um Serviço Secreto depende de reputação e de boa aparência. Extradição ilegal, tortura, esquemas secretos com psicopatas assassinos: isso tudo é ruim para a nossa imagem, ruim para os negócios. Por isso estamos do mesmo lado, certo?

De novo consigo não dizer nada.

— Agora vamos às más notícias. Não são só os filhos das vítimas de Windfall que estão atrás do nosso sangue. Bunny pegou leve com você num rasgo de bondade. Tem um montão de parlamentares sedentos de atenção querendo usar Windfall como exemplo do que acontece quando a sociedade vigilante tem permissão para fazer o que bem entender, de forma descontrolada. Eles não conseguem colocar as mãos na coisa de verdade, então tasque história neles. — E, já impaciente com o meu silêncio: — Estou te falando, Pete. Se não tivermos sua cooperação total, essa coisa poderia...

Ela espera que eu complete a frase. Em vez disso, eu a deixo esperar.

— E você ainda não teve notícia dele mesmo, certo? — diz, por fim.

Levo um segundo para me dar conta de que estou sentado na cadeira dele.

— Não, Laura. Como já falei, eu não tive notícias de George Smiley.

Ela se inclina para trás e puxa um envelope do bolso traseiro. Por um momento insano, penso que vai ser uma carta de George. Impresso eletronicamente. Sem marca-d'água. Nenhuma mão humana.

Acomodação temporária foi obtida para o senhor em vigor a partir de hoje no apartamento 110B, Hood House, Dolphin Square, Londres, SW. As seguintes condições devem ser respeitadas.

Não posso ter animais de estimação. Ninguém sem autorização deve adentrar as instalações. Devo estar presente e disponível no endereço entre as 22:00 e as 7:00 ou fornecer ao departamento Jurídico uma notificação prévia. Considerando minha posição (não declarada), um aluguel de concessão de cinquenta libras por noite será descontado da minha aposentadoria. Não serão cobradas despesas com aquecimento ou eletricidade, mas eu serei responsabilizado por qualquer perda ou dano à propriedade.

O jovem desgrenhado de nome Nelson enfia a cabeça pela porta.

— A van chegou, Laura.

O desmanche do Estábulo está prestes a começar.

5.

A noite caía. Um anoitecer de outono, mas, para os padrões ingleses, quente como o verão. De alguma forma, meu primeiro dia no Estábulo tinha terminado. Caminhei por um tempo, tomei um uísque num pub cheio de jovens barulhentos, peguei um ônibus para Pimlico, saltei alguns pontos antes do meu e caminhei de novo. Logo, a grande estrutura iluminada de Dolphin Square se assomava por trás da névoa. Desde que eu me juntara à bandeira secreta, o lugar me dava calafrios. Naquela época, Dolphin Square tinha mais apartamentos secretos por metro cúbico do que qualquer outro edifício do planeta, e não havia um deles sequer em que eu não tivesse instruído ou interrogado algum malfadado *joe*. Aquele também era o lugar no qual Alec Leamas tinha passado sua última noite na Inglaterra como hóspede do recrutador de Moscou, antes de embarcar na viagem que o matou.

O apartamento 110B, Hood House, nada fazia para exorcizar o fantasma dele. Os apartamentos secretos do Circus sempre foram modelos de um desconforto planejado. Este era um clássico do gênero: um extintor de incêndio de tamanho industrial, vermelho; duas poltronas com estofamento encaroçado já sem as molas; uma reprodução em aquarela do Lago Windermere; um minibar, trancado; um aviso para não fumar MESMO COM A JANELA ABERTA; uma televisão muito grande que, automaticamente, suspeitei ser um videofone; e um telefone preto antiquado sem número nenhum, para ser usado apenas, até onde eu sabia, para fins de desinformação. E, no quarto minúsculo, uma cama de ferro, de solteiro, para desencorajar o ato sexual.

Fechando a porta do quarto na frente da televisão, desfiz minha bolsa de viagem e olhei em volta à procura de um esconderijo para meu passaporte francês. O quadro INSTRUÇÕES EM CASO DE INCÊNDIO estava mal aparafusado à porta do banheiro. Afrouxando os parafusos, enfiei o passaporte na cavidade, apertei-os de novo, desci e devorei um hambúrguer. De volta ao apartamento, servi-me de uma dose generosa de uísque e tentei reclinar numa poltrona austera. Mas, mal eu havia pegado no sono, me vi acordado de novo e totalmente sóbrio, dessa vez em Berlim Ocidental, no ano da graça de mil novecentos e cinquenta e sete.

*

É sexta-feira, fim do dia.

Já estou na cidade dividida há uma semana e não vejo a hora de passar alguns dias e noites carnais na companhia de uma jornalista sueca chamada Dagmar, pela qual me apaixonei perdidamente em menos de três minutos num coquetel oferecido pelo nosso alto comissário britânico, que também atua como embaixador britânico junto ao governo eternamente provisório da Alemanha Ocidental em Bonn. Estou para encontrá-la dali a duas horas, mas, antes disso, decido dar um pulo na nossa Estação em Berlim para dar um oi para meu velho amigo Alec.

No complexo do Estádio Olímpico de Berlim, num quartel de tijolos vermelhos construído para a glória de Hitler e conhecido naquela época como Casa do Esporte Alemão, a Estação está se preparando para o fim de semana. Encontro Alec na fila da janela gradeada do Registro, esperando sua vez para entregar uma bandeja cheia de documentos confidenciais. Ele não está esperando a minha visita, mas nada mais o surpreende, então eu digo:

— Oi, Alec, que bom te ver.

E Alec diz:

— Ah, oi, Peter. Que raios você está fazendo aqui?

Então, depois de uma hesitação incomum, ele me pergunta se tenho planos para o fim de semana. E eu respondo que, na verdade, tenho. Ao que ele diz:

— Ah, que pena, achei que você ia poder ir comigo a Düsseldorf.

E eu retruco:

— Por que cargas d'água Düsseldorf?

E ele hesita de novo.

— Só preciso sair dessa merda de Berlim um pouco — diz ele, com um dar de ombros indiferente que não me convence. E porque ele parece aceitar o fato de que eu jamais o conceberia, nem por um segundo, como um turista ocasional: — Preciso ver um cara por causa de um cachorro — explica ele, pelo que deduzo que ele quer que eu entenda que há um *joe* de quem precisa cuidar e, nesse caso, eu poderia lhe ser útil como coadjuvante, ou apoio, ou sei lá o quê. Mas isso não é motivo para eu furar com Dagmar.

— Não vai dar, lamento, Alec. Uma dama escandinava precisa da minha atenção total e irrestrita. E eu preciso da dela.

Alec pensa no assunto por um instante, mas não da forma como costuma fazer. É como se estivesse magoado ou confuso. Um funcionário do Registro gesticula impaciente do outro lado da grade. Alec entrega os documentos. O funcionário dá entrada neles.

— Uma mulher seria uma boa — diz ele, sem olhar para mim.

— Mesmo sendo uma mulher que pensa que sou do Ministério do Trabalho, um caça-talentos de cientistas alemães? Nem pensar!

— Leve a mulher. Ela vai ficar bem — diz ele.

E se você conhecesse Alec tão bem quanto eu, saberia que isso seria o mais próximo de um pedido de ajuda que você ouviria dele. Em todos os anos que caçamos juntos, em meio a todos os altos e baixos, eu nunca o vira parecendo tão inseguro quanto naquele momento. Dagmar concorda e, na mesma noite, nós três voamos pelo corredor aéreo até Helmstedt, pegamos um carro, viajamos até Düsseldorf e nos hospedamos num hotel que Alec conhece. Durante o jantar, ele quase não fala, mas Dagmar, que está revelando ser pau para toda obra, mais do que dá conta do serviço, e nós dois fugimos cedo para a cama e temos nossa noite carnal, ambos felizes da vida. Na manhã de sábado, nos encontramos todos para um café da manhã tardio, e Alec comenta que tem ingressos para um jogo de futebol. Nunca na minha vida eu o vi expressar o menor interesse por futebol. E então ele aparece com *quatro* ingressos.

— Para quem é o quarto? — pergunto, criando uma história na minha cabeça que envolve um amor secreto só disponível aos sábados.

— Um garoto conhecido meu — diz ele.

Entramos no carro, Dagmar e eu atrás, e partimos. Alec estaciona numa esquina. Um adolescente alto e sisudo está de pé sob um letreiro da Coca-Cola, à espera dele. Alec abre a porta, o rapaz se senta no banco do carona, e Alec fala:

— Este é Christoph.

— Olá, Christoph — dizemos e seguimos para o estádio.

Alec fala alemão tão bem quanto inglês, provavelmente melhor, e conversa num tom de voz baixo com o rapaz. O garoto grunhe, concorda ou discorda com a cabeça. Quantos anos tem? Quatorze? Dezoito? Qualquer que seja a sua idade, ele é o eterno adolescente alemão da classe autoritária: emburrado, sardento e obediente de um jeito amargo. É louro, muito branco, de ombros largos e, para um garoto tão novo, não sorri muito. Numa parte da arquibancada paralela à linha lateral do campo, Alec e ele se postam lado a lado e trocam uma palavra ou outra que não consigo ouvir, mas o menino não comemora, só olha fixamente e, no intervalo, os dois desaparecem, imagino que para fazer xixi ou comer um cachorro-quente. Mas só Alec volta.

— Onde está Christoph? — pergunto.

— Teve que voltar para casa — responde bruscamente. — Ordens da mãe.

E nada aconteceu, além disso, no restante do fim de semana. Dagmar e eu passamos mais alguns momentos felizes na cama, e não tenho a menor ideia do que Alec fez. Simplesmente presumi que Christoph devia ser o filho de um de seus *joes* que precisava sair um pouco, porque, com os *joes*, o bem-estar vem primeiro, e tudo mais vem em segundo lugar. Foi só quando eu já ia retornar a Londres e Dagmar estava de volta aos braços do marido em Estocolmo, e Alec e eu tomávamos um drinque de despedida num de seus muitos bares favoritos em Berlim, que eu lhe perguntei, como quem não quer nada, se estava tudo bem com Christoph, porque me passara pela cabeça que o garoto parecia um pouco perdido, um pouco difícil de agradar, e eu provavelmente até disse algo nesse sentido.

Num primeiro momento, achei que ia receber em resposta outro daqueles silêncios constrangedores, pois ele havia se virado de modo que eu não pudesse ver seu rosto.

— Eu sou a porra do *pai* dele, caramba — disparou Alec.

Então, em frases curtas e hesitantes de desabafo, a maioria delas não contendo verbos, e sem que ele se desse ao trabalho de me pedir que guardasse segredo, porque sabia que eu guardaria, a história, ou o tanto dela que estava disposto a contar: mensageira alemã que ele usara quando estava baseado em Berna e que morava em Düsseldorf. Boa menina, bons amigos, tive um caso com ela. Queria que a gente se casasse. Eu não quis, então ela se casou com um advogado de lá. O advogado adotou o menino, única coisa decente que fez na vida. Ela me deixa ver o garoto de vez em quando. Não pode contar para a porra do marido, senão o desgraçado vai cair de porrada nela.

E a imagem final que vejo agora, ao me levantar da poltrona: Alec e o garoto Christoph, lado a lado, assistindo ao jogo sem piscar. E a mesma expressão no rosto, e o mesmo maxilar irlandês.

*

A certa altura da noite, devo ter dormido, mas não tenho lembrança disso. São seis da manhã em Dolphin Square; na Bretanha, sete. Catherine já deve estar de pé e começando suas atividades. Se eu estivesse em casa, já estaria de pé e fazendo alguma coisa também, pois Isabelle começa sua cantoria assim que Chevalier, nosso galo, começa a dele. Sua voz atravessa o quintal de Catherine, porque Isabelle precisa que a janela de seu quarto esteja sempre aberta, não importando a condição do tempo lá fora. Já terão dado às cabras sua refeição matutina, e Catherine estará servindo o café da manhã a Isabelle, provavelmente numa perseguição pelo quintal com a garota fugindo e Catherine correndo atrás dela com uma colher de iogurte. E as galinhas, sob o comando infrutífero de Chevalier, comportando-se como se o mundo estivesse acabando.

Ao imaginar essa cena, passou-me pela cabeça que, se eu ligasse para a casa principal e Catherine por acaso estivesse passando na hora, e estivesse com as chaves, poderia ouvir o telefone tocando e atender. Então fiz uma tentativa, por via das dúvidas, usando um dos meus celulares descartáveis, porque não seria imbecil a ponto de ter Bunny na escuta. Não há secretária eletrônica no telefone da fazenda, por isso deixei tocar por alguns minutos, e já estava perdendo as esperanças quando ouvi a voz de Catherine, que é bretã e às vezes um pouco mais dura do que talvez ela pretenda.

— Você está bem, Pierre?

— Estou ótimo. E você, Catherine?

— Já despediu-se do amigo que morreu?

— Faltam ainda alguns dias.

— Vai fazer um grande discurso?

— Enorme.

— Está nervoso?

— Apavorado. Como vai Isabelle?

— Isabelle vai bem. Não mudou nada durante a sua ausência.

Nesse momento, notei uma certa contrariedade, ou algo mais dramático, em sua voz.

— Um amigo veio visitar você ontem. Você esperava um amigo, Pierre?

— Não. Que tipo de amigo?

Mas, como todo interrogador durão, Catherine tinha seu próprio jeito de responder:

— Eu disse a ele: não, Pierre não está aqui, Pierre está em Londres, sendo um bom samaritano, alguém morreu, ele foi consolar os que estão de luto.

— Mas quem *era* o cara, Catherine?

— Ele não sorriu. Não foi educado. Foi persistente.

— Quer dizer que deu em cima de você?

— Ele perguntou quem tinha morrido. Eu disse que não sabia. Perguntou por que eu não sabia. Eu falei: porque Pierre não me conta tudo. Ele riu. Disse que talvez, na idade de Pierre, todos os amigos estejam morrendo. Perguntou se fora algo súbito. Foi uma mulher, um homem? Perguntou se você está num hotel em Londres. Qual hotel?

Qual é o endereço? Como se chama? Eu digo que não sei. Estou ocupada, tenho uma filha e uma fazenda.

— Era francês?

— Talvez alemão. Talvez americano.

— Ele foi até aí de carro?

— Táxi. Da estação. Com Gascon. Primeiro o senhor me paga, avisou Gascon. Se não pagar, eu não levo o senhor.

— Como ele era?

— Não era agradável, Pierre. Agressivo. Grande como um boxeador. Muitos anéis nos dedos.

— Idade?

— Talvez cinquenta. Sessenta. Não contei os dentes dele. Talvez mais.

— Ele disse o nome?

— Falou que não era necessário. Disse que vocês são velhos amigos. Contou que veem futebol juntos.

Fico imóvel, quase sem respirar. Penso que devo levantar da cama, mas tenho uma *fuite du courage*. Como diabos, Christoph, filho de Alec, litigante, ladrão de pastas de arquivos secretos da Stasi, criminoso com uma ficha do tamanho de um bonde, você chegou até a Bretanha?

A fazenda de Les Deux Églises passou para mim por parte de mãe. Ainda tinha o nome de solteira dela. Não havia nenhum Peter Guillam na lista telefônica de lá. Será que Bunny teria, por alguma razão enigmática, dado meu endereço para Christoph? Com que propósito?

Então me lembrei da minha peregrinação de motocicleta a um cemitério varrido pela chuva, em Berlim, num dia de inverno escuro como breu, em 1989, e tudo fez sentido.

*

O Muro de Berlim tinha caído fazia um mês. A Alemanha estava em êxtase; nosso vilarejo na Bretanha, um pouco menos. E eu parecia estar pairando em algum ponto intermediário, num minuto comemorando o fato de que algum tipo de paz foi atingido, e então mergulhando na introspecção ao pensar em tudo por que passamos e nos sacrifícios que fizemos, especialmente de vidas, nos vários anos em que achávamos que o Muro permaneceria ali para sempre.

Era nesse estado de espírito oscilante que eu me digladiava com a declaração de renda anual da fazenda, na sala de contabilidade em Les Deux Églises, quando nosso novo jovem carteiro, Denis, ainda não promovido a Monsieur, e certamente não a *le Général*, chegou, não de van amarela, mas de bicicleta, e entregou uma carta, não para mim, mas para o velho Antoine, um veterano de guerra perneta que, como de costume, estava por ali no quintal com um forcado nas mãos e nada específico para fazer.

Depois de examinar o envelope, frente e verso, e concluir que eu poderia tê-lo afinal, Antoine manquejou até a porta, deu-me o envelope e recuou para me observar enquanto eu lia o conteúdo.

Mürren,
Suíça

Caro Peter,

Achei que você gostaria de saber que as cinzas do nosso querido amigo Alec foram depositadas recentemente em Berlim, próximo ao lugar onde ele morreu. Parece que os corpos daqueles assassinados no Muro eram costumeiramente incinerados em segredo, e as cinzas, dispersadas. Graças a meticulosos registros da Stasi, no entanto, parece que medidas excepcionais foram adotadas no caso de Alec. Seus despojos vieram à tona e ele recebeu um funeral decente, ainda que tardio.

Com os melhores cumprimentos,
George

E, numa outra folha separada — antigos hábitos custam a desaparecer —, o endereço de um pequeno cemitério em Berlim, no bairro de Friedrichshain, oficialmente reservado para vítimas da guerra e da tirania.

Eu estava com Diane na época, outro caso passageiro, já perto do fim. Acho que falei para ela que um amigo estava doente. Ou talvez que o amigo tivesse morrido. Pulei na minha moto — bons tempos aqueles —, segui direto para Berlim em meio às piores condições climáticas que eu já enfrentara, fui diretamente ao cemitério e perguntei na entrada onde poderia encontrar Alec. Chuva torrencial e inclemente. Um senhor que era uma espécie de sacristão me deu um guarda-chuva e um mapa, e apontou para uma alameda comprida e cinzenta de árvores. Depois de procurar um pouco, achei o que procurava: uma sepultura recente com lápide de mármore e a inscrição ALEC JOHANNES LEAMAS, tornada sinistramente branca pela chuva. Nenhuma data, nem descrição profissional, e um túmulo de tamanho normal para indicar um corpo onde jaziam apenas cinzas. Para despistar? Todos esses anos que o conheci, pensei, e você nunca me contou do Johannes: típico. Eu não tinha levado flores; achei que ele iria rir de mim. Assim, fiquei ali debaixo do guarda-chuva e tive uma espécie de diálogo silencioso com ele.

Quando voltava para a moto, o velho me perguntou se eu gostaria de assinar o livro de condolências. *Livro de condolências?* Era seu dever manter um, explicou; não tanto como dever em si, mais como um serviço para os falecidos. Então eu disse: por que não? A primeira assinatura era "GS", endereço "Londres". Na coluna de tributos, uma única palavra: "Amigo". Então aquele era George, ou tanto dele quanto estava disposto a admitir. Abaixo de George, um bando de nomes alemães que nada significavam para mim, com tributos como "Jamais será esquecido", até chegar ao nome Christoph, sem sobrenome. E. na coluna de tributos. a palavra "Sohn" — filho. E no endereço, "Düsseldorf".

Não sei se por um arroubo de euforia pela queda do Muro, com o mundo sendo livre de novo, o que eu duvidava muito — ou por uma sensação visceral de que eu já havia cultivado segredos demais na vida —, ou simplesmente pelo impulso de, debaixo daquele aguaceiro, ser contado como *um dos amigos* de Alec? Fosse qual fosse o motivo, fiz o serviço completo: escrevi meu nome verdadeiro, meu endereço, de fato, na Bretanha, e, na coluna de tributos, porque não consegui pensar em nada melhor, "*Pierrot*", que era como Alec me chamava nas raras ocasiões em que se sentia afetuoso.

E Christoph, meu agressivo parceiro no luto e filho de Alec? O que *você* fez? Numa das últimas visitas ao túmulo de seu pai — estou presumindo, sem nenhum embasamento real, que você fez algumas, mesmo que apenas com propósitos investigativos —, você deu outra olhada no livro de condolências, e o que foi que viu? *Peter Guillam* e *Les Deux Églises* escritos para você *en clair*, não um pseudônimo, nem um endereço errado ou de uma casa segura, simplesmente eu, desprotegido, e onde moro. E foi isso que o levou em uma viagem de Düsseldorf até a Bretanha.

E agora, qual será o seu próximo passo, Christoph, filho de Alec?

Ouço a escabrosa voz jurídica de Bunny:

Christoph é uma criatura de talentos, Peter. Talvez seja genético.

6.

"O *Pete* aqui é o nosso *leitor*", Laura havia declarado à sua audiência admirada. "Para sua leitura, *Pete* vai ser acomodado aqui na biblioteca." Eu me vejo, nos dias que se seguiram, não tanto como um leitor, mas como um estudante sênior forçado a enfrentar uma prova que deveria ter feito muitos anos antes. De vez em quando, o aluno "atrasado" é arrancado da sala de prova e obrigado a se submeter a uma sabatina por examinadores cujo conhecimento da matéria dele é estranhamente irregular, mas isso não os impede de tentar infernizar sua vida. De vez em quando, ele fica tão chocado com os absurdos cometidos em sua vida pregressa, que fica à beira de desmenti-los, até que as evidências, proferidas com sua própria voz, o condenam. Cada manhã, ao chegar, eles me servem um maço de pastas, algumas familiares, outras não. Só porque você roubou um arquivo, não significa que o tenha lido.

Na manhã do meu segundo dia, a biblioteca ficou fechada aos que chegavam. Pelos barulhos emitidos nela, e pela intensa atividade de rapazes e moças de agasalhos esportivos aos quais não fui apresentado, supus que teriam virado a noite numa busca minuciosa. Então, à tarde, um silêncio sinistro. A escrivaninha que eu usava não era bem uma escrivaninha, mas uma mesa sobre cavaletes instalada como um cadafalso no meio da biblioteca. As estantes haviam sumido, deixando só uma marca espectral, como a sombra de grades, no papel de parede em relevo.

— Quando chegar a uma roseta, pare — me ordena Laura, e sai.

Roseta? Ela se refere aos clipes de papel com extremidades cor-de-rosa colocados nos intervalos entre as pastas. Sem falar nada, Nelson, ocupa a cadeira do vigia e abre um livro volumoso. A biografia de Tolstói escrita por Henri Troyat.

— Avise se quiser ir fazer xixi, certo? Meu pai urina tipo a cada dez minutos.

— Coitado.

— Só não leve nada com você.

*

Uma noite estranha em que Laura, sem explicação, substitui Nelson na cadeira do fiscal de prova e, depois de me vigiar com seriedade por meia hora ou mais, diz:

— Que se foda! Quer me levar para uma refeição grátis, Pete?

— Agora? — pergunto.

— Agora. Quando você achou que seria?

Grátis para quem?, eu me pergunto ao dar de ombros num gesto hesitante de consentimento. Grátis para ela? Para mim? Ou grátis para ambos porque a Central está armando um encontro para nós? Seguimos até um restaurante grego na mesma rua. Ela reservou uma mesa. Está de saia. É uma mesa de canto com uma vela apagada numa gaiolinha vermelha. Não sei por que a imagem da vela apagada se mantém viva na minha memória, mas ela se mantém. E a de um cliente inclinando-se sobre nós, acendendo a vela e me dizendo que tenho a vista mais bonita do lugar, referindo-se a Laura.

Bebemos uma dose de ouzo, depois outra. Puro, sem gelo, ideia dela. Será que é pinguça, ou está a fim — eu na minha idade, pelo amor de Deus? —, ou acha que o álcool vai soltar a língua do velho babão? E o que eu deveria depreender do casal de meia-idade de aparência muito comum sentado à mesa ao lado, sem olhar uma vez sequer para nós?

Ela está com uma blusa frente única que cintila à luz da vela e o decote deslizou um pouco para baixo. Pedimos as entradas usuais — taramosalata, homus, alevim — e, como Laura adora moussaka, pedimos uma porção para dois. Ela começa um tipo diferente de interrogatório, do tipo temperado com flerte. Então é verdade mesmo, Pete, o que você contou a Bunny, que você e Catherine são apenas bons amigos?

— Porque, *francamente*, Pete — a voz suavizando para criar intimidade —, levando em conta a *sua* ficha, como é *possível* você coabitar com uma francesa superatraente e não *trepar* com ela? A não ser, é claro, que você seja um gay enrustido, que é o que Bunny acha. Na verdade, ele acha que todo mundo é gay. Então ele mesmo deve ser e não quer admitir.

Metade de mim quer mandá-la para o inferno, a outra quer saber o que ela pensa que está tramando. Então, eu deixo estar.

— Mas, francamente, Pete, isso é uma *loucura*! — insiste ela. — Quer dizer, não me venha com essa de que *já não dá mais no couro*, como meu pai costumava dizer: um velho arminho como você, não é *possível*!

Pergunto, agindo contra os meus instintos, o que a faz pensar que Catherine é tão atraente? E ela diz, ah, um passarinho lhe contou. Estamos bebendo vinho tinto grego, preto como tinta e com gosto de tinta, e ela se inclina para a frente, me oferecendo a vista completa do decote.

— Então, Pete, fale a verdade. Palavra de escoteiro, tá? De *todas* as mulheres que você comeu na vida, quem é a número um, a mais foda? — E a escolha da palavra *foda* a faz ter um acesso de riso.

— Que tal você primeiro? — retruco, e a brincadeira acaba.

Peço a conta, o casal ao lado pede a deles. Ela diz que vai pegar o metrô. Eu digo que vou andando. E fico sem saber se ela estava numa missão para tirar alguma coisa de mim; ou seria apenas outra alma perdida em busca de um pouco de calor humano?

*

Sou o Leitor. A capa da pasta que leio agora está em branco, exceto por uma referência de arquivamento escrita à mão — não reconheço a caligrafia, mas provavelmente é minha. O número de série indica Ultrassecreto & Protegido, o que significa "mantenham longe dos americanos", e é um relatório — uma apologia seria a melhor descrição — escrito por um Stavros de Jong, todo o metro e noventa dele, um desajeitado trainee do Circus de vinte e cinco anos. Stas, para os íntimos, se formou em Cambridge e está a seis meses da confirmação no cargo. Está temporariamente alocado no departamento de Operações Secretas da Estação de Berlim, comandado por meu companheiro de luta em uma série de operações improdutivas, o veterano agente de campo Alec Leamas.

Por uma questão de protocolo, Leamas, como comandante local, é também, na prática, subchefe de Estação. O relatório de Stas é, por consequência, endereçado a Leamas nessa função, e encaminhado ao chefe da Secretas em Londres, George Smiley.

Relatório feito por S. de Jong a SC/Estação Berlim [Leamas], *cópia para CDC* [Comitê Diretor Conjunto]

Sou instruído a submeter o seguinte relatório.

Estando o primeiro dia do novo ano frio mas ensolarado, e sendo feriado nacional, minha mulher, Pippa, e eu decidimos levar nossos filhos (Barney, 3 anos, e Lucy, 5 anos) e nosso Jack Russell (Loftus) a Köpenick, em Berlim Oriental, para um piquenique com roupas quentes à beira do lago, e um passeio pelos bosques contíguos.

O carro de nossa família é uma perua Volvo azul com placa de numeração militar britânica na dianteira e na traseira, o que nos autoriza a transitar sem restrições entre os setores de Berlim, Köpenick sendo um dos locais aos quais vamos regularmente para piqueniques e um dos favoritos das crianças.

Como sempre, estacionei ao lado do muro que cerca a velha cervejaria de Köpenick, agora abandonada. Não havia nenhum outro carro à vista, e, à beira d'água, apenas alguns pescadores sentados, que nos ignoravam. Do carro, carregamos nossa cesta de piquenique pelo bosque até a nossa costumeira península gramada no lago e, depois, brincamos de esconde-esconde com Loftus latindo como um doido, para desespero de um dos pescadores, que virou a cabeça para trás e berrou insultos para nós, insistindo que Loftus tinha espantado os peixes.

O homem era magro, na casa dos cinquenta anos, tinha cabelos grisalhos, e eu o reconheceria se o visse de novo. Usava um boné preto e um velho sobretudo da Wehrmacht sem as insígnias.

Por volta das 15h30, como estava chegando a hora da soneca de Barney, juntamos nossas coisas de piquenique e deixamos as crianças irem correndo na frente até o carro, carregando a cesta juntas, com Loftus seguindo atrás e latindo.

Quando chegaram ao carro, porém, deixaram a cesta cair e voltaram correndo, alarmadas, seguidas por Loftus latindo, para informar que a porta do motorista tinha sido arrombada por um ladrão "que roubou a câmera do papai!" — Lucy.

A porta do motorista havia de fato sido forçada, e a maçaneta, quebrada, mas a velha câmera Kodak, que eu inadvertidamente havia deixado no porta-luvas, não tinha sido roubada, nem meu sobretudo, nem os mantimentos e outras compras feitas na Naafi, que, para nossa surpresa, estava aberta no primeiro dia do ano, antes de atravessarmos para Berlim Oriental.

Em vez de praticar um roubo, como viemos a descobrir, o intruso havia deixado uma lata de tabaco Memphis ao lado da minha câmera. Dentro dela havia um pequeno cartucho de níquel que eu imediatamente identifiquei como sendo o recipiente padrão da Minox para filme subminiatura.

Sendo feriado nacional, e como fiz recentemente um curso de fotografia operacional, decidi que não havia motivo suficiente, a essa altura do campeonato, para ligar para o oficial de plantão na Estação. Ao chegar em casa, portanto, revelei o filme em nosso banheiro, que não tem janela, usando meu equipamento fornecido pelo Serviço.

Às 21h00, depois de examinar cerca de uma centena de fotogramas de negativo revelado com a ajuda de uma lupa, alertei o subchefe da Estação [Leamas], que me instruiu a levar o material para o QG de imediato e preparar um relatório por escrito, o que prontamente fiz.

Aceito plenamente, em retrospectiva, que eu deveria ter levado o filme não revelado diretamente à Estação de Berlim para ser processado pelo departamento fotográfico, e que foi inseguro e potencialmente desastroso para mim, como trainee, fazer a revelação em minha própria casa. Como atenuante, eu gostaria de repetir que 1º de janeiro é feriado nacional e eu me mostrava relutante em alertar a Estação com o que poderia ter sido um alarme falso e, ainda, que fui aprovado em meu curso de fotografia operacional em Sarratt com nota máxima. Ainda assim, lamento sinceramente minha decisão e gostaria de declarar que aprendi minha lição.

S. de J.

E, na base da carta, a nota rabiscada com raiva por Alec para o chefe da Secretas, Smiley:

George — o pirralho idiota copiou isso pro Conjunto antes que alguém tivesse a chance de impedir. Fazer faculdade dá nisso. Sugiro que jogue um papo pra cima de P. Alleline, B. Haydon, T. Esterhase e da porra do Roy Bland e companhia, e faça todo mundo acreditar que o objetivo era desinformar: ou seja, nenhuma providência a tomar, material de quinta categoria de mexeriqueiro etc.

Alec

Mas Alec nunca foi de não fazer nada, ainda mais quando o futuro de sua carreira estava em jogo. Seu contrato com o Circus estava para ser renovado, ele havia passado muito do limite de idade para agente de campo, com poucas chances de conseguir um pacato trabalho burocrático no Escritório Central, o que explica o relato de Smiley, de certa forma desconfiado, do que Alec fez a seguir:

C/Secretas Marylebone [Smiley] *para Control. Só para seus olhos. Pessoal, entregue em mãos.*
Assunto: AL, *C/Secretas Berlim.*

E, escrito à mão, com a caligrafia impecável do próprio George:

C: Você ficará tão surpreso quanto eu ao saber que AL apareceu sem avisar na porta da minha casa em Chelsea ontem, às dez horas da noite. Como Ann estava fora, para um tratamento de saúde, eu estava sozinho em casa. Ele cheirava a bebida, o que não é novidade, mas não estava bêbado. Insistiu para que eu tirasse da tomada o telefone na sala de estar antes de conversarmos e que, apesar do tempo frio, sentássemos no solário que dá para o jardim alegando que "não se pode grampear vidro". Então me contou que tinha voado de Berlim num avião comercial naquela tarde, para não aparecer na lista de voo da RAF, que ele suspeita ser rotineiramente monitorada pelo Conjunto. Pela mesma razão, ele não confia mais nos mensageiros do Circus.

Primeiro ele queria saber se eu havia despistado o Conjunto, conforme ele havia pedido, com relação ao material de Köpenick. Respondi que acreditava ter obtido sucesso nisso, pois era fato conhecido que a Estação de Berlim era sempre importunada por ofertas de informações falsas.

Ele, então, tirou do bolso a folha dobrada, aqui anexada, explicando que era um resumo, preparado só por ele, do material contido nos cartuchos de filmes de Köpenick, mas sem o benefício de garantia de qualquer outra fonte secreta ou aberta.

Visualizo duas cenas simultâneas: a de George e Alec juntos, falando baixinho, no gélido solário em Bywater Street; a segunda, de Alec sozinho na noite anterior, debruçado sobre a velha Olivetti e uma garrafa de uísque na sala de porão enfumaçada no complexo do Estádio Olímpico em Berlim Ocidental. O resultado do seu trabalho está diante de mim: uma página encardida datilografada, manchada por corretor líquido e embrulhada em celofane, com o seguinte texto:

1. Atas de reunião da KGB, dos serviços de inteligência do Bloco do Leste, Praga, 21 de dezembro de 1957.
2. Nome e posto de oficiais da base doméstica da KGB alocados temporariamente nos diretórios da Stasi, em 5 de julho de 1956.
3. Identidade dos atuais agentes-chefes da Stasi na África Subsaariana.
4. Nomes, patentes e codinomes de todos os oficiais da Stasi em treinamento da KGB na URSS.
5. Localização de seis novas instalações de sinalização secreta soviéticas na RDA e na Polônia, em 5 de julho de 1956.

Viro uma página e estou de volta ao relato de Smiley para Control escrito à mão, sem uma rasura sequer:

O resto da história de Alec corre assim. A cada semana, com alguma regularidade, depois do "furo" de De Jong, se é que foi isso, Alec se apropriava do Volvo e do cachorro da família De Jong, colocava no porta-luvas quinhentos dólares, além de um livro de colorir com o número de sua linha direta na Estação de Berlim anotado nele, botava seu equipamento de pesca no banco de trás (até hoje eu não sabia que Alec pescava e estou inclinado a duvidar disso), dirigia até Köpenick e parava o carro onde De Jong havia estacionado à mesma hora. Com o cão ao lado, ia pescar e esperava. Na terceira tentativa, teve sorte. Os quinhentos dólares foram substituídos por dois cartuchos. O livro de colorir com o número de telefone sumira.

Duas noites depois, de volta a Berlim Ocidental, ele recebeu uma chamada em sua linha direta de um homem que se recusou a revelar seu nome, mas que falou que pescava em Köpenick. Alec o instruiu a se apresentar do lado de fora de determinada casa na Kurfürstendamm, às sete e vinte da noite seguinte, levando a edição da semana anterior do *Der Spiegel* na mão esquerda.

O resultante *treff* [isto é, encontro secreto, palavra apropriada pelos veteranos de Berlim do jargão de espionagem alemão] ocorreu numa van da Volkswagen dirigida por De Jong, e durou dezoito minutos. MAYFLOWER, como Alec arbitrariamente o batizou, se recusou mesmo a revelar seu nome, insistindo que os cartuchos não vinham dele, mas de uma "pessoa de dentro da Stasi", que ele devia proteger. Seu papel era meramente de voluntário intermediário, insistiu, sua motivação era ideológica e não financeira.

Mas Alec não engoliu essa. Material sem definição de fonte entregue por um intermediário anônimo era uma droga no mercado, disse ele. Portanto, nada de fazer negócio. Por fim — e só em reação às súplicas de Alec, somos solicitados a acreditar —, Mayflower sacou um cartão do bolso. De um lado do cartão estavam o nome Dr. Karl Riemeck e o endereço do Charité Hospital em Berlim Oriental; no verso, um endereço em Köpenick, escrito à mão.

Alec está convencido de que Riemeck estivera só esperando para saber exatamente qual era a dele antes de se revelar, e que, depois de apenas dez minutos, abandonou suas reservas. Mas nunca devemos esquecer o irlandês que há em Alec.

Portanto, vamos às perguntas óbvias:

Mesmo que o Dr. Riemeck seja quem ele diz ser, quem é sua mágica fonte secundária?

Estamos lidando com outro elaborado esquema da Stasi?

Ou — embora me doa sugerir isso — estamos lidando com algo um pouco mais caseiro, orquestrado pelo próprio Alec?

Concluindo:

Alec está pedindo com um certo entusiasmo, devo dizer, permissão para conduzir Mayflower ao próximo estágio *sem* precisar submetê-lo a qualquer uma das investigações e verificações de antecedentes de praxe, que, do jeito que as coisas estão, não poderiam ser feitas sem o conhecimento e o auxílio do Conjunto. As ressalvas dele são bem conhecidas de nós dois, e eu me aventuro a sugerir que nós as compartilhemos com cautela.

Alec, no entanto, não exibe essa contenção quanto a suas suspeitas. Na noite passada, depois do terceiro uísque, foi Connie Sachs quem ele apontou como agente duplo da Central de Moscou dentro do Circus, com Toby Esterhase correndo por fora como segundo suspeito. Sua teoria, baseada em nada mais que a própria intuição movida a uísque, era de que o par se viu enredado numa *folie à deux* embalada a sexo, descoberta pelos russos, que os estavam chantageando. Eu só consegui fazer com que ele fosse dormir por volta das duas da madrugada, mas o encontrei na cozinha às seis, preparando ovos com bacon para o café da manhã.

A questão é o que fazer. Pesando as coisas, sinto-me propenso a deixá-lo ter mais um contato com seu Mayflower (o que significa, na verdade, com sua fonte secundária misteriosa na Stasi), em seus próprios termos. Como nós dois sabemos, seus dias de agente de campo estão contados, e ele tem motivo de sobra para prolongá-los. Mas também sabemos que a pior parte do nosso ofício é confiar. Baseado em pouco mais que instinto, Alec se declara convencido da boa-fé de Mayflower. Isso pode ser tanto um palpite inspirado de um veterano quanto um pedido especial de um agente de campo que está envelhecendo e encarando o fim natural da sua carreira.

Diante disso tudo, eu, com todo respeito, recomendo darmos permissão a ele para seguir em frente.

G.S.

Mas Control não se deixa convencer facilmente. Vide a correspondência seguinte:

Control para GS: Seriamente preocupado com a possibilidade de que Leamas esteja remando a própria canoa. Onde estão os outros indicadores? Tem certeza de que podemos testar a inteligência em áreas que, na visão de Leamas, não estão contaminadas?

GS para Control: Consultei separadamente Relações Exteriores e Defesa, dando uma desculpa qualquer. Ambos falam bem do material, não acreditam que seja fabricado. Informações sem valor como prelúdio para um engodo maior sempre uma possibilidade.

Control para GS: Intrigado com o motivo de Leamas não consultar o chefe da Estação de Berlim. Manobras de bastidores desse tipo não fazem bem algum ao Serviço.

GS para Control: Infelizmente, Alec considera seu C/Est como anti-Secretas e pró-Conjunto.

Control para GS: Não posso me privar de uma *galère* de oficiais de alto nível na suposição não comprovada de que um deles seja uma maçã podre.

GS para Control: Receio que Alec veja o Conjunto como um pomar podre.

Control para GS: Então talvez ele é que deva ser podado.

A próxima contribuição escrita de Alec tem uma aparência inteiramente diferente: impecavelmente datilografada e num estilo de prosa bem superior ao seu. Suspeito logo de que o assistente-copista de Alec seja Stas de Jong, formado com distinção em línguas modernas. Então dessa vez é o Stas de um metro e noventa que visualizo debruçado sobre a Olivetti na sala de porão enfumaçada da Estação de Berlim, enquanto Alec ronda pelo cômodo, tragando um de seus horrendos cigarros russos e ditando estridentes obscenidades irlandesas que De Jong discretamente omite.

Relato de Encontro, 2 de fevereiro de 1959. Locação: Casa Segura Berlim K2. Presentes: SC / Estação Berlim Alec Leamas (Paul) e Karl Riemeck (MAYFLOWER).
Fonte MAYFLOWER. Segundo Treff. Supersecreto, Pessoal & Privado de AL para C/Secretas Marylebone.

Fonte Mayflower, conhecido junto à elite da RDA como "O médico de Köpenick", em homenagem à peça de Carl Zuckmayer, de título parecido, é o médico favorito de uma panelinha seleta do alto escalão do SED [Partido Socialista Unificado da Alemanha (isto é, Comunista)] e de *prominenz* da Stasi e de suas famílias, vários dos quais residem em mansões e apartamentos à beira do lago de Köpenick. Suas credenciais esquerdistas são impecáveis. Seu pai, Manfred, comunista desde o início da década de 1930, lutou com Thälmann na Guerra Civil Espanhola e depois se juntou à rede Orquestra Vermelha contra Hitler. Durante a guerra de 1939 a 1945, Mayflower contrabandeou mensagens para seu pai, que foi enforcado pela Gestapo no campo de concentração de Buchenwald, em 1944. Manfred não viveu, portanto, para ver a chegada da revolução à Alemanha Oriental, mas seu filho, Karl, por amor ao pai, estava determinado a ser seu devotado camarada. Depois de se destacar no científico, cursou medicina em Jena e Praga. Graduou-se *magna cum laude*. Não satisfeito em trabalhar várias horas no único hospital universitário de Berlim Oriental, abriu a casa de sua família em Köpenick, que divide com a mãe idosa, Helga, como um consultório informal para pacientes selecionados.

Sendo integrante nato da elite da RDA, Mayflower também é encarregado de missões médicas de natureza secreta. Um importante membro do SED contrai doença venérea em visita a países distantes e não deseja que seus superiores saibam. Mayflower ajuda dando um falso diagnóstico. Um prisioneiro da Stasi morre de infarto do miocárdio durante um interrogatório, mas a certidão de óbito deve contar uma história diferente. Um prisioneiro da Stasi de grande valor está prestes a ser submetido a um tratamento inclemente. A Mayflower é pedido que verifique a condição psicológica e física do prisioneiro e avalie sua resistência.

Em vista dessas responsabilidades, Mayflower recebeu o status de *Geheime Mitarbeiter* (colaborador secreto), ou GM, o que exige que ele se reporte mensalmente ao seu *controller* na Stasi, Urs ALBRECHT, um "funcionário sem grande imaginação". Mayflower diz que seus relatórios a Albrecht são "seletivos, praticamente inventados e sem importância". Albrecht, por sua vez, disse a Mayflower que ele é "um bom médico, mas um péssimo espião".

Excepcionalmente, Mayflower também acabou ganhando passe-livre para a "Pequena Cidade", ou seja, a rua Majakowskiring, em Berlim Oriental, onde grande parte da elite da RDA está instalada e rigorosamente protegida do público em geral pelo Regimento de Guarda Felix Dzerzhinsky, uma unidade especialmente treinada. Embora a "Pequena Cidade" se orgulhe de seu próprio centro médico — para não mencionar lojas exclusivas, escolas de jardim de infância etc. —, Mayflower tem permissão para entrar nessa área sagrada a fim de atender seus ilustres pacientes "particulares". Uma vez dentro do cordão, conta ele, as regras de discrição são relaxadas, as fofocas e as intrigas reinam, e as línguas se soltam.

Motivação:
A alegada motivação de Mayflower é o desapontamento com o regime da RDA, vendo o sonho comunista de seu pai ser traído.

Oferta de serviço:
Mayflower alega que a fonte secundária TULIP, paciente dele e funcionária da Stasi, não apenas atuou como elemento catalisador de seu autorrecrutamento, como também é a fonte dos cartuchos subminiatura originais que ele colocou, a pedido dela, no Volvo de De Jong. Ele descreve Tulip como neurótica, mas extremamente controlada, e alta-

mente vulnerável. Insiste que ela é sua paciente e nada mais. Reitera que nem ele nem Tulip exigem recompensa financeira.

Realocação no Ocidente no caso de comprometimento ainda não foi discutida. Veja abaixo.

Mas nós não vemos abaixo. No dia seguinte, o próprio Smiley voa até Berlim para dar uma olhada pessoalmente nesse Riemeck e me ordena que o acompanhe. No entanto, a fonte Mayflower não é a principal razão de nossa viagem. De muito maior interesse para ele são a identidade, o acesso e a motivação da fonte secundária neurótica, mas extremamente controlada, de codinome Tulip.

*

Calada da noite numa Berlim Ocidental insone varrida por ventos glaciais de granizo e neve. Alec Leamas e George Smiley estão sentados, enclausurados, com seu novo candidato, Karl Riemeck, codinome Mayflower, diante de uma garrafa de Talisker, o favorito de Alec e novidade para Riemeck. Estou sentado junto ao ombro direito de Smiley. A casa segura de Berlim K2 fica na Fasanenstrasse número 28 e é uma sobrevivente majestosa e improvável do bombardeio aliado. Foi construída ao estilo Biedermeier, com uma entrada de pilares, uma janela de sacada e uma boa saída dos fundos dando para a Uhlandstrasse. Quem quer que a tenha escolhido tinha gosto por nostalgia imperial e um olho operacional.

Alguns rostos, por mais que se esforcem, não conseguem ocultar o bom coração de seus donos, e o rosto de Riemeck é um desses. Está ficando calvo, usa óculos e tem a expressão doce. Não há como negar essa palavra. Não importa a carranca estudiosa de médico: ele exala humanidade.

Recordando agora aquele primeiro encontro, preciso lembrar a mim mesmo que, em 1959, não havia muito drama na vinda de um médico de Berlim Oriental para Berlim Ocidental. Muitos faziam isso, e uma porção deles nunca voltava, e foi por isso que construíram o Muro.

O número de série da pasta é datilografado e não está assinado. Não é um relatório formal e só posso presumir que o autor seja Smiley; e que, uma vez que não há indicação de destinatário, ele está escrevendo para o arquivo — em outras palavras, para si mesmo.

Solicitado a identificar o processo pelo qual entrou no que descreve como o estágio de "crisálida" de sua oposição ao regime da RDA, Mayflower indica o momento em que os interrogadores da Stasi lhe ordenaram que preparasse a mulher para "confinamento investigativo". A mulher era uma cidadã da RDA na casa dos cinquenta anos que, supostamente, trabalhava para a CIA. Ela sofria de claustrofobia aguda. O confinamento solitário já a havia deixado quase louca. "Seus gritos enquanto a pregavam dentro de um caixão ainda me acompanham." — Mayflower.

Na esteira dessa experiência, Mayflower, que afirma não ser dado a decisões açodadas, diz que "reavaliou sua situação por todos os ângulos". Tinha ouvido as mentiras do Partido em primeira mão, observado sua corrupção, suas hipocrisias e seu abuso de poder. Havia "diagnosticado os sintomas de um estado totalitário posando como o oposto". Longe da democracia com a qual seu pai havia sonhado, a Alemanha Oriental era "um vassalo soviético dirigido como um Estado policial". Com essa percepção formada, disse ele, só havia um caminho para o filho de Manfred: a resistência.

Seu primeiro pensamento foi estabelecer uma célula clandestina. Selecionaria alguns pacientes de elite que, de tempos em tempos, tivessem dado sinais de insatisfação com o regime, e os procuraria. Mas para fazer o quê? E por quanto tempo? O pai de Mayflower, Manfred, fora traído por seus camaradas. Nesse aspecto, pelo menos, o filho não se propunha a seguir os passos do pai. Então, em quem ele confiava o suficiente, em qualquer circunstância, chova ou faça sol? Resposta: nem em sua mãe, Helga, uma comunista declarada, por assim dizer.

Muito bem, pensou ele, continuaria a ser o que já era: "uma célula terrorista do eu sozinho". Seguiria o exemplo não de seu pai, mas o de um herói de infância, Georg Elser, o homem que, em 1939, sem a ajuda de um cúmplice ou confidente, havia feito, plantado e detonado uma bomba na cervejaria de Munique onde minutos antes o Führer discursava a seus seguidores. "Só a sorte infernal o salvara." — Mayflower.

Mas a RDA, ele ponderou, não era um regime que pudesse ser explodido com um único golpe, da mesma forma que o de Hitler. Mayflower era, antes de mais nada, um médico. Um sistema putrefato deve ser tratado de dentro para fora. A forma de fazer isso se revelaria em seu devido tempo. Por enquanto, ele não se abriria com ninguém, não confiaria em ninguém. Estaria sozinho, seria autossuficiente, responderia apenas a si mesmo. Seria *"um exército secreto de um homem só"*.

A "crisálida" se abriu, sustenta ele, quando às 22h00 de 18 de outubro de 1958, uma jovem desconhecida e aparentemente perturbada foi de bicicleta até Köpenick, nos subúrbios orientais de Berlim, e se apresentou em seu consultório pedindo que realizasse um aborto.

A essa altura, o relato de Smiley é interrompido e é o Dr. Riemeck quem fala diretamente para nós. George deve ter sentido que sua história, apesar de longa, era preciosa demais para ser resumida.

A camarada [deletado] é uma mulher muito inteligente e indubitavelmente atraente, extrovertidamente sem cerimônia do jeito que o Partido gosta, altamente engenhosa, mas, na privacidade de uma consulta médica, intermitentemente infantil e indefesa. Embora eu não seja dado a palpites de diagnósticos sobre a condição mental de pacientes, eu sugeriria uma forma de esquizofrenia seletiva, controlada com rigor. O fato de ser também uma mulher corajosa e de princípios não deve ser percebido como paradoxo.

Informo à camarada [deletado] que ela não está grávida e, portanto, não precisa ser submetida a um aborto. Ela se diz surpresa ao ouvir isso, levando em conta que dormiu com dois homens igualmente repugnantes no mesmo ciclo. Ela pergunta se tenho alguma bebida alcoólica. Diz que não é alcoólatra, mas que seus dois homens bebem muito e ela adquiriu o hábito. Ofereço-lhe uma taça de conhaque francês que me foi presenteado pelo ministro da Agricultura congolês em gratidão por meus serviços médicos. Depois de beber de um só gole, ela me interroga:

— Amigos meus me disseram que você é um homem decente e discreto. Eles têm razão? — pergunta ela.

— Que amigos? — pergunto.

— Amigos secretos.

— Por que seus amigos têm que ser secretos?

— Porque eles pertencem aos Órgãos.

— Que órgãos?

Eu a fiz perder a paciência. Ela responde rápida e agressivamente:

— Da *Stasi*, camarada doutor. O que mais?

Eu a advirto. Posso ser médico, mas tenho minhas responsabilidades para com o Estado. Ela prefere não me dar ouvidos. Diz que tem o direito de escolha. Numa democracia em que todos os camaradas são iguais, ela pode escolher entre o merda do marido sádico que bate nela e se recusa a admitir que é homossexual e o porco gordo do chefe de cinquenta anos que se acha no direito de trepar com ela no banco traseiro de seu Volga oficial quando bem entende.

Ela mencionou duas vezes o nome Dr. Emmanuel Rapp durante a conversa. Ela o chama de Rappschwein. Pergunto a ela se esse Rapp tem algum parentesco com a camarada Brigitte Rapp, que insiste em me consultar sobre uma infinidade de doenças imaginárias. Sim, ela confirma, Brigitte é o nome da mulher do porco. A conexão é feita. Frau Brigitte Rapp já me confidenciou que é casada com um funcionário graduado da Stasi que faz o que bem entende. Estou, portanto, na presença da muito zangada secretária particular do Dr. Emmanuel Rapp e — segundo a própria — amante secreta. Ela diz que já pensou em colocar arsênico no café de Rapp. Diz que guarda uma faca debaixo da cama para a próxima vez que o marido homossexual a atacar. Eu a advirto de que essas são fantasias perigosas e que deveria abandoná-las.

Pergunto se ela fala nesses termos subversivos com o marido ou no local de trabalho. Ela ri e me assegura que não. Ela tem três caras, diz. Nisso, tem sorte, pois a maioria das pessoas na RDA tem cinco ou seis:

— No local de trabalho, sou uma camarada devotada e diligente, o tempo todo bem-vestida e com os cabelos arrumados, principalmente nas reuniões, e sou também a escrava sexual de um porco ilustre. Em casa, sou o objeto de ódio de um sádico enrustido (homossexual) mais de dez anos mais velho que eu, cujo único objetivo na vida é tornar-se integrante da elite do Majakowskiring e dormir com jovens bonitos.

Sua terceira identidade é a que vejo diante de mim: uma mulher que detesta todos os aspectos da vida na RDA, exceto o filho, e que encontrou um consolo secreto em Deus Pai e em seus Santos. Pergunto se ela confidenciou essa terceira identidade a mais alguém. A ninguém. Pergunto se ela ouve vozes. Não que tivesse se dado conta ainda, mas, se ouvisse a voz de alguém, seria a de Deus. Pergunto se de fato se sente tentada a se auto-infligir algum mal, conforme insinuou mais cedo. Ela responde que há pouco tempo pensou em se jogar de uma ponte, mas foi demovida da ideia por amor ao seu filho, Gustav.

Pergunto se sentiu-se tentada a cometer outros atos passionais ou vingativos, e ela responde que, numa ocasião recente, quando o Dr. Emmanuel Rapp deixou o pulôver sobre a cadeira certa noite, ela pegou uma tesoura e o cortou em pedacinhos, depois juntou os pedaços e enfiou-os num saco de incineração para lixo secreto. Quando Rapp voltou na manhã seguinte e queixou-se de ter perdido o pulôver, ela o ajudou a procurá-lo. Quando ele sugeriu que alguém devia tê-lo roubado, ela listou alguns suspeitos.

Pergunto se seus sentimentos de vingança em relação ao camarada Dr. Rapp se atenuaram desde então. Ela retruca que estão mais fortes do que nunca e que a única coisa que odeia mais do que Rapp é o sistema que eleva porcos como ele a posições de poder. Seus ódios ocultos são alarmantes e, na minha opinião, é um milagre que ela consiga escondê-los do olho sempre vigilante de suas colegas de trabalho.

Pergunto onde mora. Responde que ela e o marido viviam até pouco tempo num apartamento em estilo soviético na Stalinallee, onde não havia nenhuma proteção especial, e ela só levava dez minutos de bicicleta até o quartel-general da Stasi, na Magdalenenstrasse. Recentemente — seja por influência homossexual ou por dinheiro, ela não sabe, uma vez que o marido faz segredo em relação à herança deixada pelo pai —, eles se mudaram para uma área protegida de Berlim, a Hohenschönhausen, reservada a oficiais do governo e funcionários civis mais graduados. Nesse lugar há lagos e bosques, que ela adora, um parquinho para o filho, Gustav, e até um pequeno jardim particular com churrasqueira. Em outras circunstâncias, a casa seria um lugar paradisíaco, mas compartilhá-la com o odioso marido faz dela uma caricatura. Ciclista apaixonada, ainda vai de bicicleta para o trabalho, e estima levar meia hora de porta a porta.

É uma hora da manhã. Eu lhe pergunto o que vai dizer ao marido, Lothar, ao chegar à casa. Responde que não vai dizer nada e acrescenta:

— Quando meu querido Lothar não está me estuprando ou se embriagando, ele se senta na beira da cama com documentos do Ministério das Relações Exteriores da RDA no colo, grunhindo e escrevendo como um homem que odeia o mundo inteiro, e não só a mulher.

Pergunto se são documentos secretos estes que seu marido leva para casa. Ela responde que são ultrassecretos e que ele os leva para casa ilegalmente, pois, além de ser um pervertido sexual, é muito ambicioso. Ela me pergunta se, na próxima ocasião em que me visitar, vou fazer amor com ela, alegando que ainda precisa fazer amor com um homem que não seja um porco ou um estuprador. Acredito que esteja brincando, mas não tenho certeza. De qualquer maneira, declino, explicando que tenho por princípio não dormir com pacientes. Deixo-lhe o possível consolo de saber que, se não fosse seu médico, dormiria com ela. Ao montar na bicicleta para partir, me informa que colocou a vida dela em minhas mãos. Eu respondo que, como médico, respeitarei suas confidências. Pede para marcar uma segunda consulta. Eu lhe ofereço a quinta-feira seguinte, às seis da tarde.

Tomado por uma onda de repulsa, me ponho de pé.

— Sabe onde é? — pergunta Nelson sem erguer os olhos do livro.

Tranco-me no banheiro e fico lá por tanto tempo quanto consigo ousar. Quando reassumo meu lugar à mesa, Doris Gamp, codinome Tulip, chegou pontualmente para a segunda consulta, após pedalar o caminho todo até Köpenick com o filho, Gustav, empoleirado na cestinha.

Riemeck de novo:

O estado de espírito de mãe e filho é alegre e relaxado. O dia está lindo, seu marido, Lothar, foi convocado de última hora para uma reunião em Varsóvia, ficará dois dias fora, eles estão animados. Amanhã, ela e Gustav irão de bicicleta até a irmã dela, Lotte, "a única outra pessoa que eu amo no mundo", ela me diz, alegremente. Confiando o filho à minha querida mãe — que gostaria apenas que ele fosse meu —, acompanho a camarada [deletado] até meu consultório no sótão e coloco Bach para tocar bem alto no gramofone. Cerimoniosamente — um tanto nervosa até, eu diria —, ela me oferece uma caixa de bombom que, diz, lhe foi dada por Emmanuel Rapp, e me recomenda que não coma tudo de uma vez. Ao abrir a caixa, vejo que contém, em vez de chocolates belgas, dois cartuchos de filme subminiatura. Eu me sento numa banqueta ao lado dela, sua boca próxima ao meu ouvido. Pergunto-lhe o que há no filme subminiatura. Ela diz que são documentos secretos da Stasi. Pergunto como os obteve, ao que responde que os fotografou esta tarde mesmo, com a ajuda da câmera Minox do próprio Emmanuel Rapp, depois de um encontro sexual particularmente degradante. O ato mal chegou a ser consumado e Rappschwein saiu correndo para uma reunião na Casa 2, para a qual já estava atrasado. Ela se sentia vingativa e ousada. Os documentos estavam espalhados na mesa dele. A câmera Minox, na gaveta, onde ele a deixa guardada durante o dia.

— É esperado dos funcionários da Stasi que mantenham uma rotina de segurança em quaisquer circunstâncias de suas vidas — diz ela, adotando o tom de um *apparatchik* da Stasi. — O Rappschwein é tão arrogante que se julga superior aos regulamentos do Serviço.

— E os cartuchos? — pergunto a ela.

Como vai prestar conta deles?

O Rappschwein é como uma criança, portanto, seus caprichos devem ser satisfeitos instantaneamente. É proibido até a funcionários graduados manter em seus cofres pessoais equipamentos especiais, como câmeras secretas ou dispositivos de gravação, mas Rapp ignora essa ordem, a exemplo do que faz com outras. Além disso, ao sair do quarto tão apressadamente, ele na verdade deixou a porta do cofre entreaberta, outra falha flagrante de segurança que permitiu a ela driblar a fechadura de cera.

Pergunto: o que é uma fechadura de cera? Ela explica que nos cofres da Stasi existe uma fechadura elaborada que é coberta por uma camada de cera macia. Ao fechar o cofre, o proprietário deixa a própria impressão na cera, usando a chave distribuída pela Stasi e o sinete acoplado [*Petschaft*], que deve manter consigo o tempo todo. Cada *Petschaft* é numerado, individualmente elaborado e uma peça única. Quanto aos cartuchos, ele tem caixas de papelão repletas deles, uma dúzia em cada. Ele perde a conta de quantos há e usa a Minox como um brinquedo para propósitos não oficiais e libertinos. Por exemplo, muitas vezes tentou persuadi-la a posar nua para ele, mas ela sempre se recusou. Ele também guarda garrafas de vodca e de *slivovitz* no cofre, já que, como vários figurões da Stasi, bebe muito e, quando fica bêbado, fala sem reservas. Pergunto a ela como conseguiu sair com o filme subminiatura do quartel-general da Stasi, e ela dá uma risadinha e diz que um médico como eu deveria saber.

No entanto, ela insiste que, apesar da obsessão da Stasi com as regras de segurança interna, aqueles com os crachás corretos não são submetidos a revistas físicas. Por exemplo, a camarada [deletado] tem um crachá que a autoriza a se locomover livremente entre as Casas 1 e 3 do complexo da Stasi. Pergunto-lhe o que espera que eu faça com os cartuchos agora que ela me comprometeu com eles, e ela responde que eu deveria, por gentileza, encaminhá-los à Inteligência Britânica. Pergunto por que não à Americana, e ela fica chocada. Sou comunista, diz. A América Imperialista é sua inimiga.

Nós voltamos ao andar de baixo. Gustav está jogando dominó com minha querida mãe. Ela diz que ele é uma criança encantadora e que joga dominó muito bem, e que gostaria de poder ficar com ele para sempre.

O braço técnico da Secretas, sempre à procura de uma desculpa para se juntar à festa, intervém:

Secretas/Tec Berlim para C/Secretas Berlim [Leamas].
Ref seu Agente Principal MAYFLOWER:

---

1. Você relata que o consultório no sótão em Köpenick possui um rádio antiquado. O Dep de Ops Tecs o adaptaria como um dispositivo para gravação?

2. Você relata que Mayflower possui uma câmera reflex Exakta monobjetiva, aprovada pela Stasi para uso recreativo. Ele também possui uma lâmpada ultravioleta para uso terapêutico e um microscópio. Como já possui os componentes básicos, deveria ser instruído na manufatura de micropontos?
3. Köpenick é uma área rural densamente arborizada, ideal para a ocultação de TSF e outros equipamentos operacionais. Equipe de retaguarda para efetuar reconhecimento e relatar?
4. Fechaduras de cera. No curso das aventuras de Tulip com Emmanuel Rapp, ela não poderia aproveitar e tirar uma impressão da chave pessoal com o sinete acoplado [*Petschaft*] do cofre dele? Lojas técnicas contam com uma ampla variedade de DOs [dispositivos de ocultação] para acomodar substâncias semelhantes à plasticina.

A onda de repulsa retorna. *No curso das aventuras dela?* Não eram aventuras de *Tulip* porra nenhuma, eram do Rappschwein, merda! Tulip se submetia a elas porque sabia que, se não o fizesse, seria assolada por sanções disciplinares, e Gustav jamais entraria para aquela escola de elite com a qual ela sonhava. E, tudo bem, ela era uma mulher impetuosa e facilmente excitável. Mas isso *não* significa que ela tivesse prazer *nem* com o Rappschwein *nem* com o marido!

Mas, em Berlim, Alec Leamas não tem essas preocupações:

C/Secretas Berlim [Leamas] *para C/Secretas Marylebone* [Smiley].
Carta SO, cópia para arquivo.

Caro George,

Uma ação perfeita!

Feliz em relatar que a impressão da *Petschaft* e da chave de Emmanuel Rapp, feita em sigilo pela fonte secundária Tulip, produziu um fac-símile perfeito com letras e números bem contrastados. Os caubóis na Tec recomendaram que, por questão de segurança, ela aplicasse um leve giro ao retirar a *Petschaft* da cera. Sucesso total!

Um abraço,

Alec

P.S.: No anexo, a PP de Tulip, segundo reg do EC, para os OLHOS DE SECRETAS APENAS!! AL

PP para Perfil Pessoal. PP para resumir qualquer vida humana em que o Serviço tenha interesse. PP para penitência. PP para padecimento.

Nome completo da subagente: Doris Carlotta Gamp.
Data e local de nascimento: Leipzig, 21.x.29
Escolaridade: Formou-se nas Universidades de Jena e Dresden em Ciência Política e Ciências Sociais.
Irmã: Lotte, professora de ensino fundamental em Potsdam, solteira.
CV e outras informações pessoais: 23 anos, recrutada como arquivista júnior, QG da Stasi, Berlim Oriental. Acesso restrito a Confidencial & Abaixo. Depois de um período probatório de seis meses, acesso elevado a Secreto. Designada para a seção J3, responsável por processar e avaliar relatórios de bases do além-mar.

Depois de um ano na função, passa a se relacionar com Lothar Quinz, de 41 anos, considerado uma estrela em ascensão no Serviço de Relações Exteriores da RDA. Gravidez e casamento civil se seguem.

Com seis meses de casada, a Sra. Quinz, ex-Srta. Gamp, tem um filho e dá a ele o nome de Gustav, em homenagem a seu pai. Sem o conhecimento do marido, faz batizar o menino por um sacerdote aposentado e *starets* (mestre sagrado) de 87 anos da Igreja Ortodoxa Russa, uma espécie de Rasputin ligado ao quartel do Exército Vermelho em Karlshorst. A forma como a suposta conversão à Ortodoxia Russa ocorreu não é de nosso conhecimento. Para despistar Quinz, Gamp disse a ele que estava indo visitar a irmã em Potsdam e fez a viagem até o tal Rasputin de bicicleta com Gustav na cestinha.

Em 10 de junho de 1957, ao fim do quinto ano no emprego, é novamente promovida, dessa vez a secretária de Emmanuel Rapp, diretor de operações no além-mar treinado pela KGB.

Para manter-se sob a proteção de Rapp, é também obrigada a lhe prestar favores sexuais. Quando se queixa disso ao marido, ele lhe diz que os desejos de um camarada da importância de Rapp devem ser atendidos. Ela acredita que suas colegas de trabalho da Stasi compartilhem dessa opinião. Segundo Tulip, elas têm conhecimento do caso e estão conscientes de que constitui uma grave infração disciplinar. Mas também receiam que, por causa do alcance do poder de Rapp, se fizerem uma denúncia, sofrerão consequências.

Experiência operacional até o presente:
Ao ingressar na Stasi, frequentou o curso de doutrinação ministrado para todos os funcionários juniores. Ao contrário da maioria de suas colegas de trabalho, possui um nível bom de russo falado e escrito. Selecionada para treinamento adicional em métodos conspiratórios, encontros secretos, recrutamento e dissimulação. Também foi instruída em escrita secreta (carbono e fluidos), fotografia clandestina (subminiatura, microponto), vigilância, contravigilância, TSF básica. Aptidão avaliada em "boa para excelente".

Como secretária particular de Emmanuel Rapp e sua "menina de ouro" (descrição feita pelo próprio), ela o acompanha regularmente a Praga, Budapeste e Gdansk, onde ele participa de reuniões de inteligência dos serviços de cooperação do Bloco do Leste organizadas pela KGB. Foi por duas vezes empregada em tais conferências como estenógrafa das atas. Apesar de sua antipatia por ele, sonha em acompanhar Rapp a Moscou para ver a Praça Vermelha à noite.

Comentários conclusivos do Oficial do Caso:
C/Secretas Berlim para C/Secretas Marylebone [sem dúvida com a assistência de Stas de Jong]
A relação da fonte secundária Tulip com este Serviço é conduzida exclusivamente por intermédio de Mayflower. Ele é seu médico, orientador, confidente, confessor particular e melhor amigo, nessa ordem. Então, o que temos agora é uma informante ligada ao nosso agente principal e, por mim, é assim que as coisas deveriam ficar. Como sabem, nós recentemente a equipamos com sua própria Minox, embutida no fecho de sua bolsa a tiracolo, e com cartuchos, na base de uma lata de talco. Ela é também, agora, a orgulhosa detentora de uma chave e de um *Petschaft* em duplicata para a fechadura de cera do cofre de Rapp.

É satisfatório, portanto, que Mayflower relate que Tulip não demonstra nenhum sinal perturbador de tensão. Ao contrário, ele diz que o moral dela nunca esteve mais elevado, ela parece gostar do perigo, e a única preocupação dele é que ela se torne confiante demais e venha a assumir riscos desnecessários. Enquanto os dois conseguirem se encontrar normalmente em Berlim sob o pretexto da relação médico-paciente, ele não terá maiores preocupações.

No entanto, um problema operacional completamente diferente surge quando ela está acompanhando Rapp a reuniões fora da RDA. Como as *dead letter boxes* não são apropriadas nesses casos, Secretas poderia pensar em colocar um mensageiro incidental à disposição para atender Tulip de última hora em cidades fora do Bloco Alemão?

Viro uma página. Minha mão está firme. Ela sempre fica assim sob estresse. Trata-se de uma conversa operacional normal entre o QG de Secretas e Berlim.

George Smiley para Alec Leamas em Berlim, nota pessoal, escrita à mão, cópia para o arquivo:

Alec. Antes da visita de Emmanuel Rapp a Budapeste, por favor, consiga que a foto anexa de Peter Guillam, que atuará como mensageiro incidental da fonte secundária Tulip, seja mostrada a ela o quanto antes.

Um abraço, G

George Smiley para Peter Guillam, nota escrita à mão, cópia para arquivo:

Peter. Esta será a sua dama em Budapeste. Estude-a bem!

Bon voyage, G.

— Você disse alguma coisa? — perguntou Nelson bruscamente, erguendo o olhar do livro.

— Nada. Por quê?

— Deve ter sido algo na rua, então.

*

Quando você examina as feições de uma mulher desconhecida com propósitos operacionais, pensamentos de natureza sexual ficam em segundo plano. Você não está à procura de atrativos. Está se perguntando se ela vai aparecer de cabelos curtos ou compridos, tingidos ou não, soltos ou sob um chapéu, e o que seu rosto tem a oferecer em matéria de características distintivas: testa larga, maçãs do rosto salientes, olhos pequenos ou grandes, arredondados ou amendoados. Depois do rosto, você vai olhar para o formato e o tamanho do corpo, e tentar imaginar como ele pareceria usando algo mais reconhecível do que o terninho de calça comprida padrão do Partido e os pesados sapatos de cadarço. Você não está analisando seu *sex appeal*, exceto na medida em que possa atrair a atenção de um observador impressionável. Minha única preocupação nesse estágio era como a dona desse rosto e desse corpo iria se comportar diante de um mensageiro incidental, num dia quente de verão, nas ruas estreitamente vigiadas de Budapeste.

E a resposta curta acabou sendo: de forma impecável. Habilidosa, ágil, anônima, resoluta. E eu, como seu mensageiro incidental, não menos. Um dia ensolarado, uma rua movimentada, dois estranhos, avançamos um em direção ao outro, estamos prestes a colidir, eu desvio para a esquerda, ela, para a direita, há um emaranhamento momentâneo. Resmungo um pedido de desculpas, ela o ignora e segue em frente. Fui agraciado com dois cartuchos de microfilme.

Um segundo esbarrão na Cidade Velha de Varsóvia quatro semanas depois, embora mais difícil, também acontece sem problemas, como indica meu relatório escrito à mão para George, com cópia para Alec:

PG para C/Secretas Marylebone, cópia para AL, Berlim.
Assunto: Treff às cegas com a fonte secundária TULIP.

Como ocorrido anteriormente, fomos bem-sucedidos no rápido reconhecimento mútuo. O contato intercorporal foi indetectável e rápido. Não acredito que nem a mais estreita vigilância pudesse ter flagrado o momento da transferência.

Ficou claro que Tulip tinha sido muito bem instruída por Mayflower. Minha entrega subsequente ao C/Est Varsóvia não apresentou dificuldades.

PG

E a resposta manuscrita de Smiley:

Tudo feito de forma primorosa de novo, Peter! Bravo! GS

Mas talvez não tão primorosa quanto Smiley pensa, nem tão tranquila quanto meu relato feito à mão veementemente sugeriu.

*

Sou um turista francês da Bretanha participando de uma excursão com um grupo suíço. Meu passaporte me descreve como diretor de empresa, mas, questionado por meus companheiros de viagem, me revelo um humilde caixeiro-viajante que trabalha com fertilizantes agrícolas. Com meu grupo, estou apreciando as paisagens da esplendidamente restaurada Cidade Velha de Varsóvia. Uma jovem bem desenvolvida de calça jeans folgada e colete de lã xadrez caminha a passos largos em nossa direção. Seus cabelos, vistos da última vez ocultos por uma boina, hoje voam soltos e ruivos. A cada passo, eles brilham com a luz do sol. Ela está de cachecol verde. A ausência de cachecol significa nada de entrega. Estou com um boné de pano do Partido com uma estrela vermelha, comprado numa barraca de rua. Se eu enfiar o boné no bolso, nada de entrega. A Cidade Velha está fervilhando com outros grupos de turistas. O nosso é menos administrável do que desejaria nossa guia polonesa. Três ou quatro de nós já não prestamos atenção nela, tagarelando entre nós em vez de ouvirmos uma história sobre o milagroso renascimento da cidade depois do bombardeio nazista. Uma estátua de bronze atraiu a minha atenção. E a de Tulip também, pois foi assim que nosso encontro foi coreografado. Não diminuiremos o passo durante o encontro. Manter um ar *blasé* é tudo, mas sem exagero. Nada de contato visual, mas nada estudado demais no modo como ignoramos um ao outro. Varsóvia é uma cidade muito monitorada. As atrações turísticas encabeçam a lista de vigilância.

Então, o que é esse gingado que ela está fazendo com os quadris de repente, o que é esse brilho de boas-vindas explícito nos grandes olhos amendoados? Por um segundo fugaz — embora menos fugaz do que estou preparado para enfrentar —, nossas mãos direitas se enroscam. E em vez de se desvencilharem instantaneamente, seus dedos, tendo depositado os conteúdos minúsculos, se aninham na minha palma, e teriam continuado aninhados ali por mais tempo se eu não forçasse a sua liberação. Ela perdeu a cabeça? Eu perdi a minha? E o que dizer daquele breve sorriso caloroso que captei? — ou será que eu estaria me iludindo?

Vamos cada um para um lado: ela, para a conferência dos espiocratas do Pacto de Varsóvia; eu, com meu grupo para um bar de porão onde o secretário de Cultura da embaixada britânica e sua mulher estão se regalando a uma mesa de canto. Peço uma cerveja e vou até o banheiro masculino. O secretário de Cultura, conhecido meu de outra vida como trainee em Sarratt, vem atrás de mim. A entrega é rápida e silenciosa. Volto a me reunir ao meu grupo. Mas o esvoaçar dos dedos de Tulip não me abandonou.

Nem agora, enquanto leio o hino de louvor de Stas de Jong à fonte secundária Tulip, estrela mais luminosa da rede Mayflower:

> Tulip adquiriu plena consciência de que está informando para este Serviço e de que Mayflower é nosso assistente não oficial, bem como seu contato. Ela concluiu que ama a Inglaterra incondicionalmente. Está particularmente impressionada com a elevada qualidade de nossos métodos e destacou seu mais recente *treff* em Varsóvia como exemplo da excelência britânica.
>
> Os termos de realocação de Tulip ao completar um trabalho, quando quer que isso ocorra, serão de mil libras por mês de serviço concluído, mais um pagamento único *ex-gratia* de dez mil libras, conforme aprovado por C/Secretas [GS]. Mas o maior desejo dela é que, quando o momento chegar, seja quando for, ela e o filho, Gustav, se tornem cidadãos britânicos.

Seus talentos inatos como espiã são talvez ainda mais impressionantes. O sucesso em instalar uma câmera subminiatura na base da plataforma do chuveiro no banheiro feminino em seu corredor a libera do estresse de levá-la para a Casa 3 e retirá-la de lá em sua bolsa. O *Petschaft* e a chave que copiou lhe permitem entrar e sair do cofre de Rapp sempre que a barra está limpa e ela se sente inclinada a fazê-lo. No sábado passado, ela confidenciou a Mayflower que seu sonho mais recorrente era o de um dia se casar com um bonito inglês!

— Algo errado aí? — pergunta Nelson, dessa vez enfático.

— Cheguei a uma roseta — respondo. O que é verdade.

*

Bunny trouxe consigo uma pasta de executivo e está de terno escuro. Veio direto de uma reunião no Tesouro; com quem, ou por quê, ele não diz. Laura se aboleta na cadeira de Control com as pernas cruzadas. Bunny tira uma garrafa de Sancerre morno da pasta e serve a todos nós uma taça. Em seguida, abre um pacote de castanhas de caju salgadas e diz para nos servirmos.

— A coisa está feia, Peter? — pergunta ele, cordialmente.

— O que você espera? — retruco no tom ressentido que decidi adotar. — Não chega a ser uma caminhada feliz pela alameda da memória, não é mesmo?

— Mas proveitosa, espero. Não é estressante demais revisitar velhos tempos e velhos rostos?

Deixo essa passar.

O interrogatório começa, languidamente a princípio:

— Posso perguntar primeiro sobre *Riemeck*, um personagem singularmente atraente para um agente, imagino?

Faço que sim com a cabeça.

— E médico. Dos melhores.

Assinto de novo.

— Então por que os relatórios do dia sobre Mayflower, conforme distribuído para os felizardos clientes de Whitehall, descrevem a fonte como, e eu cito, *um funcionário bem alocado nos níveis intermediários do Partido Socialista Unificado da Alemanha Oriental com acesso regular a um material altamente confidencial da Stasi*?

— Desinformação — respondo.

— Plantada por?

— George, Control, Lacon no Tesouro. Todos eles sabiam que o material de Mayflower ia causar agitação no momento em que chegasse às bancas. A primeira coisa que os clientes iriam perguntar seria a identidade da fonte. Por isso eles inventaram uma fonte fictícia de peso igual.

— E sua Tulip?

— O que tem a Tulip?

Rápido demais. Eu devia ter esperado. Está me provocando? Por que mais ele estaria abrindo aquele sorriso presunçoso e forçado que me dá vontade de bater nele? E por que Laura está sorrindo também? Está dando o troco depois do nosso malogrado jantar grego?

Bunny está lendo algo em seu colo e o assunto ainda é Tulip:

— "*A fonte secundária é uma secretária sênior no Ministério do Interior com acesso aos círculos mais elevados.*" Isso não é um tanto exagerado?

— Exagerado como?

— Não confere a ela um pouco mais... bem, um pouco mais de *respeitabilidade* do que ela merece? Digo, por que não secretária sênior *promíscua*, para começar? *Ninfomaníaca do escritório* seria uma definição melhor, se estamos em busca de algum tipo de equivalência no mundo real. Ou *puta sagrada*, talvez, em consideração a suas preferências religiosas?

Ele está me observando, esperando minha explosão de fúria, indignação, negação. De algum modo, eu consigo não lhe dar essa satisfação.

— Mesmo assim, suponho que você devia conhecer sua Tulip — ele continua. — Você que lhe serviu tão diligentemente.

— Eu *não* lhe servi, e ela não é *minha* Tulip — retruco com uma ponderação estudada. — Durante todo o tempo em que ela esteve em campo, Tulip e eu não trocamos uma só palavra.

— Nem uma só?

— Não, em todos os nossos *treffs*. Passamos roçando um pelo outro, mas nunca nos falamos.

— Então como é que ela sabia seu nome? — pergunta ele com seu mais charmoso sorriso de menino.

— Ela *não* sabia a porra do meu nome! Como poderia, se nunca chegamos sequer a dizer *oi* um para o outro?

— *Um* dos seus nomes, digamos assim — insiste ele, inabalável.

É a deixa de Laura:

— Que tal *Jean-François Gamay*, Pete? — sugere ela, na mesma linha irônica. — Sócio numa empresa francesa de eletrônicos sediada em Metz, aproveitando as férias num pacote turístico às margens do Mar Negro, com a agência de viagem estatal da Bulgária. Isso é um pouco mais do que *oi*.

Eu explodo numa gargalhada solta, como deveria ser, pois é o produto de um alívio espontâneo e genuíno.

— Ah, pelo amor de Deus! — exclamo, juntando-me à diversão. — Não foi o que eu disse a *Tulip*. Isso foi o que eu disse a *Gustav*!

*

Então aí estão vocês, Bunny e Laura, e espero que estejam sentados confortavelmente para ouvir esta história que é uma lição de como os planos mais sigilosos e bem preparados podem naufragar na inocência de uma criança.

Meu nome profissional é, de fato, Jean-François Gamay e, sim, faço parte de um grande grupo de turismo fortemente vigiado que está desfrutando o sol e o mar a baixo custo num balneário búlgaro meio insalubre no Mar Negro.

Do outro lado da baía, em frente ao nosso lúgubre hotel, fica o Albergue dos Trabalhadores do Partido, um bloco de concreto no estilo soviético e de arquitetura brutalista coberto por bandeiras comunistas, e podemos ouvir sua música marcial retumbando sobre a água, pontuada por mensagens edificantes de paz e boa vontade, saindo de uma bateria de alto-falantes. Em algum lugar entre aquelas paredes, Tulip e o filho de cinco anos, Gustav, estão de férias coletivas operárias, graças às conexões influentes do odioso camarada Lothar, o marido dela, que misteriosamente superou a relutância da Stasi em permitir a seus membros que se divirtam em areias estrangeiras. Ela está acompanhada de sua irmã, Lotte, a professora do ensino fundamental de Potsdam.

Na praia, entre quatro e quatro e quinze, Tulip e eu realizaremos um encontro de raspão, e dessa vez ele incluirá o filho, Gustav. Lotte estará confinada ao albergue, participando de uma assembleia de trabalhadores. A iniciativa cabe ao agente de campo; nesse caso, Tulip. Meu papel será o de reagir a ela criativamente. E lá vem ela, andando em minha direção pela rebentação, com um roupão de praia folgado no estilo missionária e uma bolsa de corda a tiracolo. Ao avançar, ela dirige o olhar de Gustav para uma concha ou pedrinha preciosa. Ela vem com o mesmo gingado no qual fingi não reparar na Cidade Velha de Varsóvia — no entanto, tomo o cuidado de não mencionar o movimento dos quadris dela para Bunny e Laura, que acompanham cada palavra do meu relato casual com ceticismo indisfarçado.

Ao se aproximar, ela enfia a mão na bolsa de corda. Outros adoradores do sol, outras crianças, estão patinhando na água, se bronzeando, comendo sanduíches de salsicha e jogando xadrez, e a Tulip em cena não poupa um sorriso ou uma palavra para este ou aquele camarada. Não sei por que cargas d'água ela convence Gustav a se aproximar de mim, nem o que ela lhe diz que o faz rir alto e correr até mim em desafio, e pôr na minha mão uma cocada de cor azul, branca e rosa.

Mas sei que devo ser simpático, que devo demonstrar estar encantado. Devo fingir que como um pedaço do doce, devo enfiar o restante no bolso, agachar-me, descobrir na rebentação, magicamente, a concha que já estava dentro da minha mão, e oferecê-la a Gustav como retribuição pelo doce.

Tulip acompanha tudo isso rindo alegremente — um tanto alegremente demais, mas também não conto essa parte para Laura e Bunny — e chama o filho, volte agora, querido, e deixe o camarada simpático em paz.

Mas Gustav não quer deixar o camarada simpático em paz, que é todo o foco da história espirituosa que conto para Bunny e Laura. Gustav, que é um menino claramente travesso, saiu do roteiro. Ele calcula que fez um bom negócio com o camarada simpático, um doce em troca de uma concha, e precisa conhecer socialmente seu novo parceiro comercial.

— Como você se chama? — pergunta ele.

— Jean-François. E você?

— Gustav. Jean-François de quê?

— Gamay.

— E quantos anos você tem?

— Cento e vinte oito. E você?

— Cinco. De onde o camarada vem?

— Metz, França. E você?

— Berlim, Alemanha Democrática. Gostaria de ouvir uma música?

— Gostaria muito.

Em seguida, Gustav se coloca em posição de sentido na areia, estufa o peito e canta uma música da escola que agradece aos nossos amados soldados soviéticos por derramarem seu sangue por uma Alemanha socialista. Enquanto isso, a mãe, de pé atrás dele, desamarra o cinto do roupão com movimentos calculados e o olhar fixo em mim, e exibe o corpo nu em toda a sua glória antes de languidamente amarrar de novo o cinto e juntar-se a mim em meu generoso aplauso pela apresentação musical do filho; então ela o observa como a mãe orgulhosa que é enquanto eu cumprimento Gustav com um aperto de mãos, dou um passo atrás e, com o braço direito erguido, retribuo a saudação comunista dele.

Mas a glória do corpo nu de Tulip também é algo que guardo para mim, enquanto reflito sobre uma pergunta que vem me torturando desde antes de embarcar na minha divertida história: *como é que diabos vocês descobriram que Tulip sabia meu nome?*

7.

Não sei que variedade particular de fuga dissociativa se apossou de mim quando, liberado mais cedo de minhas funções, saí do ambiente sinistro do Estábulo para a agitação vespertina de Bloomsbury e, levado por algum impulso do qual não me dei conta, segui para sudoeste, na direção de Chelsea. Humilhação, certamente. Frustração, desnorteamento, sem dúvida. Ultraje ao ter meu passado desenterrado e jogado na minha cara. Culpa, vergonha, receio, todos em abundância. E tudo direcionado num único golpe de dor e incompreensão a George Smiley por se mostrar inencontrável.

Ou estaria mesmo? Será que Bunny estava mentindo para mim, assim como eu para ele, e George não era tão inencontrável como ele declarava? Será que já o teriam achado e o espremido até a última gota, como se isso fosse remotamente possível? Se Millie McCraig sabia a resposta para esta pergunta — e suspeito que saiba —, via-se também comprometida com o silêncio, seguindo sua própria versão da Lei de Segredos Oficiais, que estabelecia que, vivo ou morto, George Smiley era indiscutível.

Ao me aproximar de Bywater Street, no passado uma rua sem saída sossegada para famílias de classe média e agora apenas mais um dos guetos dos milionários de Londres, eu me nego a aceitar a onda de nostalgia que me açoita, ou a fazer o obrigatório registro mental de carros estacionados, ou a examiná-los à procura de ocupantes, ou a observar as portas e janelas das casas do outro lado da rua. Quando foi a última vez que vim aqui? Minha memória só vai até a noite em que consegui driblar a astúcia de George, ao tirar com cuidado as pequenas cunhas de madeira secretamente deixadas no lintel da porta da frente, colocando-as no mesmo lugar depois de entrar, e fiquei à espera dele na sala de estar para conduzi-lo rapidamente ao espaçoso castelo vermelho de Oliver Lacon, em Ascot, na primeira etapa de sua angustiada viagem até o velho amigo querido, Bill Haydon, arquitraidor e amante de sua mulher.

Mas, nesse preguiçoso fim de tarde outonal, o número 9 da Bywater Street não sabe de nada e não viu nenhuma dessas coisas. Venezianas fechadas, a área de jardim em frente à casa tomada por ervas daninhas, os ocupantes ausentes, em viagem ou mortos. Subo os degraus que levam à porta, aperto o botão da campainha, não ouço o ruído familiar, nenhum som de passos, leves nem pesados. Nada de George, piscando de satisfação enquanto limpa os óculos com o forro da gravata — "oi, Peter, você está com cara de quem precisa de um drinque; entre". Nada de Ann toda apressada, com a maquiagem no rosto por finalizar — "estou *quase* de saída, Peter, querido — beijo, beijo —, mas *entre* e salve o mundo com o pobre do George".

Volto em ritmo de marcha para a King's Road, chamo um táxi para me levar até a Marylebone High Street e peço que me deixe em frente à livraria Daunt Books — fundada em 1910 e chamada Messrs Francis Edwards naquela época —, onde Smiley passou muitas horas de almoço felizes. Mergulho num labirinto de becos pavimentados com paralelepípedos, ladeados por casas que eram antigos estábulos, e que um dia já abrangeram o posto remoto do Circus para o departamento de Operações Secretas — ou, no nosso jargão, simplesmente *Marylebone*.

Diferente do Estábulo, que foi apenas uma casa segura dedicada a uma operação isolada, *Marylebone*, com suas três portas de entrada, era um Serviço em si: tinha seus próprios analistas, criptógrafos, decodificadores, mensageiros e seu próprio exército grisalho de Eventuais, desconhecidos uns dos outros e recrutados de todas as classes sociais, só à espera da chamada para largar tudo e se juntar à causa.

Seria remotamente concebível que Secretas ainda ocupasse um espaço aqui? Em minha fuga dissociativa, escolhi acreditar que sim. E George Smiley ainda se esconde atrás de suas venezianas fechadas? Nessa mesma fuga, eu devo ter me persuadido a acreditar que sim. Das nove campainhas, só uma funcionava. Você tinha de ser um dos fiéis para saber qual. Eu a aperto. Nenhuma resposta. Aperto os outros dois botões na mesma porta. Sigo para a porta seguinte e aperto todos os três. Uma voz de mulher berra comigo.

— Ela não está *aqui*, porra, Sammy! Ela fugiu com Wally e a criança. Se tocar de novo, eu chamo a polícia, juro por Deus.

Seu aviso me faz recuperar o juízo. De repente, me vejo sentado em meio ao silêncio da Devonshire Street, tomando um refresco de flor de sabugueiro num café cheio de médicos murmurando uns com os outros. Espero a respiração voltar ao ritmo normal. Assim que minhas ideias clareiam, o mesmo acontece com meu senso de propósito. No decorrer dos últimos dias e noites, apesar de todas as distrações, uma imagem não saiu nenhum instante da minha cabeça: Christoph, o filho delinquente, criminoso e inteligente de Alec, interrogando minha Catherine rudemente à porta da minha casa na Bretanha. Nunca até aquela manhã eu tinha ouvido um pingo de medo sequer na voz de Catherine. Não medo por ela mesma: medo por mim. *Não era agradável, Pierre... agressivo... grande como um boxeador... perguntou se você estava num hotel em Londres... qual é o endereço?*

Digo *minha* Catherine porque, desde a morte do pai dela, eu a tenho tratado como se estivesse sob minha tutela, e ao diabo com as insinuações de Bunny. Eu a vi crescer. Ela viu minhas mulheres chegando e partindo até não sobrar nenhuma. Quando se autodenominou a "menina má" do vilarejo numa atitude de rebeldia por causa da irmã mais bonita, e dormiu com todos os homens nos quais conseguiu colocar as mãos, não dei bola às queixas pomposas do pároco da aldeia, que provavelmente a desejava para si. Não tenho jeito com crianças, mas, quando Isabelle nasceu, fiquei tão feliz por Catherine quanto ela mesma. Nunca lhe contei como eu ganhava a vida. Ela nunca me contou quem era o pai. No vilarejo inteiro, eu era o único que não sabia e não queria saber. Se ela desejar, um dia a fazenda será dela e Isabelle trotará ao seu lado, e talvez haja um homem mais jovem para Catherine e talvez a pequena Isabelle esteja disposta a olhá-lo nos olhos.

Somos amantes também, com todos esses anos que nos separam? Moderadamente, parece que somos. O arranjo foi agenciado por Isabelle, que, numa noite de verão, cruzou o pátio com a roupa de cama debaixo do braço e, sem olhar para mim, instalou-se sob a janela em frente ao patamar da escada, perto do meu quarto. Minha cama é grande; o quarto de hóspedes é escuro e frio; mãe e filha não podiam ficar separadas. Pelo que me lembro, Catherine e eu dormimos inocentemente lado a lado por semanas inteiras antes de nos virarmos um para o outro. Mas talvez nós não tenhamos esperado tanto quanto eu gostaria de pensar.

*

De uma coisa, pelo menos, eu tinha certeza: eu não teria problema em reconhecer meu perseguidor. Tirando as tralhas do apartamento lúgubre e de solteirão de Alec em Holloway após a sua morte, topei com um álbum fotográfico de bolso com uma edelvais amassada sob a capa de celofane. Eu já ia jogar o álbum fora quando me dei conta de que tinha em mãos um registro fotográfico da vida de Christoph, do berço à cerimônia formal de matrícula na universidade. As legendas em alemão e em tinta branca sob cada instantâneo tinham sido acrescentadas, presumi, por sua mãe. O que me impressionou foi como a mesma expressão fechada da qual eu me lembrava do jogo de futebol em Düsseldorf havia permanecido com ele até chegar a uma versão atarracada de Alec, de terno, segurando um rolo de pergaminho como se fosse dar com ele na sua cara.

Entretanto, o que Christoph sabe de *mim*? Que estou em Londres enterrando um amigo. Que estou sendo um bom samaritano. Não tenho endereço conhecido, não sou homem de frequentar clube. Nem mesmo um pesquisador com a qualidade ostentada por Christoph me encontraria na lista do Travellers ou do National Liberal Club. Não nos arquivos da Stasi, nem em nenhum outro lugar. Minha última morada conhecida no Reino Unido foi um apartamento de dois quartos em Acton que eu habitava com o sobrenome Peterson. Quando dei o aviso prévio a meu senhorio, não informei qual seria meu próximo endereço. Então, onde, depois da Bretanha, poderia o austero, persistente, rude e criminoso Christoph, filho de Alec, forte como um boxeador, ir me procurar? Qual poderia ser o lugar, o *único* lugar, onde com sorte ele poderia — tendo o vento a seu favor — finalmente me encontrar?

Resposta — ou a única resposta que fazia sentido para mim: aquela verdadeira Lubyanka sobre o Tâmisa do meu antigo Serviço. Não o velho Circus, difícil de encontrar, do seu pai, mas seu sucessor medonho, a fortificação que eu estava prestes a explorar.

*

A Vauxhaull Bridge está cheia de gente voltando do trabalho para casa. O rio sob a ponte corre rápido e apresenta bastante tráfego. Não sou um turista numa excursão búlgara, mas um turista australiano visitando as atrações de Londres: chapéu estilo caubói, colete cáqui com vários bolsos. Na minha primeira passagem, usei um boné e um cachecol xadrez; na segunda, um gorro de lã do Arsenal com pompom. Custo total do guarda-roupa completo no mercado de pulgas da estação de Waterloo: quatorze libras. Em Sarratt, chamávamos isso de mudanças de silhueta.

Para cada observador, existem distrações nas quais se deve prestar atenção, eu costumava advertir meus jovens trainees: coisas em que seu olhar insiste em pousar, como a garota bonita se bronzeando bravamente na varanda, ou o pregador de sermões vestido como Jesus Cristo. Para mim, nesse fim de tarde, é um pequeno retângulo de grama verde luxuriante cercado por grades com pontas de lança que meus olhos relutam em deixar. O que é aquilo? Um castigo ao ar livre para hereges do Circus? Um jardim das delícias secreto só para oficiais graduados? Mas como eles entram ali? Ou melhor, como saem?

Numa minúscula praia de seixos ao pé da muralha externa da fortaleza, uma família oriental com roupas de seda coloridas faz um piquenique em meio aos gansos-do-canadá. Um ônibus anfíbio amarelo se aproxima da rampa ao lado deles e para de repente. Ninguém sai de dentro. São quase cinco e meia. Estou rememorando os horários de trabalho no Circus: das dez até a hora que fosse para "os escolhidos", das nove e meia às cinco e meia para os reles mortais. Um êxodo discreto de funcionários juniores está prestes a começar. Estou contando os prováveis pontos de saída, que serão dispersos para não chamar atenção. Quando aquela fortaleza foi ocupada por seus atuais inquilinos, houve histórias de túneis secretos sob o rio até Whitehall. Bem, o Circus cavou um túnel ou outro no passado, a maioria deles sob o terreno de outras pessoas, então por que não um túnel ou dois debaixo de seu próprio?

Quando fui me apresentar a Bunny, fizeram-me passar por uma porta de tamanho normal, mas que parecia uma portinhola perto dos portões de ferro à prova de choque com um padrão art déco que a ladeavam, mas meu palpite é que aquela porta era destinada apenas a visitantes. Das três outras saídas que detectei, a que serve melhor à minha intuição é um par de portas pintadas de cinza no alto de um discreto lance de escada de pedra no lado do rio, dando acesso ao fluxo de pedestres na calçada. Quando dobro a esquina, as portas cinza se abrem, e uns seis homens e mulheres emergem dela, faixa etária entre os 25 e 30 anos. Em comum, uma expressão firme de anonimato. As portas se fecham, suponho, eletronicamente. Elas reabrem. Um segundo grupo desce.

Sou a presa de Christoph e seu perseguidor. Pressuponho que ele venha fazendo o que fiz nesta última meia hora: familiarizando-se com o edifício-alvo, à procura de saídas prováveis, aguardando sua hora. Estou agindo na presunção de que Christoph esteja sendo movido pelos mesmos sábios instintos operacionais de seu pai, que ele tenha antecipado as prováveis ações de sua presa, e feito um planejamento adequado. Se, como Catherine disse, eu vim a Londres para enterrar um amigo — e por que ele deveria duvidar disso? —, então é quase certo que eu também tenha procurado meus antigos empregadores para discutir a irritante ação judicial histórica que Christoph e sua recém-descoberta amiga, Karen Gold, estão movendo contra o Serviço e seus oficiais apontados, entre os quais me incluo.

Outro grupo de homens e mulheres está descendo a escada. Quando chegam à calçada, sigo atrás deles. Uma mulher de cabelos grisalhos abre um sorriso educado para mim. Acha que deveria me reconhecer. Pedestres na calçada misturam-se a nós. Uma placa informa: *Para Battersea Park*. Nos aproximamos de uma arcada. Olho para cima e vejo a figura de chapéu de um homem grande com um sobretudo preto de três quartos de comprimento, em pé na ponte, examinando os passantes abaixo. O local que ele escolheu, por acaso ou intencionalmente, lhe oferece uma visão panorâmica de três das saídas da fortificação. Por eu já haver recorrido ao mesmo ponto de observação, posso confirmar seu valor tático. Por causa da posição inclinada para baixo de sua cabeça, e por conta do chapéu, um Homburg preto com a copa elevada e a aba estreita, seu rosto fica na sombra. Mas sua compleição de boxeador não deixa dúvidas: ombros largos, costas amplas e uns bons oito centímetros a mais do que eu teria esperado do filho de Alec; mas, na verdade, eu nunca conheci sua mãe.

Acabamos de atravessar a arcada. O sobretudo escuro com Homburg preto deixou a ponte e juntou-se à procissão. Apesar de seu tamanho, ele é ágil. Alec também era. Está uns vinte metros atrás de mim, o Homburg inclinando de um lado para o outro. Ele está tentando não perder de vista alguém ou alguma coisa à sua frente, e tendo a achar que se trata de mim. Será que ele *quer* que eu o veja? Ou estou exageradamente consciente da vigilância, outro pecado contra o qual eu me insurgia?

Corredores, ciclistas e barcos passam. À minha esquerda, condomínios de apartamentos. À sua base, reluzentes restaurantes de calçada, cafés, quiosques de fast food. Estou me valendo dos reflexos. Eu o estou retardando. Recordo minhas próprias recomendações aos novatos: é você quem determina o ritmo, não a pessoa que o está seguindo. Seja indolente. Mostre-se indeciso. Nunca corra quando pode caminhar lentamente. O rio murmura com barcos de turismo, balsas, esquifes, barcos a remo, barcaças. Na margem, pessoas viram estátuas humanas, crianças soltam bolinhas de sabão, fazem voar drones de brinquedo. Se você não é Christoph, você é um observador do Circus. Mas os observadores do Circus, mesmo em nossos piores dias, nunca foram tão ruins assim.

Em St. George's Wharf, desvio para a direita e faço como se estivesse examinando os horários dos ônibus. Você identifica seu perseguidor dando-lhe alternativas. Ele vai embarcar no ônibus atrás de você, ou mandará o ônibus às favas e continuará a pé? Se continuar a pé, talvez esteja deixando você a cargo de outra pessoa. Mas o Homburg com sobretudo preto não vai me passar para ninguém. Ele me quer para si e está parado em frente a um quiosque de salsicha, me examinando pelo espelho vistoso localizado atrás das garrafas de mostarda e ketchup.

Uma fila está se formando na máquina de venda de tíquetes para as balsas que navegam em direção ao leste. Entro nela, espero a minha vez, compro uma passagem só de ida para Tower Bridge. Meu perseguidor decidiu que não vai comprar salsicha. A balsa se aproxima, o cais flutuante balança, deixamos os passageiros desembarcarem primeiro. Meu perseguidor atravessou a rua e está debruçado sobre a máquina de tíquetes. Ele gesticula com certa irritação. Alguém me ajude. Um rastafári com gorro bojudo lhe mostra como se faz. Dinheiro, não cartão de crédito, e o rosto ainda na sombra sob o Homburg. Estamos embarcando. O convés superior está repleto de turistas. A multidão é sua amiga. Use-a bem. Eu uso a multidão no convés superior e encontro um espaço junto à balaustrada enquanto aguardo que meu perseguidor faça o mesmo. Será que ele tem noção de que estou ciente de sua presença? Estamos ambos cientes um do outro? Será que ele, como teriam dito meus alunos em Sarratt, me manjou manjando-o? Em caso afirmativo, aborte a ação.

Só que não vou abortar. O barco vira. Um feixe de luz solar incide nele, mas o rosto permanece na sombra, ainda que, pelo canto do olho, à minha esquerda, eu o veja lançar olhares furtivos para mim, como se receando que eu fugisse correndo ou me jogasse do barco.

Será que você é mesmo Christoph, filho de Alec? Ou é o oficial de justiça de algum advogado enviado para me apresentar um mandado judicial? Mas se é isso o que você é, por que ficar à minha espreita? Por que não me abordar aqui e agora, me confrontar? O barco gira de novo e a luz do sol o encontra novamente. Sua cabeça se ergue. Pela primeira vez vejo seu rosto de perfil. Tenho a sensação de que deveria sentir um misto de perplexidade e satisfação, mas nada disso acontece. Não sinto nenhum rasgo de afinidade. Tenho noção apenas de um sentimento de reconhecimento iminente: Christoph, filho de Alec, com o mesmo olhar vidrado de que me lembro do estádio de futebol em Düsseldorf, e o mesmo queixo irlandês protuberante.

*

Se Christoph estava decifrando minhas intenções, eu também estava decifrando as dele. Não tinha se identificado para mim porque estava esperando para me *endereçar*, como os observadores costumam dizer: descobrir onde estou hospedado e, tendo feito isso, escolher a hora e o lugar. Minha reação deve ser negar-lhe a inteligência operacional que buscava e ditar minhas próprias regras, que deveriam ser um local movimentado com uma porção de espectadores inocentes. Mas as advertências de Catherine, somadas às minhas apreensões, me forçam a considerar a possibilidade de um homem violento em busca de reparação por meus supostos pecados contra seu falecido pai.

Foi com essa incerteza em mente que lembrei como, ainda pequeno, eu fora ciceroneado por minha mãe francesa pela Torre de Londres, ao som de suas exclamações altas e constrangedoras de horror diante de tudo o que via. E eu me lembrei, em especial, da grande escadaria na Tower Bridge. Era essa escadaria que agora me chamava, não por causa de suas atrações icônicas, mas por meu instinto de autopreservação. O centro de treinamento em Sarratt não ensinava técnicas de defesa pessoal. Ensinava várias maneiras de matar, algumas silenciosamente, outras, menos, mas defesa pessoal não constava do cardápio. O que eu sabia com certeza era que, se a coisa acabasse em luta, eu precisaria do peso do meu oponente acima de mim, e de toda a ajuda que a gravidade pudesse oferecer. Christoph tinha se formado na faculdade de briga da cadeia e possuía vinte quilos de ossos e músculos a mais do que eu. Eu precisava usar seu peso contra ele, e não podia imaginar lugar melhor que uma escadaria íngreme, com o meu eu idoso alguns degraus abaixo para mandá-lo em voo solo. Eu já tinha tomado algumas precauções inúteis: transferi todas as minhas moedas para o bolso direito do paletó a fim de usá-las como uma "metralha" de curta distância e enfiei o dedo médio da mão esquerda na argola do chaveiro, como um soco-inglês improvisado. Ninguém jamais perdeu uma luta preparando-se para ela, não é, filho? Não, chefia, nunca perdeu.

Estávamos nos enfileirando para desembarcar. Christoph estava a menos de quatro metros de mim, seu rosto sem expressão refletido na porta de vidro. Cabelos grisalhos, dissera Catherine. Agora eu via por quê: um monte de fios de cabelo saindo em todas as direções por baixo do Homburg, grisalhos, crespos e rebeldes como os de Alec, e a massa central amarrada num rabo de cavalo que descia pelas costas do sobretudo preto. Por que Catherine não havia mencionado o rabo de cavalo? Talvez ele o tivesse enfiado dentro do casaco. Talvez, para ela, rabos de cavalo não tivessem importância.

Como um crocodilo extenuado, subimos por uma rampa. As básculas da Tower Bridge foram abaixadas. Uma luz verde convidou os pedestres a atravessarem. Ao chegar à abertura para a grande escadaria, eu me virei e olhei para trás, diretamente para ele. Um olhar que comunicava: se você quiser conversar, falamos aqui, com as pessoas passando. Ele também tinha parado, mas tudo o que eu conseguia ver em seu rosto e em seus olhos era o implacável olhar do espectador de futebol.

Desci rapidamente uns doze degraus da escada, que estava praticamente vazia, a não ser por uns poucos mendigos. Eu precisava de um ponto intermediário. Precisava que ele tivesse um bom espaço para cair depois de me ultrapassar, porque eu não queria que ele voltasse.

A escada encheu.

Duas garotas dando risadinhas passaram correndo de mãos dadas. Dois monges budistas de túnica laranja se engajaram numa discussão filosófica séria com um mendigo. Christoph estava parado no alto da escadaria, a silhueta de chapéu e sobretudo. Passo a passo, com cautela estudada, ele começou a descer os degraus, os antebraços elevados, os pés bem afastados, a pose de lutador à espreita. Você está lento demais, eu o instei, desça logo, preciso do seu embalo. Mas ele tinha parado alguns degraus acima de mim e, pela primeira vez, ouvi sua voz adulta, que era germano-americana e bem aguda, o que, de certa forma, me surpreendeu.

— Oi, Peter. Oi, Pierre. Sou eu, Christoph. O filhinho do Alec, está lembrado? Não está feliz em me ver? Não quer apertar a minha mão?

Soltando as moedas em meu bolso, estendi a mão direita. Ele a segurou e prendeu por tempo suficiente para que eu sentisse sua força, apesar da umidade pegajosa da palma.

— O que posso fazer por você, Christoph? — falei, e, como resposta, ele deu uma daquelas risadas cáusticas de Alec e falou com a mesma dose extra de sotaque irlandês que o pai adotava quando queria se impor.

— Aí, cara, você podia me pagar a porra de um drinque pra começar!

*

O restaurante ficava no primeiro andar de uma pretensa Olde Towne House com falsas vigas carcomidas por cupins e uma vista enviesada da Torre através de janelas de meia esquadria. As garçonetes usavam toucas e aventais, e nós podíamos ocupar uma das mesas se pedíssemos uma refeição completa. Christoph sentou-se com o corpanzil afundado na cadeira e o chapéu Homburg puxado sobre os olhos. A garçonete trouxe cerveja, que foi o que ele pediu. Tomou um gole, fez uma careta e a colocou de lado. As unhas pretas e lascadas. Anéis em todos os dedos da mão esquerda. Na mão direita, apenas nos dois maiores que contam. O mesmo rosto de Alec, mas com um descontentamento empapuçado onde deviam estar os vincos de sofrimento. O mesmo maxilar combativo. Nos olhos castanhos, quando estes lhe dirigiam a atenção, os mesmos lampejos de charme bucaneiro.

— Então, o que tem feito de bom, Christoph? — perguntei.

Ele pensou por um tempo.

— Ultimamente?

— É.

— Bem, acho que a resposta curta é: *isto* — respondeu, abrindo um sorriso largo.

— E *isto* é exatamente o quê? Não acho que eu saiba a história toda.

Mas ele balançou a cabeça, como se dissesse que não importava, e só endireitou o corpo quando a garçonete trouxe nosso bife com fritas.

— Um belo lugar que você tem lá na Bretanha — observou, comendo. — Quantos hectares?

— Uns cinquenta e poucos. Por quê?

— Tudo seu?

— Do que estamos falando, Christoph? Por que veio atrás de mim?

Ele deu mais uma garfada, inclinou a cabeça e sorriu para mim como se admitisse que eu havia acertado na mosca.

— Por que vim atrás de você? Já faz trinta anos que eu tenho sido um caçador de tesouros. Viajei o mundo inteiro. Diamantes. Ouro. Drogas. Até um pouco de armas. Fiquei preso. Tempo demais. E encontrei meu tesouro? Porra nenhuma. Então volto pra casa, pra boa e velha Europa, e encontro você. Minha mina de ouro. O melhor amigo do meu pai. Seu melhor camarada. E o que você fez com seu melhor amigo? Fez com que ele fosse assassinado. Isso vale dinheiro, cara. *Muito* dinheiro.

— Eu não fiz com que o seu pai fosse assassinado.

— Leia os arquivos, cara. Leia os arquivos da Stasi. São pura dinamite. Você e George Smiley mataram meu pai. Smiley era o líder. Você era o curinga dele. Vocês armaram pro meu pai, e o mataram. Direta ou indiretamente, foi o que fizeram. E arrastaram a Srta. Elizabeth Gold pro meio da brincadeira. Está tudo na porra dos arquivos, cara! Esse grande plano infalível que você idealizou e que saiu pela culatra e matou todo mundo. Você *mentiu* pro meu pai! Você e o seu grande George. Vocês mentiram pro meu pai e o mandaram pra morte. *Deliberadamente*. Pergunte aos advogados. Sabe de uma coisa? O patriotismo *morreu*, cara. Patriotismo é coisa para *nenéns*. Se este caso virar manchete internacional, o patriotismo como justificativa *não* vai colar. O patriotismo como atenuante está oficialmente *fodido*. O mesmo com as elites. O mesmo com vocês — acrescentou ele e, quando ia tomar um gole refrescante de cerveja, mudou de ideia e remexeu no bolso do sobretudo preto, que continuava a usar, apesar do calor. De uma latinha amassada, derramou um pouquinho de pó branco no pulso e, tapando uma das narinas com a mão livre, cheirou à plena vista de qualquer um que estivesse olhando, e vários estavam.

— Então, o que você está fazendo aqui? — perguntei.

— Salvando a porra da sua vida, cara — retrucou e, estendendo a mão, agarrou meu pulso num gesto de fidelidade. — O negócio é o seguinte. Seu passaporte para o sucesso. Ok? Minha oferta pessoal pra você. A melhor oferta que vai conseguir na vida. Você é meu amigo, ok?

— Se é o que diz.

Eu havia me desvencilhado de Christoph, mas ele ainda olhava para mim com idolatria.

— Você não tem nenhum outro amigo. Não tem nenhuma outra oferta na mesa. Esta é uma oferta única. Sem prejuízo. Não negociável. — Ele pega a caneca, bebe tudo e faz um sinal à garçonete para que traga outra. — Um milhão de euros. Para mim, pessoalmente. Sem terceiros envolvidos. Um milhão de euros no dia em que os advogados desistirem da ação, e você nunca mais vai ouvir falar de mim. Nada de advogados, de direitos humanos, nenhuma dessas baboseiras. Você adquire o pacote completo. Por que está me olhando desse jeito? Algum problema?

— Problema nenhum. Só que o preço parece baixo. Seus advogados já não recusaram esse valor e um pouco mais?

— Você não está me ouvindo. Estou oferecendo o preço com desconto. É o que estou dizendo. Com desconto, em pagamento único, para mim, um milhão de euros.

— E a filha de Liz Gold, Karen, está feliz, imagino?

— Karen? Escuta aqui, eu conheço aquela garota. Tudo o que eu tenho que fazer é ir até ela, cantar, do jeito que eu faço, falar da minha alma, chorar um pouco, talvez, e dizer a ela que não posso levar isso adiante, no fim das contas, é tudo muito doloroso pra mim, a memória do meu pai, deixemos os mortos em paz. Eu tenho tudo na ponta da língua. A Karen é sensível. Confia em mim.

E quando não exibo os sinais necessários de confiança:

— Escuta aqui. Eu inventei a porra daquela garota. Ela me deve. Eu fiz o trabalho, paguei às pessoas, consegui os arquivos. Fui até ela, dei a boa notícia, contei onde estava o túmulo da mãe. Nós vamos aos advogados. Aos advogados *dela*. *Pro bono*, os piores. Onde ela encontra essa gente? Tipo Anistia. Alguma organização de direitos civis. Os advogados *pro bono* vão até o seu governo, passam um sermão nele. Seu governo nega qualquer responsabilidade, faz uma oferta escusa, exclusiva, extraoficial, *sem prejuízo*, de um milhão de libras *esterlinas*. Um *milhão*! E é uma proposta inicial, negociável. Pessoalmente, eu não tocaria em libras esterlinas no momento, mas isso não vem ao caso. O que os advogados da Karen fazem? Passam outro sermão. Não *que-*

remos um milhão de libras, dizem eles. Somos pessoas de princípios, nós queremos que vocês comam merda. E, se não comerem merda, nós entramos na justiça e, se necessário, vamos até Estrasburgo e ao Tribunal Europeu da porra dos Direitos Humanos. Seu governo diz ok, *dois* milhões, mas os *pro bonos* dela ainda não concordam. São como a Karen. São sagrados. São puros.

Um estrondo metálico faz todas as cabeças no restaurante se virarem. A mão esquerda suja de Christoph com todos os seus anéis caiu com a palma para baixo na mesa à minha frente. Ele está se debruçando. O rosto pingando de suor. Uma porta com o aviso Exclusivo para Funcionários se abre, uma cabeça assustada aparece e, ao avistar Christoph, some de novo.

— Você vai querer meus dados bancários, né, *cara*? Aqui estão. E diga o seguinte pro seu governo, *cara*: um milhão de euros no dia em que a ação for retirada, ou a gente entra de sola em vocês.

Ele ergueu a mão para revelar um pedaço dobrado de papel pautado e me observou enfiá-lo na carteira.

— Quem é Tulip? — pergunta ele no mesmo tom ameaçador.

— O que foi que você disse?

— Codinome para Doris Gamp. Mulher da Stasi, tinha um filho.

Ele não havia anunciado sua partida. Eu ainda repetia que Gamp-Tulip era um nome que não dizia nada para mim. Uma valente garçonete vinha correndo com a conta, mas ele já estava meio caminho escada abaixo. Quando cheguei à rua, tudo o que vi dele foi sua imensa sombra na traseira de um táxi que partia, e sua mão branca acenando um adeus preguiçoso pela janela.

Sei que andei de volta até Dolphin Square. A certa altura do caminho, devo ter me lembrado do pedaço de papel pautado com o número de conta dele e joguei-o numa lixeira, mas não saberia dizer qual.

8.

O bom tempo da véspera tinha sido varrido por uma chuva que caía na diagonal e alvejava as ruas de Pimlico como uma metralhadora. Chegando atrasado para meu compromisso no Estábulo, encontrei Bunny parado sozinho no degrau em frente à porta, sob um guarda-chuva.

— Ficamos nos perguntando se você não teria tirado o time de campo — disse ele com seu sorriso de menino tímido.

— E se eu tivesse?

— Digamos que não teria ido muito longe. — Ainda sorrindo, ele me entregou um envelope pardo com a inscrição A Serviço de Sua Majestade em vermelho. — Parabéns. Você foi convidado a aparecer diante de nossos mestres. A Comissão Parlamentar de Inquérito Pluripartidária quer dar uma palavrinha com você. Em data a ser definida.

— E querem dar uma palavrinha com você também, imagino.

— Brevemente. Mas nós não somos as estrelas, somos?

Um Peugeot preto se aproxima e para. Ele entra no banco de trás. O Peugeot vai embora.

— Preparado psicologicamente para suas leituras, Pete? — pergunta Pepsi. Ela já está instalada em seu trono na biblioteca. — Pelo jeito teremos um dia intenso pela frente.

Ela está se referindo à grossa pasta que está à minha espera na mesa sobre cavaletes: minha obra-prima inédita, quarenta páginas dela.

*

— Proponho que você faça um relatório oficial do caso, Peter — diz Smiley para mim.

São três da manhã. Estamos sentados um de frente para o outro na sala de estar de uma casa num conjunto habitacional em New Forest.

— Vejo você como a pessoa ideal para esse trabalho — continua ele, no mesmo tom deliberadamente impessoal. — Um relatório definitivo, por favor, bem extenso, rico em detalhes irrelevantes e poupando-nos da única informação que só você, eu e mais quatro outras pessoas no mundo, queira Deus, podem conhecer. Algo que irá satisfazer os apetites lascivos do Conjunto e funcionará como uma "ofuscação" para a Central na hora do *post-mortem*, expressão que uso apenas figurativamente, que com certeza será realizado. Um relatório destinado à minha aprovação em primeira instância, por favor. Só para meus olhos. Você fará isso? É capaz de fazer? Com Ilse ao seu lado, naturalmente.

Ilse, a linguista estrela da Secretas: a empertigada e meticulosa Ilse, que tem alemão, tcheco, servo-croata e polonês na ponta dos belos dedos; que mora com a mãe em Hampstead e toca flauta nas noites de sábado. Ilse vai sentar-se ao meu lado e corrigir minhas transcrições de gravações do alemão. Vamos rir dos meus pequenos erros, discutir uma escolha de palavra ou frase, pedir um sanduíche juntos. Iremos nos debruçar sobre o gravador, acidentalmente bateremos as cabeças e pediremos desculpas juntos. E, pontualmente às cinco e meia da tarde, Ilse voltará para casa, para a mãe e para sua flauta em Hampstead.

*

DESERÇÃO E EXFILTRAÇÃO DA FONTE SECUNDÁRIA TULIP.
Relatório escrito por P. Guillam, Assist. C/Secretas Marylebone, para Bill Haydon C/Conjunto e Oliver Lacon, Tesouro. Para aprovação de C/Secretas.

A PRIMEIRA INDICAÇÃO de que a fonte secundária Tulip pode estar sob risco de exposição ocorreu no curso de um *treff* de rotina entre Mayflower e seu *controller* Leamas (PAUL) na casa segura K2 (Fasanenstrasse), em Berlim Ocidental, em 16 de janeiro, às 7h30 aproximadamente.

Usando sua identidade de Friedrich Leibach, Mayflower atravessou de bicicleta[1] o setor da fronteira para Berlim Ocidental com a "cavalaria matutina" dos operários de Berlim Oriental. Um lauto "café da manhã inglês", incluindo ovos fritos, bacon e feijões cozidos, preparado por Leamas, tornou-se a refeição tradicional desses *treffs*, que ocorrem a intervalos regulares, dependendo da necessidade operacional e dos compromissos profissionais de Mayflower. Como de costume, os trabalhos foram abertos com um interrogatório de rotina e notícias aleatórias da rede:

A *fonte secundária DAFFODIL* teve uma recaída de sua doença, mas insiste em continuar a desempenhar seu papel, recebendo e reencaminhando "livros raros, panfletos e correio pessoal".

O relatório da *fonte secundária VIOLET* sobre a escalada militar soviética na fronteira tcheca foi bem recebido pelos clientes de Whitehall. Violet receberá o bônus que vem reivindicando.

A *fonte secundária PETAL* tem um novo namorado. Trata-se de um cabo de 22 anos do Exército Vermelho responsável por comunicações e especialista em criptografia, de Minsk, recém-designado para a unidade dela. É um colecionador inveterado de selos, e Petal disse a ele que sua velha tia (fictícia) tem uma coleção de selos russos pré-revolucionários dos quais se cansou e está disposta a se desfazer mediante um pagamento justo. Ela pretende que o preço, negociado na cama, seja um livro de código. Orientado por Leamas, Mayflower garantiu a ela que Londres fornecerá uma coleção de selos apropriada.

Só nesse momento a conversa se volta para a fonte secundária Tulip. Verbatim:

Leamas: E quanto a Doris e seus altos e baixos? Como está agora?

Mayflower: Paul, meu amigo, não sei e não consigo dar um diagnóstico. Com Doris, cada dia é uma novidade.

Leamas: Você é a corda salva-vidas dela, Karl.

---

[1] Após o recrutamento de Mayflower por este Serviço, decidiu-se reduzir ao máximo suas viagens "visíveis" a Berlim Ocidental. A Estação de Berlim, portanto, forneceu-lhe a identidade de Friedrich Leibach, operário da construção civil residente em Lichtenberg, Berlim Oriental, onde ele, por seus próprios meios, arranjou um galpão de jardim para deixar sua bicicleta e suas roupas de operário.

Mayflower: Ela acha que o marido, o Sr. Quinz, está interessado demais nela.

Leamas: Já não era sem tempo. Mas de que maneira?

Mayflower: Ele anda meio desconfiado. Ela não sabe do quê, exatamente. Fica o tempo todo perguntando aonde ela está indo, com quem se encontra. Onde esteve. Observa-a enquanto cozinha, se veste, segue sua rotina.

Leamas: Talvez Doris tenha conseguido um marido ciumento afinal.

Mayflower: Ela nega isso. Diz que Quinz só sente ciúme de si mesmo, de sua brilhante carreira e de seu ego. Mas, com Doris, quem sabe?

Leamas: E quanto à vida no escritório?

Mayflower: Ela diz que Rapp não ousaria suspeitar dela porque suas transgressões disciplinares não permitem. Ela diz que, se a SI suspeitasse dela, já estaria presa na casa de detenção mais próxima.

Leamas: SI?

Mayflower: A seção de segurança interna da Stasi. Ela passa em frente à porta deles toda manhã a caminho dos domínios de Rapp.

Ao meio-dia do mesmo dia, por questão de rotina, Leamas instruiu De Jong a rever os planos de contingência para a exfiltração da fonte secundária Tulip. De Jong confirmou que os documentos de fuga e os recursos para uma exfiltração para o leste via Praga estavam valendo. Depois de esperar pela massa de operários do turno da noite, Mayflower voltou de bicicleta para Berlim Oriental.

Pepsi está inquieta, descendo várias vezes de seu trono para rondar a sala sem motivo, ou parando atrás de mim para espiar por cima do meu ombro. Estou imaginando Tulip no mesmo estado de inquietação, ora em casa, em Hohenschönhausen, ora em seu escritório, ao lado do de Emmanuel Rapp, na Casa Número 3 da Stasi, em Magdalenenstrasse.

A SEGUNDA INDICAÇÃO veio na forma de uma ligação de médico para médico. Com a assistência da polícia de Berlim Ocidental, um sistema de contato de emergência foi montado. Se Mayflower ligasse para a Klinikum (Berlim Ocidental) da Charité (Berlim Oriental) e pedisse para falar com seu colega imaginário, o Dr. Fleischmann, a ligação seria imediatamente repassada para a Estação de Berlim. Às 9h20 de 21 de janeiro, a seguinte conversa, redirecionada, ocorreu entre Mayflower e Leamas, sob disfarce médico.

Verbatim:

Mayflower (ligando da Charité, Berlim Oriental): Dr. Fleischmann?

Leamas: Falando.

Mayflower: Aqui é o Dr. Riemeck. O senhor tem uma paciente. Frau Lisa Sommer.[2]

Leamas: O que há com ela?

Mayflower: Na noite passada Frau Sommer deu entrada na minha unidade de emergência sofrendo de alucinações. Nós a sedamos, mas ela foi embora de madrugada.

Leamas: Que tipo de alucinações?

Mayflower: Ela acha que o marido suspeita que ela esteja repassando segredos de Estado para elementos fascistas contrários ao Partido.

Leamas: Obrigado. Anotado. Infelizmente, fui chamado agora na sala de cirurgia. Depois vou ao teatro.[3]

Mayflower: Entendido.

Duas horas se passam. Nesse ínterim, Mayflower tirou do esconderijo seu equipamento *Teatro*, sintonizou-o segundo as especificações recomendadas e, por fim, conseguiu um sinal fraco. A qualidade do som é irregular ao longo de toda a conversa. A parte essencial:

Cedo naquela mesma manhã, Tulip tinha feito uma ligação de crise sem precedentes a Mayflower em seu consultório, consistindo numa série combinada de batidas no bocal do telefone de um terceiro (nesse caso, uma cabine telefônica). Em resposta, Mayflower tinha sinalizado sua concordância: duas batidas, pausa, três batidas.

---

[2] Codinome de TULIP.

[3] *Teatro* é um protótipo americano de comunicações de curto alcance em alta frequência, construído sob encomenda para comunicações secretas Leste-Oeste dentro do perímetro da cidade de Berlim. Leamas descreveu o sistema numa carta semioficial ao chefe do departamento técnico como "não confiável, extremamente complexo, produzido em quantidades excessivas e tipicamente ianque". Desde então, o sistema foi abandonado.

O local do encontro de emergência era um pequeno bosque perto de Köpenick: por acaso, o mesmo bosque que ele havia escolhido previamente para esconder seu equipamento *Teatro*. As duas partes chegaram de bicicleta com poucos minutos de diferença uma da outra. O ânimo inicial de Tulip, segundo Mayflower, era "triunfalista". Quinz fora "neutralizado", estava "praticamente morto". Mayflower deveria alegrar-se com ela. Deus estivera do seu lado.

Então, passou-se a seguinte narrativa:

Voltando tarde para casa do trabalho na noite anterior, Quinz pegou sua câmera Zenit, que estava pendurada pela alça num gancho atrás da porta da casa, abriu a parte de trás, resmungou alguma coisa, voltou a fechá-la e devolveu-a ao gancho. Pediu, então, para inspecionar o conteúdo da bolsa de Tulip. Quando ela resistiu, ele a empurrou e revistou a bolsa mesmo assim. Quando Gustav correu em defesa da mãe, Quinz deu um tapa na cara dele, fazendo a boca e o nariz do menino sangrarem. Sem encontrar o que procurava, Quinz, então, vasculhou os armários e as gavetas da cozinha, revistou freneticamente os móveis estofados, revirou as roupas de Tulip e, por fim, o armário de brinquedos de Gustav, sem encontrar nada.

Na presença de Gustav, e falando bem alto, ele exigiu que Tulip explicasse o seguinte (cada pergunta contada nos dedos em riste): primeiro, por que a câmera Zenit, da família, não continha nenhum filme; segundo, por que havia apenas um filme reserva na bolsa da câmera, embora na semana anterior houvesse dois; e, terceiro, por que um filme que, ainda no último domingo, estava dentro da Zenit com dois fotogramas expostos também havia desaparecido.

E, partindo para as perguntas derivadas, *o que* ela havia fotografado nos oito fotogramas restantes? *Aonde* ela havia levado o filme para ser revelado? *Onde* estavam as fotos? E *o que* havia acontecido com o filme não usado que desaparecera? Ou ela *estaria* — essa era a convicção pessoal dele — fotografando os documentos secretos que ele trazia para casa e os vendendo para espiões ocidentais?

Os verdadeiros fatos da situação, como Tulip bem sabia, eram os seguintes. Desde que escondera uma Minox sob o piso do chuveiro no banheiro feminino de seu corredor na Casa 3, Tulip não tinha mais, em tese, nenhuma Minox guardada, nem no fecho da alça da sua bolsa nem em casa. Quando Quinz levava documentos relevantes do Ministério das Relações Exteriores da RDA para casa, Tulip esperava até que ele estivesse dormindo ou entretido com os amigos e fotografava os documentos com a Zenit da família. No domingo anterior, ela havia tirado duas fotos de Gustav num balanço do parquinho. No mesmo dia, à noite, enquanto Quinz bebia com amigos, ela havia usado os fotogramas restantes do filme para fotografar documentos de sua pasta. Tinha retirado, então, o filme da Zenit, escondendo-o num vaso de flores à espera de seu próximo *treff* com Mayflower, mas se esquecera de colocar um filme novo na câmera e ainda de colocar os dedos sobre a lente e fotografar dois ou três retratos para simular fotos malsucedidas de Gustav. Apesar de tudo isso, Tulip tentou montar o que considerou um contra-ataque devastador contra o marido. Ela informou a Quinz que, caso ele não soubesse, havia muitos na Stasi que desconfiavam dele por conta de seu pai odioso e de seu suposto homossexualismo; que ninguém na Stasi se deixava iludir por suas exageradas manifestações de lealdade ao Partido; e, sim, ela havia fotografado tudo da pasta em que pudera pôr as mãos, *não* para vender ao Ocidente ou a ninguém mais, mas para chantageá-lo no caso de uma batalha de custódia por Gustav, que ela considerava iminente. Porque uma coisa era certa, disse a ele: se um dia viesse a público que Lothar Quinz levava para casa documentos secretos com os quais ficava obcecado nas horas de folga, seria o fim de seu sonho de se tornar embaixador da RDA no exterior.

De volta à fita:

Leamas para Mayflower: Então, como vão as coisas?

Mayflower para Leamas: Ela está convencida de que o silenciou. Ele foi trabalhar normalmente esta manhã. Estava calmo, afetuoso até.

Leamas: Onde ela está agora?

Mayflower: Em casa, esperando por Emmanuel Rapp. Ao meio-dia em ponto ele vai buscá-la de carro e eles seguirão até Dresden para uma sessão plenária do Conselho de Segurança Pública. Prometeu a ela que dessa vez comparecerá ao encontro como sua assistente. Será uma honra para ela.

[Pausa de quinze segundos.]

Leamas: Certo. Eis o que ela vai fazer, então. Vai telefonar para o escritório de Rapp agora. Vai dizer que passou mal a noite toda, que está queimando de febre e doente demais para viajar, e que sente muito. Então, ela aborta. Ela conhece o procedimento. Ela vai ao local de encontro. E espera.

Leamas, então, informou à Central por telegrama urgente que o procedimento para a exfiltração de emergência da fonte secundária Tulip havia avançado de âmbar para vermelho e, como ela possuía total conhecimento da fonte Mayflower, toda a rede Mayflower deveria ser considerada em risco. Uma vez que o plano de fuga requeria a colaboração das Estações de Praga e de Paris, os recursos do Conjunto eram essenciais. Ele também requisitou permissão imediata para empreender a exfiltração "em pessoa", tendo plena consciência de que, sob as regras vigentes do Circus, um oficial em serviço que possua informações altamente sensíveis e que se proponha a entrar em território proibido sem proteção diplomática deve obter o consentimento prévio da Central por escrito — nesse caso, do Comitê Diretor Conjunto. Dez minutos depois, ele tinha a resposta: "Seu pedido foi recusado. Confirme. CDC" O telegrama não estava assinado em consonância com a política do C/CDC [Haydon] de tomada de decisão coletiva. Simultaneamente, o Serviço de Inteligência informava um aumento de tráfego em todas as faixas de ondas da Stasi, enquanto a Missão Militar Britânica em Potsdam notava um endurecimento da segurança em todos os pontos de travessia para Berlim Ocidental, ao longo de toda a fronteira da RDA com a Alemanha Ocidental. Às 15h05 (horário de Greenwich), a rádio da RDA anunciou uma busca nacional por uma *lacaia do imperialismo fascista*, seguida de sua descrição. A descrição correspondia a Tulip.

Enquanto isso, Leamas havia tomado algumas medidas, desafiando as orientações do Conjunto. Ele não se arrepende, alegando que simplesmente não ia ficar "parado vendo Tulip e a rede Mayflower inteira virando fumaça". Quando o Conjunto insistiu para que pelo menos Mayflower fosse imediatamente exfiltrado, a resposta de Leamas foi firme: "Ele pode sair a hora que quiser, mas não quer. Prefere submeter-se a julgamento, como o pai." Menos claro é o papel desempenhado pelo oficial-assistente recém-promovido Stavros de Jong, e de Ben Porter, agente de segurança e motorista da Estação.

Testemunho de Ben Porter (agente de segurança, Estação de Berlim) para PG, verbatim:
Alec está à mesa dele, no telefone seguro, falando com o Conjunto. Estou de pé junto à porta. Ele desliga o telefone e vira-se para mim: "Ben", diz ele, "vamos agir. É um trabalho de resgate. Pegue o Land Rover e diga a Stas que eu o quero com o equipamento completo no pátio em cinco minutos", avisa ele. Em momento algum o Dr. Leamas diz para mim: "Ben, preciso que saiba que estamos desobedecendo as orientações da Central ao fazer isso."

Testemunho de Stavros de Jong (assistente alocado para C/Secretas Berlim) para PG, verbatim:
Perguntei ao chefe da Secretas: "Alec, nós temos certeza de que a Central está na nossa retaguarda nesta história?" Ao que ele respondeu: "Stas, pode confiar na minha palavra." Foi o que eu fiz.

Seus protestos de inocência foram de minha autoria. Como eu não tinha dúvida de que Smiley havia encorajado Leamas a empreender, ele mesmo, a exfiltração de Tulip, tomei o cuidado de suprir Porter e De Jong com declarações que os livrassem da cadeia, caso fossem forçados por Percy Alleline ou um de seus capangas a prestar depoimento.

*

Três dias depois. A história é retomada pelo próprio Alec. São dez horas da noite e ele está sendo interrogado diante de uma mesa de compensado numa sala segura da embaixada britânica em Praga, onde se enfiou uma hora antes. Ele fala a um gravador e, do outro lado, está sentado o chefe da Estação de Praga, Jerry Ormond, marido da temível Sally, que é a número dois da Estação nessa parceria de casal do Circus. Também sobre a mesa, talvez uma criação da minha imaginação, uma garrafa de uísque escocês e um copo — o de Alec —, que Jerry de vez em quando reabastece. Pelo tom monótono de Alec, fica claro que está exausto, o que, no que concerne a Ormond, não é um problema, já que sua tarefa como interrogador é anotar a história do depoente antes que sua memória tenha a chance de editá-la. Na minha imaginação, de novo, Alec está com a barba por fazer e com um roupão emprestado depois da chuveirada apressada que lhe permitiram tomar. O sotaque irlandês aparece de vez em quando em sua voz.

E eu, Peter Guillam: onde estou? Não em Praga, com Alec, embora pudesse muito bem ter estado lá. Estou sentado numa sala do andar superior do quartel-general da Secretas, em Marylebone, ouvindo a fita que foi levada com urgência a Londres por um avião da RAF, e estou pensando comigo mesmo: *eu serei o próximo.*

AL: Faz oito graus negativos nos degraus do Estádio Olímpico, um vento leste de cortar os colhões soprando neve fina, gelo nas ruas. Admito que o mau tempo é uma coisa boa. Mau tempo é bom para fugas. O Land Rover está à espera; Ben, ao volante. Stas de Jong desce marchando os degraus em traje de batalha completo, se enfia na cavidade do piso com seu metro e noventa de altura, botas de campanha e tudo. Eu e Ben baixamos uma tampa sobre ele; eu me sento na frente com Ben. Estou de quepe e com um sobretudo de oficial, três estrelas. Roupas de operário alemão oriental por baixo. Bolsa a tiracolo surrada debaixo do banco com os documentos. Uma regra minha. Mantenha os documentos separados para o salto. Nove e vinte da manhã, estamos passando pelo ponto de travessia oficial para militares da Friedrichstrasse, mostrando nossos crachás para os Vopos através das janelas fechadas, não deixando que os safados botem a mão neles, o que, segundo nos dizem os diplomatas, é o que costumam fazer. Assim que atravessamos, detectamos nossos perseguidores usuais: dois Vopos num Citroën. Então é um dia normal. Eles precisam saber que somos apenas outro veículo militar britânico exercendo nosso direito sob o acordo quadripartite, e é isso que estamos ansiosos para mostrar. Atravessamos o bairro de Friedrichshain e torço para que Tulip já esteja a caminho, porque, do contrário, ela está frita e, o que é pior, a rede também. Rumamos para o norte, em direção a Pankow, até alcançarmos o perímetro militar soviético, e então viramos para o leste. O mesmo Citroën na nossa cola, o que está ótimo para nós. Não precisamos de uma mudança da guarda e de novos olhos sobre nós. Eu os estou conduzindo numa espécie de dança, que é o que esperam da gente: a virada súbita eventual, a volta a um local por onde já passamos, a redução radical da velocidade, a pisada fundo no acelerador. Estamos virando para o sul, para Marzahn. Ainda estamos nos limites da cidade de Berlim, mas é floresta, com estradas planas e neve caindo. Passamos pela velha estação de rádio nazista, que é nosso primeiro ponto de referência. O Citroën está uns cem metros atrás de nós, não gostando nada das estradas cobertas de gelo. Entramos num declive, ganhando velocidade. Há uma curva abrupta à esquerda se aproximando e uma chaminé de fábrica branca se sobressaindo das árvores, que é nossa segunda referência: uma velha serraria. Entramos rapidamente na curva à esquerda, seguimos nela e derrapamos até quase parar perto da serraria. Salto do carro, bolsa a tiracolo a mais, sobretudo a menos, que é a deixa para Stas sair de seu esconderijo e ocupar o banco do carona e se parecer comigo. Estou deitado numa vala com neve cobrindo todo o meu corpo, então devo ter rolado um ou dois metros. Quando dou uma olhada, o Land Rover está subindo pelo outro lado do declive e o Citroën, se esforçando para alcançá-lo.

[Uma pausa, acompanhada pelo tilintar de vidro e sons de um líquido sendo servido.]

AL [cont.]: Nos fundos da velha serraria, há um estacionamento desativado de caminhões e um galpão com telhado de zinco cheio de serragem. E, atrás da serragem, há um Trabant marrom e azul com uma carga de tubos de aço amarrada ao teto com correias. Mais de cem mil quilômetros rodados e fedendo a cocô de rato, mas o tanque está cheio e há dois galões sobressalentes na traseira, os pneus ainda com alguma banda de rodagem. Mantido por um paciente de confiança de Mayflower que não quer revelar o nome. O único problema é que os Trabis detestam frio. Levo uma hora para descongelar o bicho e o tempo todo estou pensando: Tulip, onde está você, eles a pegaram e você está abrindo o bico? Porque, se estiver, estamos todos fodidos.

JO [Jerry Ormond]: E a sua identidade?

AL: Günther Schmaus. Soldador da Saxônia. Eu dou um bom saxão. Minha mãe era de Chemnitz. Meu pai, do condado de Cork.

JO: E Tulip? Quando você se encontrar com ela, quem ela vai ser?

AL: Minha querida esposa. Augustina.

JO: E onde ela está nesse minuto? Está tudo correndo bem?

AL: Ponto de encontro, norte de Dresden. Área bem rural. Ela terá tentado ir de bicicleta, apesar do mau tempo, percorrido alguma distância, depois se livrado da bicicleta, porque eles sabem que ela pedala. Então terá embarcado em um trem local, depois caminhado ou pegado uma carona até o ponto de encontro com a ordem de ficar agachada pelo tempo necessário.

JO: E a travessia de Berlim Oriental para a RDA? O que você esperava?

AL: É aleatória. Não existem postos de controle, nem patrulhas móveis. Você dá sorte ou azar.

JO: E vocês deram sorte?

AL: Não houve problema. Dois carros de polícia. Eles o interceptam, te deixam morrendo de medo, mandam sair do carro, revistam tudo. Mas, se seus documentos estiverem em ordem, eles o deixam seguir em frente.

JO: E estavam em ordem. Não estavam?

AL: Porra, eu não estaria aqui se não estivessem, estaria?

[Mudança de fita, passagem corrompida de quarenta e cinco segundos. Retomada. Leamas está descrevendo a viagem entre Berlim Oriental e Cottbus.]

AL: A melhor coisa do trânsito na RDA, basicamente, é que não existe nenhum. Alguns cavalos e carroças. Ciclistas, bicicletas a motor, *sidecars*, o velho caminhão caindo aos pedaços. Um pouco de *autobahn* e, então, estradinhas secundárias. Vou alternando. Se uma dessas estradinhas está cheia de neve, volto para a *autobahn*. Fico longe de Wünsdorf a todo custo. Tem uma porra de um campo nazista ali, e os soviéticos ocuparam tudo: três divisões blindadas, um arsenal de foguetes respeitável e uma estação de escuta gigantesca. A gente vem espionando a porra dessa estação há meses. Faço um desvio para o norte por questão de segurança, não numa *autobahn*, só uma estradinha interiorana plana e reta. A neve cai pesada em cima de mim e de árvores nuas misturadas com punhados de viscos, e eu pensando, um dia volto aqui, corto isso tudo e vendo no mercado de Covent Garden. E então — será que estou sonhando? —, eu me vejo no meio de uma porra de um enorme comboio militar soviético, e estou na contramão. Caminhões carregados de tropas, carros de combate T-34 sobre reboques, seis ou oito peças de artilharia, e eu no meu Trabi malhado passando entre eles, tentando sair da porra da estrada, e eles nem olhando, seguindo em frente. Não tive nem tempo de anotar a porra das placas!

[Risada, compartilhada por Ormond. Pausa. Retoma. Num ritmo mais lento.]

AL: Quatro da tarde, estou cinco quilômetros a oeste de Cottbus. Procuro uma oficina *Karosserie* abandonada à beira da estrada. Este é o ponto de encontro. E uma luva de bebê enfiada num pedaço de cerca, que é o sinal para me dizer que Tulip está lá dentro. E lá estava ela. A luva. Cor-de-rosa. Enfiada na cerca como a porra de uma bandeira no meio do nada. E aquilo me assusta, não sei bem por quê. A luva me assusta. Está dando muito na cara. Talvez não seja Tulip dentro do galpão, talvez seja a Stasi. Ou talvez sejam Tulip *e* a Stasi. Então, eu encosto o carro e penso um pouco. E, enquanto estou pensando, a porta do celeiro se abre e lá está ela, segurando a mão de um sorridente menino de seis anos.

[Pausa de vinte segundos.]

AL: Meu Deus, eu nunca tinha *visto* a mulher antes! Tulip trabalhava com Mayflower. Aquele era o acerto. Eu a conhecia de fotografia, e só. Então digo: "Como vai, Doris? Meu nome é Günther, e eu sou seu marido nesta viagem. E que porra de menino é esse?" Só que eu sabia muito bem *quem era* o menino. E ela diz: "É Gustav, meu filho, e ele vai comigo." E eu digo: "Porra nenhuma que ele vai com você. Somos um casal sem filhos e não tem como esconder o garoto debaixo da merda de um cobertor quando chegarmos à fronteira tcheca. Então, o que vamos fazer?" Ela diz que, nesse caso, não vai e o menino fala que também não vai. Então eu mando Gustav de volta para o galpão e agarro Doris pelo braço e a levo até os fundos e digo o que ela sabe, mas não quer ouvir: não há passaporte para ele, eles vão nos parar e revistar tudo e, se não nos livrarmos dele, você está fodida e eu também, e o bom Dr. Riemeck, porque, assim que pegarem você e Gustav nas mãos, eles vão arrancar o nome dele de você em cinco minutos. Nada de resposta e está ficando escuro e a neve está caindo de novo. Então entramos no galpão, que é grande como a porra de um hangar de aviões e cheio de maquinaria quebrada, e o porretinha do Gustav instalou-se para jantar, acredite se quiser: juntou tudo o que a mãe tinha de mantimentos e colocou no chão: salsicha, pão, uma garrafa térmica de chocolate quente, caixas para sentar, vamos todos fazer uma festa. Então nos sentamos em círculo e fazemos nosso piquenique familiar, e Gustav entoa uma canção patriótica e os dois se deitam juntos debaixo de casacos e o que mais têm, e eu fico sentado fumando num canto e, assim que começa a amanhecer, eu os enfio no Trabi e nós voltamos para a aldeia que eu tinha atravessado na noite anterior porque tinha visto um ponto de ônibus lá. E, pela graça de Deus, lá estão duas velhinhas de chapéus pretos e saias brancas e cestos de pepinos nas costas e, graças a Deus, são sorábias.

JO: Sorábias? Que porra...

AL [explode]: *Sorábias*, pelo amor de Deus! Você já ouviu falar dos *sorábios*! São uma porra de uma comunidade de sessenta mil pessoas. Espécie protegida, até mesmo na RDA. Minoria eslava espalhada para cima e para baixo na região do Spree, estão lá há séculos, cultivando aquela merda de pepinos. Tente recrutar um deles. *Meu Deus!*

[Pausa de dez segundos. Ele se acalma.]

AL: Eu encosto o carro, mando Tulip e Gustav ficarem quietos dentro dele. Não se mexer. Saio, a primeira velhota me observa, a outra não dá bola. Jogo o velho charme. Ela fala alemão? Isso é respeito. Ela fala alemão, mas prefere falar sorábio, diz. Brincadeira. Pergunto para onde estão indo. Ônibus até Lübbenau, depois trem até a Ostbanhof em Berlim, para desovar os pepinos. Elas conseguem um preço melhor em Berlim. Invento uma história do arco da velha para elas sobre Gustav: a família preocupada, a mãe perturbada, o menino tem que voltar para o pai em Berlim, será que elas podiam levá-lo? Ela expõe a proposta para a amiga e as duas têm uma discussão sobre isso em sorábio. E eu estou pensando, a qualquer minuto a porra do ônibus vai descer o morro e elas ainda não terão se decidido. Então, a primeira diz, levamos seu menino se o senhor comprar nossos pepinos, e eu digo, o que, todos eles? Ela diz, sim, todos eles. E eu digo, se eu comprar todos os seus pepinos, vocês não vão ter merda nenhuma de pepino para vender em Berlim, e então por que iriam querer viajar até lá? Elas dão umas boas risadas em sorábio. Enfio um maço de dinheiro na mão dela, esqueça os pepinos, pode ficar com eles. E tome isto para a passagem de trem do menino e mais algum aqui para a viagem dele até Hohenschönhausen. E lá vem o ônibus e eu vou pegar o menino. Volto até o carro e mando Gustav descer, mas sua mãe simplesmente fica sentada, paralisada no carro com as mãos sobre os olhos, e isso faz com que ele não se mexa também. Então *ordeno* a ele que saia, berro com o menino, e ele obedece. Digo a ele: "Venha comigo até o ônibus, pois estas duas gentis camaradas o levarão até a Ostbanhof. E, da Ostbanhof, você vai para Hohenschönhausen e vai esperar até que seu pai apareça. E isso é uma ordem, camarada." Então ele me pergunta para onde a mãe está indo e por que ele não vai com ela, e eu digo que a mãe dele tem um trabalho secreto importante a fazer em Dresden, e que o dever dele como um bom soldado para o comunismo é voltar para o pai e continuar na luta. E ele vai. [Silêncio de cinco segundos.] Me diga, o que mais ele poderia fazer? Ele é um menino do Partido com um pai do Partido e tem seis anos, porra!

JO: E Tulip, enquanto isso?

AL: Sentada na porra do Trabi olhando pelo para-brisa como se estivesse em transe. Eu entro, dirijo por um quilômetro, então paro de novo e a retiro do carro. Tem um helicóptero zanzando sobre nós. Não sei que merda *ele* pensa que está fazendo. Não sei onde ele conseguiu um helicóptero. Pegou emprestado com os russos? Escute, digo a ela. Escute, por favor, porque precisamos da porra um do outro. Mandar seu filho de volta para Berlim não é o fim de um problema. É o começo de um novo. Daqui a duas horas, a Stasi inteira vai saber que Doris Quinz, nascida Gamp, foi vista pela última vez nos arredores de Cottbus, dirigindo-se para o leste com um amigo. Eles terão uma descrição do carro, de tudo. Portanto, é bom dar adeus a qualquer ideia que tínhamos de entrar com esse carro de merda na Tchecoslováquia com documentos falsos, porque, a partir de agora, todas as unidades da Stasi e da KGB e todos os postos de fronteira de Kaliningrad a Odessa estarão à procura de um Trabi de plástico malhado com um casal de espiões fascistas dentro. E ela aceita a derrota, tenho de reconhecer. Nada mais de drama, só me pergunta sem rodeios qual é o plano B, e eu digo: "Um mapa desatualizado de contrabandistas que eu trouxe quase por acaso e que, com sorte e uma boa reza, poderia nos levar pela fronteira a pé." Então, ela pensa bem e me pergunta, como se fosse um argumento decisivo: "Se eu for com você, quando vou ver meu filho de novo?" O que me faz pensar que ela está considerando seriamente se entregar por causa do filho. Então eu a agarro pelos ombros e juro por Deus, olhando bem fundo em seus olhos, que vou resgatar o filho dela numa troca de agentes, ainda que seja a última coisa que eu faça na face da Terra. E eu sei tanto quanto você que existe tanta chance de que *isso* aconteça um dia quanto... [pausa de três segundos]... foda-se.

*

Terá sido puramente por razões de economia que, na minha transcrição posterior, a que estou lendo agora, eu me desviei das palavras proferidas por Alec nesse momento, preferindo parafraseá-las para obter uma maior, digamos, objetividade? Depois de ter deixado Gustav com as duas sorábias, Alec preferiu seguir por estradas secundárias sempre que a neve permitia. Seu problema, explicou, era "conhecer bem demais" os perigos do terreno que estavam atravessando. Toda a área estava tomada por serviços de Inteligência Militar e de estações de escuta da KGB, e ele as conhecia de cor. Falou sobre atravessar estradas secundárias abandonadas e retas com quinze centímetros de neve virgem sobre elas e apenas fileiras de árvores a guiá-los; do seu alívio ao entrar na floresta, até que Tulip soltou um grito de horror. Ela avistara a antiga cabana de caça nazista para onde a elite da RDA levava dignitários visitantes a fim de caçar veado e javali-selvagem e se embriagar. Fizeram um desvio apressado, perderam a referência de onde estavam e viram uma luz acesa numa fazenda remota. Leamas bateu com força na porta. Ela foi aberta por uma camponesa aterrorizada, segurando uma faca. Depois de ter conseguido que ela indicasse o caminho, Alec persuadiu-a a vender-lhe pão, salsicha e uma garrafa de *slivovitz*. No caminho de volta ao Trabant, ele tropeçou num cabo de telefone caído, supôs ele, por ter soado um alarme de incêndio. Em todo caso, ele o cortou.

O dia escurecia, a neve engrossava, o Trabant malhado estava nas últimas: "Embreagem quebrada, aquecimento quebrado, caixa de marcha quebrada, fumaça saindo do capô." Ele calculou que estivessem a cerca de dez quilômetros de Bad Schandau e a quinze do ponto de travessia no mapa dos contrabandistas. Após confirmar sua posição com a bússola, da melhor forma que pôde, ele selecionou uma trilha de toras para o leste e dirigiu até que se depararam com um monte de neve acumulada pelo vento. Aconchegados no Trabi, no frio glacial, comeram o pão e a salsicha, beberam o *slivovitz*, congelaram e observaram os veados passarem, enquanto Tulip, semiadormecida, com a cabeça no ombro de Alec, languidamente descrevia suas esperanças e seus sonhos para a nova vida com Gustav na Inglaterra.

Não gostaria que Gustav estudasse em Eton. Ouvira que os internatos da Inglaterra eram dirigidos por pederastas como o pai dele. Preferia uma escola pública proletária com meninas, muito esporte, nada rígido demais. Gustav começaria a aprender inglês no dia em que chegasse. Ela tomaria providências nesse sentido. Em seu aniversário, compraria uma bicicleta inglesa para ele. Ouvira dizer que a Escócia era muito bonita. Eles viajariam de bicicleta pela Escócia.

Ainda estava falando nisso, quase cochilando, quando Alec percebeu a presença de quatro homens com Kalashnikovs parados como sentinelas ao redor do carro, em silêncio. Ordenando a Tulip que ficasse onde estava, ele abriu a porta e saiu lentamente enquanto os homens o observavam. Nenhum deles tinha mais de 17 anos, supôs, e pareciam tão assustados quanto ele. Tomando a iniciativa, exigiu saber o que eles achavam que estavam fazendo, espiando um casal de namorados assim. No começo, ninguém respondeu. Então, o mais ousado explicou que eram caçadores ilegais à procura de carne. E Alec disse que, se ficassem de bico calado, ele faria o mesmo. Selaram o pacto com um aperto de mãos e, depois disso, os quatro desapareceram em silêncio.

O dia amanhece claro, sem neve. Logo um sol pálido está brilhando. Juntos, eles empurram o Trabant malhado por uma encosta e o cobrem com neve e com galhos. E caminham dali em diante. Tulip está com botas de couro leve, na altura dos joelhos, com solado fino. As botas de operário de Alec são um pouco melhores. Eles partem de mãos dadas enquanto vão deslizando e escorregando. Estão na "Suíça Saxônica", uma terra maravilhosa de campos de neve e florestas íngremes e ondulantes. Nas encostas, velhas casas caindo aos pedaços ou transformadas em orfanatos de verão. Se o mapa está certo, estão caminhando paralelamente à fronteira. Ainda de mãos dadas, sobem com esforço um aclive e contornam um lago congelado. Estão numa aldeia montanhosa com pequenas casas de madeira.

AL: Se o mapa estava certo, ou estávamos mortos ou na Tchecoslováquia.
[Tilintar de vidro. Som de líquido derramando.]

Mas a história mal começou: vide os telegramas do Circus que a acompanham. Vide também a razão pela qual, tendo ouvido a fita de Alec, eu permaneço sentado, tenso, no andar superior do QG da Secretas em Marylebone de madrugada, à espera de, a qualquer momento, ser convocado para ir à Central.

*

Sally Ormond, subchefe da Estação de Praga, esposa do chefe de Estação Jerry Ormond, é o tipo de mulher batalhadora de classe alta que o Circus adora de paixão: Cheltenham's Ladies' College, o pai serviu na Executiva de Operações Especiais na guerra, duas tias em Bletchley. Também alega um misterioso parentesco por matrimônio com George, que, a meu ver, atura isso com uma nobreza exagerada.

Relatório de Sally Ormond, SC/Estação de Praga, para C/Secretas [Smiley]. *Pessoal e privado. Prioridade: URGENTE.*

As ordens da Estação emitidas por Secretas eram de receber, apoiar e acomodar em segurança um agente disfarçado, Alec Leamas, e uma agente em fuga viajando com documentos da Alemanha Oriental num Trabant registrado na Alemanha Oriental, registro fornecido, chegada aguardada para as primeiras horas da noite.

No entanto, a Estação NÃO foi informada de que a operação estava sendo realizada em desconformidade com as instruções do Conjunto. Só podemos supor que, assim que se soube que Leamas havia assumido o caso pessoalmente, a Central decidiu dar apoio operacional.

A Estação de Berlim (De Jong) tinha nos avisado que, ao entrar em território tcheco, Leamas sinalizaria sua chegada em segurança por meio de um telefonema anônimo para a seção de vistos da embaixada, perguntando se vistos para o Reino Unido eram válidos na Irlanda do Norte. A Estação de Praga responderia ativando uma gravação recomendando que ligasse de novo em horário comercial. Essa seria a confirmação de que a mensagem fora recebida.

Leamas e Tulip, então, seguiriam por qualquer meio possível até um ponto da estrada entre a cidade de Praga e o aeroporto, e estacionariam num ramal ferroviário, referência no mapa fornecida.

Seguindo o plano posto em andamento por esta Estação e aprovado por C/Secretas, o casal abandonaria o carro, e um motorista uniformizado da rede GODIVA de Praga dirigiria a van oficial (placa de Corpo Diplomático e janelas laterais com película escura) que transporta o pessoal entre a embaixada e o aeroporto de Praga. Ele apanharia Leamas e Tulip no ponto de encontro combinado. A traseira da van conteria roupas formais ocidentais, fornecidas por esta Estação. Leamas e Tulip se vestiriam como convidados oficiais ao jantar da embaixadora de Sua Majestade e, sob esse pretexto, entrariam na embaixada, que está sob vigilância permanente da segurança tcheca.

Às 10h40, uma reunião de emergência foi realizada na sala segura da embaixada, durante a qual Sua Excelência, a embaixadora [SE], graciosamente consentiu com esse plano. No entanto, às 16h00, horário do Reino Unido, após haver consultado o Ministério das Relações Exteriores, ela reviu sua decisão, sem se desculpar, sob a alegação de que, tendo sido a fugitiva amplamente divulgada pela mídia da RDA, nesse meio-tempo, como criminosa de Estado, o potencial de uma repercussão diplomática pesava mais do que as considerações anteriores.

À luz da posição oficial declarada por SE, nenhum veículo ou funcionário da embaixada poderia ser utilizado no plano de fuga. Eu, portanto, desliguei o serviço de resposta automática da Seção de Vistos, esperando que isso indicasse a Leamas a ausência de apoio.

Recoloquei meus fones de ouvido. Estou de volta com Alec, não no conforto imperial de nossa embaixada britânica em Praga, mas preso no gélido acostamento da estrada com Tulip e sem nenhum apoio, nenhum carro de suporte e, como Alec diria, com porra nenhuma. Estou lembrando o que ele pregava desde que o conheci: quando você está planejando uma operação, pense em todos os modos como o Serviço pode foder com você, e então espere aquele no qual ainda não pensou, mas eles, sim. E eu imagino que seja nisso exatamente que ele esteja pensando naquele momento.

AL [verbatim retomado]: Quando nenhum transporte apareceu e nenhum aviso da Seção de Vistos foi dado, pensei apenas, foda-se, essa é a Londres que você já conhece, e a única saída é ir se virando como der. Somos um casal da Alemanha Oriental em apuros na beira da estrada, minha mulher está muito doente, então, por favor, alguém nos ajude. Digo a Doris que se sente no meio-fio e adote um semblante deplorável, o que ela tira de letra, e, no devido tempo, um caminhão cheio de tijolos se aproxima e o motorista se debruça para fora da janela. Pela graça dos deuses, ele é alemão de Leipzig e quer saber se estou bancando o cafetão para a bela senhora sentada na calçada. Respondo, não, sinto muito, amigo, ela é minha mulher e está doente; ele diz, ok, entrem aí, e nos leva até o hospital no centro da cidade. Eu tenho um passaporte reserva do Reino Unido costurado no forro da minha bolsa a tiracolo, em nome de Miller. Eu o tiro do esconderijo e o coloco no bolso. Então digo a ela: você está muito doente, Doris. Está grávida e seu estado de saúde se agrava a cada minuto. Então, me faça um favor, estufe a barriga e faça a cara mais sofrida que puder. Assim, eles abrem as portas e nós entramos. Foi mal por isso.

JO: Mas essa não é exatamente a história toda, é? [Líquido derramando.]

AL: Jesus. Tudo bem. Chegamos à rua de paralelepípedos. Nos aproximamos dos nobres portões com o brasão real de Sua Majestade em dourado. Lá estão três tchecos fortões de terno cinza do lado de fora, não fazendo nada muito específico. Talvez você não os tenha notado. Doris faz uma encenação que deixaria Sarah Bernhardt morrendo de inveja. Eu aceno com meu passaporte do Reino Unido para eles: deixem-nos entrar, rápido. Os babacas querem ver o passaporte dela também. Escutem aqui, eu lhes digo no meu melhor inglês. Apertem aquela porra de botão na parede ali e digam a eles lá dentro que minha mulher está tendo um aborto espontâneo, então chamem logo a merda de um médico. E, se ela tiver aqui na rua, a porra da culpa será de vocês. Vocês não têm mãe, talvez não tenham — ou alguém equivalente, não? E, abracadabra, as portas se abrem. Nós estamos com os pés no pátio da embaixada. Tulip segura a barriga e agradece a seu santo padroeiro por ter nos livrado do mal. E você e sua querida esposa estão se desculpando profusamente por mais esta cagada da Central, de proporções imperiais. Por isso, muito obrigado a vocês dois pelo gracioso pedido de desculpas, aceito. E, se não se incomodarem, vou tirar uma porra de um cochilo.

Sally Ormond volta à cena.

Trecho de Sally Ormond, SC/Estação de Praga, carta semioficial, pessoal, informal e escrita à mão para C/Secretas [Smiley] *via malote do Circus. Prioridade: URGENTE.*

Naturalmente, assim que conseguimos colocar os coitados do Alec e da Tulip nas dependências da embaixada, foi que a brincadeira começou *pra valer*. Acho sinceramente que a embaixada *e* o Ministério das Relações Exteriores teriam ficado *muito* mais felizes se ela tivesse simplesmente sido devolvida às autoridades da RDA e ponto final. Para início de conversa, a embaixadora não queria Tulip "dentro de casa" *de jeito nenhum*, ainda que legalmente isso não fizesse a menor diferença. Na verdade, ela insistiu que dois porteiros fossem transferidos para *dentro* do prédio principal, só para que a pobre da Tulip fosse empurrada para a área dos empregados, o que, do ponto de vista da segurança, funciona bem melhor do que o prédio principal. Mas não era *aquele* o seu motivo, como ela deixou *totalmente* claro no momento em que nós quatro nos esprememos na sala segura da embaixada: Sua Excelência, assistida por Arthur Lansdowne, seu secretário *muito* particular, mais meu querido marido e eu. E Alec absolutamente não era *bien vu* por SE, mais sobre isso a seguir, e, de qualquer maneira, cuidava de Tulip na área dos empregados.

E, P.S., George: uma palavrinha em particular, se possível.

A sala segura da embaixada é extremamente *abafada* e representa um *risco potencial e permanente à saúde*, como tem sido repetidamente relatado por esta que vos fala, em vão, à Admin. O aparelho de ar-condicionado de quinta categoria está totalmente *kaput*. Ele *suga* quando deveria *expelir*, mas, segundo Barker ("praga em chefe" da Admin.), não há peças de reposição disponíveis há mais de dois anos. E, como ninguém no MRE se dignou a nos mandar um novo aparelho, quem quer que use o local simplesmente derrete e sufoca. Na semana passada, o coitado do Jerry *quase* sufocou, mas, claro, ele é educado demais para reclamar. Já sugeri um milhão de vezes que a sala segura deveria passar a ser de responsabilidade do Circus, mas isso aparentemente seria uma violação *aos direitos territoriais do Ministério das Relações Exteriores!*

Se você pudesse ver isso com Admin. (qualquer um *MENOS* Barker!), eu ficaria bastante grata. Jerry envia juntamente comigo muitos abraços e beijos, especialmente para Ann.

S

Texto de Telegrama Ultrassecreto Imediato da Embaixadora Britânica em Praga, pessoal para Sir Alwyn Withers, C/Departamento do Leste Europeu, Ministério das Relações Exteriores, cópia para Circus (Conjunto). Minutas da reunião de crise na sala segura da embaixada, realizada às 21h00. Presentes: SE Embaixadora (Margaret Renford), Arthur Lansdowne, Secretário Particular de SE, Jerry Ormond (C/Est), Sally Ormond (SC/Est). Propósito do encontro: providências e descarte de residente temporária da embaixada. Prioridade: URGENTE.

Caro Alwyn,

Depois de nosso telefonema seguro desta manhã, o seguinte procedimento foi acertado entre nós no que diz respeito ao prosseguimento da viagem de *nossa hóspede indesejável* (NHI):

1. A NHI irá viajar para seu próximo destino com o que, nossos Amigos nos asseguram, será um passaporte válido não britânico. Isso evitará acusações posteriores por parte das autoridades tchecas de que a embaixada esteja distribuindo passaportes do Reino Unido a qualquer Fulano ou Beltrano de qualquer nacionalidade que venha tentando escapar à justiça tcheca ou da RDA.
2. A NHI não será ajudada, acompanhada ou transportada de qualquer maneira por funcionários diplomáticos ou não diplomáticos da embaixada no curso de sua partida. Nenhum

veículo com placa diplomática britânica será usado para sua exfiltração. Nenhum documento britânico falso será expedido para ela.

3. Se a NHI, a qualquer momento, alegar que conta com a proteção da embaixada britânica, fica combinado que isso será imediata e veementemente desmentido, localmente e em Londres.
4. A partida da NHI das instalações da embaixada ocorrerá dentro de três dias úteis, ou outras medidas para sua remoção serão consideradas, inclusive a entrega da NHI às autoridades tchecas.

Meu telefone está tocando, e a luz vermelha, piscando. É a porra do Toby Esterhase, curinga de Percy Alleline e Bill Haydon, gritando comigo com seu forte sotaque húngaro para eu tirar a bunda da cadeira e ir correndo até a Central. Eu o mando tomar cuidado com o jeito como fala e pulo na minha moto, que já está à minha espera do lado de fora.

Minutas da reunião de emergência realizada na sala segura do Conjunto em Cambridge Circus. Presidindo: Bill Haydon (C/CDC). Presentes: Coronel Etienne Jabroche (Adido Militar, Embaixada Francesa, Londres, Chefe de Cooperação da Inteligência Francesa), Jules Purdy (escritório francês do CDC), Jim Prideaux (escritório dos Bálcãs do CDC), George Smiley (C/ Secretas), Peter Guillam (JACQUES).

Tomador de nota designado para o encontro: T. Esterhase. Gravado, parcialmente transcrito verbatim. Cópia para C/Est Praga.

São cinco da manhã. A convocação já veio. Cheguei de Marylebone de moto. George veio diretamente do Tesouro. Está com a barba por fazer e parece mais preocupado do que de costume.

"Você é totalmente livre para dizer *não* a qualquer momento, Peter", assegurou-me duas vezes. Ele já descreveu a operação como "desnecessariamente elaborada", mas sua maior preocupação, por mais que tente esconder, é que o plano operacional seja um empreendimento coletivo do Conjunto. Somos seis em volta da longa mesa de compensado de madeira da sala segura do Circus.

Jabroche: Bill. Meu caro amigo. Meus chefes em Paris precisam ser assegurados de que Monsieur Jacques é capaz de se sair bem sozinho nas questões de agricultura em pequena escala na França.
Haydon: Diga a ele, Jacques.
Guillam: Eu não estou preocupado com isso, coronel.
Jabroche: Nem mesmo na presença de especialistas?
Guillam: Cresci numa pequena fazenda francesa na Bretanha.
Haydon: A Bretanha é francesa? Você me surpreende, Jacques.
[Risos.]
Jabroche: Bill. Com a sua permissão.

Passando a falar em francês, o coronel Jabroche se engaja numa animada conversa com Guillam sobre a agroindústria francesa, com referência específica ao noroeste da França.

Jabroche: Estou satisfeito, Bill. Ele foi aprovado. Fala até como um bretão, coitado.
[Mais risadas.]
Haydon: Mas vai funcionar, Etienne? Você pode mesmo colocá-lo lá?
Jabroche: Sim, dentro. Fora, vai depender de Monsieur Jacques e de sua boa senhora. Vocês estão em cima da hora. A lista dos representantes franceses está prestes a fechar. Estamos só segurando sua vaga. Sugiro que a presença de Monsieur Jacques na conferência seja a mais breve possível. Nós o inscrevemos, ele vai com o visto coletivo, sofre um atraso por motivo de doença, mas está determinado a comparecer ao encerramento. Como mais um entre os trezentos representantes internacionais, não atrairá uma atenção indevida. O senhor fala finlandês, Monsieur Jacques?
Guillam: Não muito, coronel.
Jabroche: Eu achava que todos os bretões falassem finlandês. [Risadas.] E a senhora em questão não fala francês?
Guillam: Pelo que sabemos, alemão e um pouco de russo, mas nada de francês.
Jabroche: Mas ela tem personalidade, o senhor disse? É apresentável. Tem *élan*. Sabe se vestir.
Smiley: Jacques, você a viu.

Eu a vi vestida e a vi nua. Mas me atenho à primeira opção:

Guillam: Nós só nos esbarramos. Mas ela é impressionante. Eficiente, pensamento rápido. Criativa. Espirituosa.

Haydon: Jesus. *Criatividade*. Quem diabos precisa de criatividade? A mulher só precisa fazer a porra do que lhe mandam e calar a boca, não é? Está de pé ou não? Jacques?

Guillam: Sou a favor se George for.

Haydon: E ele é?

Smiley: Levando em conta que o Conjunto e o coronel estão fornecendo o apoio de campo necessário, nós em Secretas estamos preparados para aceitar o risco.

Haydon: Bem, isso soa um tanto em cima do muro, devo dizer. Vamos em frente, então. Etienne, imagino que vá fornecer a Monsieur Jacques um passaporte francês e documentos de viagem. Ou quer que a gente faça isso?

Jabroche: Os nossos são melhores. [Risos.] Por favor, lembre-se também, Bill, de que, se as coisas não derem certo, meu governo ficará muito perplexo em descobrir que o seu pérfido serviço secreto inglês está encorajando seus agentes a se mascararem como cidadãos franceses.

Haydon: E nós desmentiremos essa acusação vigorosamente e pediremos desculpas. [Para Prideaux] Jim-boy. Algum comentário? Você ficou misteriosamente silencioso. Seu território é o tcheco. Está feliz com a gente botando os pés por lá?

Prideaux: Nenhuma objeção, se é o que quer saber.

Haydon: Algo que queira adicionar ou censurar?

Prideaux: Assim, de imediato, não.

Haydon: Ok, cavalheiros. Obrigado a todos. Tudo decidido, então vamos à luta. Jacques, nossos pensamentos vão com você. Etienne, talvez uma palavrinha em particular.

Mas George não abre mão de suas apreensões tão facilmente, vide o próximo capítulo. O tempo está passando; devo ir para Praga em seis horas.

George,

Nós falamos. Você pediu que eu descrevesse minha experiência na Agência de Expedição em Heathrow, no Terminal 3, atualmente sob o comando do Conjunto. Aparentemente, a AE é só mais uma dessas lojas mal-ajambradas de aeroporto localizadas no fim de um corredor que não foi varrido. Uma porta de vidro fosco tem os dizeres "Intermediação de Cargas", o acesso é por interfone. Uma vez lá dentro, a atmosfera é deprimente: dois mensageiros cansados jogando baralho, uma mulher berrando espanhol num telefone, uma assistente trabalhando nos dois turnos porque a colega está doente, fumaça de cigarro, cinzeiros cheios e somente uma cabine, porque estão no aguardo da chegada de cortinas novas para a outra.

A grande surpresa foi a recepção festiva que me esperava: Alleline, Bland, Esterhase. Se Bill H estivesse lá, seria casa cheia. Aparentemente, eles vieram se despedir de mim e me desejar sucesso. Alleline, à frente como sempre, me entregou meu passaporte francês e o crachá do evento, cortesia de Jabroche, com grande floreio. Esterhase fez o mesmo com minha bolsa de viagem e meus acessórios: roupa comprada em Rennes, manuais agrícolas e uma história de como a França construiu o Canal de Suez para uma leitura leve etc. Roy Bland brincou de irmão mais velho e, maliciosamente, me perguntou se havia alguém a ser informado caso eu ficasse fora alguns anos além do esperado.

Mas o verdadeiro propósito de suas atenções não podia ser mais claro. Queriam saber mais sobre Tulip: de onde ela vinha, há quanto tempo estava trabalhando para nós, quem era o responsável por ela? E então o momento mais estranho foi quando, depois de me esquivar de suas perguntas, eu estava na cabine sendo vestido e Toby E enfiou a cabeça pela cortina dizendo que tinha a seguinte mensagem pessoal para mim, de Bill: "Se um dia você se cansar do seu tio George, pense na chefia da Estação de Paris." Minha resposta não me comprometeu.

Peter

Veja agora George em seu papel como meticuloso operacional ao extremo, determinado a tapar cada furo no planejamento evidentemente desleixado do Conjunto.

Sinal de C/Secretas [Smiley] *para C/Estação de Praga* [Ormond]
ULTRASSECRETO MAYFLOWER. Prioridade: URGENTE.

A. Um passaporte finlandês para a fonte secundária Tulip chegará amanhã pelo malote em nome de Venia Lessif, nascida em Helsinque, especialista em nutrição, casada, nome do marido: Adrien Lessif. O passaporte conterá o carimbo do visto de entrada tcheco, data de entrada que coincidirá com a conferência pelos *Campos da Paz*, patrocinada pelos comunistas franceses.
B. Peter Guillam chegará ao aeroporto de Praga no voo 412 da Air France amanhã de manhã, às 10h40, horário local, viajando com passaporte francês sob o nome de Adrien Lessif, professor visitante de Economia Agrária da Universidade de Rennes. O visto de entrada tcheco também é válido para coincidir com a conferência. A chegada de Lessif para o evento foi teoricamente adiada por motivo de doença. Ambos os Lessif constam atualmente da Lista de Participantes da Conferência, um participante (atrasado), uma esposa.
C. Também pelo malote de amanhã, duas passagens Praga—Paris Le Bourget, da Air France, para Adrien e Venia Lessif, partindo às 06h00 de 28 de janeiro. Os registros da Air France confirmarão que o casal voou para Praga em datas diferentes (vide ambos os carimbos de entrada), mas retornarão a Paris com os colegas acadêmicos no grupo.
D. As acomodações para o professor e madame Lessif foram reservadas no Hotel Balkan, onde a delegação francesa ficará hospedada a partir da noite anterior à partida, no início da manhã, para Paris Le Bourget.

E Sally Ormond, em resposta, sem perder uma oportunidade de elogiar os próprios feitos:

Trecho de uma segunda carta pessoal de Sally Ormond para George Smiley, marcada Estritamente Pessoal & Privada para você, não para o arquivo.

Ao receber seu muito lúcido sinal, aqui reconhecido com gratidão, Jerry e eu decidimos que eu deveria ir e preparar Tulip para sua partida da embaixada e sua provação vindoura. Atravessei o pátio até a suíte no anexo onde havíamos instalado Tulip: cortinas duplas do lado da rua, cama de campanha para mim na passagem do lado de fora da porta do quarto, policiamento extra da chancelaria no corredor do térreo, para o caso de haver visitantes indesejáveis.

Encontrei-a sentada na cama, e Alec com o braço em seus ombros, mas ela não parecia se dar conta de que ele estava ali, apenas tremia de vez em quando, num choro abafado.

Apesar disso, assumi o firme controle da situação e, conforme planejado, mandei Alec tomar um ar e dar uma caminhada com Jerry pela beira do rio. Com meu alemão de nível intermediário, não consegui arrancar muito dela de início, embora duvido que tivesse feito muita diferença, porque ela mal falava, muito menos ouvia. Sussurrou "Gustav" para mim várias vezes e eu deduzi, depois de alguma mímica, que Gustav não era seu *Mann*, mas seu *Sohn*.

Mas consegui lhe transmitir a ideia de que ela deixaria a embaixada no dia seguinte, voando para a Inglaterra, mas não diretamente, e que seria colocada no meio de um grupo de viajantes franceses, entre acadêmicos e agricultores. Sua primeira reação, muito naturalmente, foi: como poderia fazer isso se não falava uma palavra de francês? E, quando eu disse que isso não importava, porque ela ia ser finlandesa — e ninguém fala finlandês, não é? —, sua reação seguinte foi: *Com essas roupas?* Esta foi minha deixa para desembrulhar todos os itens maravilhosos que a Estação de Paris havia separado para nós em cima da hora: um *twin set* bege deslumbrante da Printemps, sapatos maravilhosos do tamanho exato dela, camisola sexy e roupas íntimas lindas de *morrer*, literalmente — a Estação de Paris deve ter gastado uma *fortuna* —, simplesmente tudo com o que ela devia vir sonhando nos últimos vinte anos, mesmo sem se dar conta, e belas etiquetas de excursões para completar a ilusão. Além de um anel de noivado *muito* bonito que eu não teria desprezado, *e* uma aliança de ouro decente no lugar da imitação de lata que ela vinha usando — tudo a ser devolvido depois da chegada, naturalmente, mas não achei que precisasse dizer isso *ainda*!

A essa altura, ela havia *entrado* no jogo. A profissional nela tinha acordado. Analisou cuidadosamente o passaporte novo (não tão novo assim, na verdade) e declarou tê-lo achado muito bom. E, quando lhe contei que um francês galante a acompanharia e fingiria ser seu marido durante a viagem, ela disse que parecia um arranjo sensato e perguntou como ele era.

Assim, seguindo ordens, mostrei-lhe uma fotografia de Peter G e ela a examinou um tanto *sem expressão*, devo dizer, dado que, no que diz respeito a maridos postiços, poderia haver coisa muito pior do que PG. Por fim, ela perguntou: "Ele é francês ou inglês?", e eu respondi: "Ambos, e você é finlandesa e francesa", e, meu querido, ela *caiu* na risada!

Logo depois disso, Alec e Jerry voltam da caminhada e, já com o gelo quebrado, começamos a repassar nossas instruções. Ela ouviu com atenção e tranquilidade.

Ao fim da sessão, eu tive a impressão de que ela havia comprado toda a ideia e, de uma certa forma meio esquisita, a achava divertida. Ela é uma espécie de mulher viciada em perigo, pensei, e *dessa* forma apenas, muito parecida com Alec!

Cuide-se. Um beijo, como sempre, na nossa adorável Ann,

S

*

Não faça nenhum movimento corporal súbito ou inadvertido. Mantenha as mãos e os ombros exatamente onde estão agora e respire. Pepsi está de volta ao seu trono, mas não consegue tirar os olhos de você, e não é por amor.

*

Relatório de Peter Guillam em serviço temporário junto a Ops Secretas, ref exfiltração da fonte secundária TULIP de Praga a Paris Le Bourget, para trânsito na sequência por caça da RAF para Londres, aeroporto Northolt, 27 de janeiro de 1960.

Cheguei ao aeroporto de Praga às 11h25, horário local (voo atrasado), na pessoa do professor visitante de Economia Agrária da Universidade de Rennes.

Fiquei sabendo que, graças à Cooperação Francesa, minha chegada atrasada por motivo de doença fora formalmente registrada na conferência e meu nome incluído na lista dos inscritos, para controle das autoridades tchecas.

Em posterior verificação da legitimidade de meus documentos, fui recebido pelo adido cultural da embaixada francesa, que usou suas credenciais diplomáticas para agilizar a saída do aeroporto, ocorrida com relativa facilidade depois de ele ter atuado como meu intérprete.

Então me conduziu em seu carro oficial até a embaixada francesa, onde assinei o livro de visitantes, antes de ser levado, também pelo carro da embaixada francesa, à conferência, onde uma cadeira fora reservada para mim na última fileira.

O salão da conferência era um cenário operístico folheado a ouro, construído originalmente para o Conselho Central dos Ferroviários, e que acomodava até quatrocentos delegados. A segurança era superficial. No meio da grandiosa escadaria, duas mulheres atarefadas que só falavam tcheco estavam sentadas a uma mesa verificando os nomes dos delegados de meia dúzia de países. A conferência em si tomou a forma de um seminário conduzido por um painel de especialistas sentados no palco, com algumas contribuições coreografadas do auditório. Nenhuma intervenção de minha parte foi requerida. Fiquei impressionado com a eficiência da Cooperação Francesa, que, em curtíssimo tempo, havia autenticado minha presença aos olhos da segurança tcheca e dos delegados, dois dos quais estavam claramente conscientes do meu papel e encontraram tempo para me procurar e apertar minha mão.

Às 17h00, a conferência foi declarada encerrada, e os delegados franceses foram levados de ônibus até o Hotel Balkan, um estabelecimento pequeno e antiquado que havia sido reservado para nosso uso exclusivo. Ao fazer o registro, entregaram-me uma chave para o quarto número oito, designado como um "quarto de família", uma vez que eu era teoricamente a metade de um casal. O Balkan tem um salão de jantar para os hóspedes e, saindo dele, um bar com uma mesa central à qual me sentei, antecipando a chegada da minha esposa fictícia.

O que eu tinha entendido era que ela seria exfiltrada da embaixada britânica por uma ambulância, transportada para uma casa segura nos arredores da cidade e, dali, para o Hotel Balkan por meios não informados.

Fiquei, portanto, impressionado ao vê-la chegar num carro diplomático francês, de braço dado com o mesmo adido cultural que me recebera no aeroporto de Praga. Gostaria de novo de chamar atenção para o discernimento e o profissionalismo da Cooperação Francesa.

Sob o nome de Venia Lessif, Tulip fora inscrita como a esposa de um delegado comparecendo à conferência *in absentia*. Sua beleza e sua aparência elegante causaram um leve furor entre outros delegados franceses no hotel e, de novo, fui apoiado pelos dois integrantes, que, tendo me cumprimentado com familiaridade na conferência, saudaram e abraçaram Tulip como amiga. Ela, por sua vez, recebeu os elogios deles com estilo, falando um alemão meio capenga, que se tornou nossa língua franca como casal, uma vez que meu próprio alemão é limitado.

Depois do jantar, ocorrido na companhia dos dois delegados franceses, que desempenharam seu papel à perfeição, não nos demoramos no bar com os demais delegados e subimos cedo para o quarto, onde, por um acordo tácito, nossa conversa ficou limitada a banalidades consistentes com nosso disfarce, sendo a presença de microfones ou até de câmeras num hotel para estrangeiros praticamente certa.

Felizmente, nosso quarto era espaçoso, com camas de solteiro e duas pias. Boa parte da noite fomos obrigados a ouvir o falatório barulhento dos delegados abaixo e, de madrugada, sua cantoria.

É minha impressão que nem Tulip nem eu dormimos. Às 04h00 nos juntamos ao pessoal e fomos levados de ônibus ao aeroporto de Praga, onde, milagrosamente, como me parece hoje, fomos liberados *en bloc* para o salão de trânsito e dali pela Air France para Le Bourget.

Quero, uma vez mais, declarar minha gratidão infinita ao apoio da Cooperação Francesa.

A forma como a anotação seguinte entrou no meu relatório me confunde momentaneamente, até que concluo que devo tê-la acrescentado como uma espécie de distração.

Carta semioficial pessoal e confidencial escrita à mão para George Smiley de Jerry Ormond, C/Estação de Praga. NÃO para arquivo.

Caro George,

Bem, o pássaro finalmente voou, com suspiros maciços de alívio aqui, como você pode imaginar, e está agora instalada, presumivelmente em segurança, se não feliz, no Chateau Tulip, em alguma parte da Inglaterra. Seu voo em ambos os sentidos parece ter corrido com uma suavidade razoável, embora JONAH, no último minuto, tenha precisado de $500 além do salário antes de consentir em transportar Tulip até o ponto de encontro em sua ambulância, o safado. Mas não é a respeito de Tulip que escrevo para você, e menos ainda de Jonah. É sobre Alec.

Como você muitas vezes disse no passado, sendo profissionais ligados pelo sigilo, temos o dever de cuidar uns dos outros. E isso significa sermos mutuamente vigilantes, e se um de nós parecer estar prestes a arrebentar sob uma grande tensão e não tiver noção disso, então é nosso dever protegê-lo de si mesmo, e, pelo mesmo critério, proteger o Serviço também.

Alec é, sem dúvida alguma, o melhor agente de campo que você e eu já conhecemos. É super-experiente, dedicado, safo, reúne as melhores qualidades. E acabou de realizar com sucesso uma das operações mais engenhosas e perigosas que já tive o prazer de presenciar, ainda que passando por cima de Conjunto, de nossa reverenda embaixadora e dos mandarins de Whitehall. Por isso, quando ele entorna quase uma garrafa inteira de uísque de uma vez só e depois chama para a briga um guarda de tribunal com quem não vai com a cara, damos o devido desconto, e mais até.

Mas nós saímos para caminhar, Alec e eu. À margem do rio, por uma hora, depois até o castelo, depois de volta à embaixada. Portanto, uma caminhada de duas horas enquanto ele ainda estava, pelos próprios padrões, totalmente sóbrio. E seu único assunto durante todo o tempo foi: há alguém infiltrado no Circus. E não um funcionário do almoxarifado com uma dívida de financiamento imobiliário, mas no topo da árvore, no Conjunto, onde a coisa realmente importa. E é mais do que só uma pulga atrás da orelha, é um enxame delas. É desproporcional, não se baseia em fatos e, francamente, é paranoico. Juntando isso com seu ódio visceral por todas as coisas americanas, é difícil conversar com ele, para dizer o mínimo, torna-se cada vez mais alarmante. E, sob as leis da nossa profissão como definidas por ninguém menos do que você mesmo, e com todo o afeto e respeito, estou relatando devidamente minhas preocupações a você.

Um abraço,

Jerry

P.S.: E para Ann, como sempre, um beijo afetuoso. J

E, de Laura, uma roseta, ordenando-me a parar.

*

— Está boa a leitura?

— Tolerável, obrigado, Bunny.

— Bem, raios, foi você quem escreveu, não foi? Mexeu um pouco com você, talvez, depois de todo esse tempo?

Ele trouxe um amigo como companhia neste fim de tarde: um jovem louro sorridente, educado, nenhuma das marcas da vida nele.

— Peter, este é *Leonard* — diz Bunny, cerimoniosamente, como se eu devesse conhecer o rapaz. — Leonard será o advogado do Serviço se nossa pequena questão por acaso chegar ao tribunal, o que rezamos para que não aconteça. Ele também nos representará na Comissão Parlamentar de Inquérito Pluripartidária na próxima semana, na qual, como sabe, você já foi indicado a comparecer. — Sorriso forçado. — Leonard. Peter.

Nos cumprimentamos com um aperto de mão. A de Leonard é macia como a de uma criança.

— Se Leonard está representando o Serviço, o que ele faz aqui comigo? — pergunto.

— Para vocês se familiarizarem um com o outro — diz Bunny, calmamente. — Leonard é um advogado completo — e, vendo minhas sobrancelhas se arquearem —, e isso significa *meramente* que ele é versado em cada brecha legal do código e em algumas que nem sequer estão no código. Ele bota advogados comuns como eu no chinelo.

— Ah, não exagere — retruca Leonard.

— E a razão pela qual Laura *não* está aqui hoje, Peter, já que você não perguntou, é que Leonard e eu, juntos, achamos que seria melhor para *todas* as partes, incluindo você, que esta fosse uma discussão só entre rapazes.

— O que você está querendo sugerir com isso?

— A boa abordagem de antigamente, para começar. Respeito pela sua privacidade. *E* a possibilidade remota de que possamos, pelo menos uma vez, tirar a verdade de você. — Um sorriso malicioso. — O que então permitiria a Leonard ter uma noção melhor de como deveria proceder no geral. Comentário justo, Leonard? Ou exagerado?

— Ah, bastante justo, acho — diz Leonard.

— E, naturalmente, analisar *bem* mais detidamente a questão de seus interesses pessoais estarem mais bem representados se você contar com seu *próprio* representante legal — prossegue Bunny. — Na infeliz eventualidade de que, por exemplo, os parlamentares simplesmente saiam do palco na ponta dos pés, o que nos informaram não ser uma prática nada incomum, deixando a Justiça Cega acertar as contas com você. Conosco.

— Que tal um faixa preta? — sugiro.

Minha gracinha passa despercebida. Ou talvez *tenha sido* percebida, no mínimo como indício de que estou especialmente sem paciência hoje.

— Num caso desses, o Circus tem uma lista de candidatos elegíveis. Candidatos *aceitáveis*, digamos assim. E, Leonard, se não me engano você disse que estaria disposto a guiar o olhar de Peter se chegarmos a isso, o que fervorosamente espero que não aconteça — passando a bola para Leonard com um sorriso amigável.

— Com certeza, Bunny. O problema é que não existem *tantos* de nós que chegaram a esse nível. Sinto que Harry vem se saindo incrivelmente bem, como você sabe — comenta Leonard. — Candidatou-se a conselheiro da rainha, e os juízes o adoram. Então, pessoalmente, sem querer influenciar de maneira *alguma*, escolha o Harry. É homem, e eles gostam de homem defendendo homem. Talvez não saibam disso, mas gostam.

— Quem paga por ele? — pergunto. — Ou por ela?

Leonard sorri olhando para as mãos. Bunny responde a pergunta:

— Bem, eu acho que, de *modo geral*, Peter, muito poderá depender do *curso* da audiência e, digamos, da sua própria postura, de seu senso de dever, e de sua lealdade com seu velho Serviço.

Mas Leonard não ouviu uma palavra disso, como posso perceber pelo jeito como continua sorrindo para as mãos.

— Então, Peter — diz Bunny, como se tivesse chegado à parte fácil da história. — Sim ou não? — Olhos semicerrados. — Cá entre nós, homens. Você fodeu com a Tulip ou não?

— Não.

— Definitivamente, não?

— Definitivamente.

— Irrevogavelmente não, aqui e agora nesta sala, na presença de uma testemunha cinco estrelas?

— Bunny, perdão — intervém Leonard, erguendo a mão numa repreensão amistosa. — Acho que você se esqueceu momentaneamente da lei. Em razão de meus deveres para com o tribunal e de minhas obrigações em atuar como advogado do meu cliente, não posso de modo algum agir como testemunha.

— Tem razão. Uma vez mais, por favor, Peter. *Eu, Peter Guillam, não fodi com a Tulip no Hotel Balkan em Praga na noite anterior à exfiltração dela para o Reino Unido.* Verdadeiro ou falso?

— Verdadeiro.

— O que é um alívio para todos nós, como estou certo que você imagina. Especialmente quando parece que você fodeu com todo mundo que cruzou o seu caminho.

— Um alívio imenso — concorda Leonard.

— E ainda *mais* especialmente, uma vez que a Regra Número Um de um Serviço que não chega a ter muitas regras dita que funcionários em serviço nunca, *nunca mesmo*, devem foder com seus *joes*, como vocês os chamam, ainda que só por delicadeza. Os *joes* de outras pessoas, quando operacionalmente desejável, sim, temporada de caça. Mas *nunca* seus próprios. Você tem conhecimento dessa regra?

— Tenho.

— E tinha esse conhecimento na época em questão?

— Tinha.

— E você concordaria que, se *tivesse* fodido com ela, o que sabemos que não fez, isso constituiria não só uma transgressão monumental do regimento do Serviço, mas também uma prova clara de sua natureza sórdida e incontrolável, e de seu desdém pelas fragilidades de uma mãe fugitiva em perigo mortal logo após ser privada do único filho? Concorda com essa declaração?

— Concordo com essa declaração.

— Leonard, você tem alguma pergunta?

Leonard belisca o belo lábio inferior com as pontas dos dedos e franze a testa sem vincá-la.

— Sabe, Bunny, sei que isso pode soar como uma grosseria, mas *não* acho que eu *tenha* uma pergunta — confessa ele com um sorriso perplexo. — Não depois disso. Acho que, *pro tempore*, todos fomos até onde pudemos *ir*. E mais além, até. — E, para mim, em tom de confidência: — Vou te mandar aquela lista, Peter. E você nunca me ouviu mencionar Harry. Ou talvez seja melhor eu mandar a lista para Bunny. *Conluio* — explica, abrindo outro sorriso amoroso e pegando a pasta preta, indicando que a reunião, que eu previra ser prolongada, estava encerrada. — Mas acho mesmo que seria bom escolher um homem, de todo modo — diz ele para Bunny, não para mim, como um aparte. — Quando se trata de perguntas difíceis, os homens levam vantagem. São menos puritanos. Vejo você na comissão de inquérito, Peter. *Tschüss*.

*

Se eu fodi com ela? Não, porra nenhuma, não fodi. Fiz com ela um amor mudo e frenético na escuridão absoluta por seis horas que mudaram a minha vida, numa explosão de tensão e paixão entre dois corpos que se desejavam desde o nascimento e só tinham aquela noite para viver.

E eu deveria *contar isso* a eles?, pergunto à noite enquanto estou deitado insone na minha cama estreita em Dolphin Square.

Eu, que desde o berço fui ensinado a negar, a negar e a negar sempre — ensinado pelo próprio Serviço, que agora tenta arrancar uma confissão de mim?

*

— Você dormiu bem, Pierre? Está feliz? Fez um grande discurso? Está voltando para casa hoje? — Devo ter telefonado para ela.

— Como está Isabelle? — pergunto.

— Está linda. Sente sua falta.

— E ele voltou? Aquele meu amigo grosseiro?

— Não, Pierre, seu amigo terrorista não voltou. Você assistiu a alguma partida de futebol com ele?

— Não fazemos mais isso.

9.

Não havia nada que eu conseguisse achar no arquivo — graças a Deus — sobre os dias e as noites sem fim que passei na Bretanha depois de entregar Doris a Joe Hawkesbury, nosso chefe da Estação de Paris, no aeroporto de Le Bourget, às sete horas de uma manhã de inverno enevoada. Quando nosso avião pousou e uma voz chamou pelo professor e pela madame Lessif, eu me vi num estado de alívio delirante. Ao descermos a escada lado a lado, a visão de Hawkesbury sentado abaixo de nós num Rover preto com placa de Corpo Diplomático, e de uma jovem assistente da sua Estação no banco traseiro, fez meu coração parar um segundo.

— E meu *Gustav*? — perguntou Doris, agarrando meu braço.

— Vai ficar tudo bem. Vai acontecer — falei, ouvindo-me repetir como um papagaio as promessas vazias de Alec.

— Quando?

— Assim que puderem. São boas pessoas. Você vai ver. Eu te amo.

A garota de Hawkesbury segurava a porta traseira. Teria me ouvido? Meu ataque de insanidade, dito por outra pessoa dentro de mim? Não importa se ela sabia ou não falar alemão. Qualquer imbecil sabe o que significa *Ich liebe Dich*. Dei um leve empurrão em Doris para a frente. Com um sobressalto, ela se sentou, relutante, no banco de trás. A jovem a seguiu e bateu a porta. Sentei-me no banco do carona, ao lado de Hawkesbury.

— Fizeram um bom voo? — perguntou ele, enquanto acelerávamos pela pista atrás de um jipe com o pisca-alerta ligado.

Entramos num hangar. À nossa frente, na penumbra, um avião bimotor da RAF, as hélices girando bem devagar. A garota saltou do carro. Doris permaneceu onde estava, sussurrando palavras em alemão para si mesma, sem que eu conseguisse identificá-las. Minhas palavras tolas pareciam não ter causado nenhum efeito nela. Talvez não as tenha ouvido. Talvez eu não as tenha falado. A garota tentou persuadi-la, mas Doris não se mexia. Sentei-me ao seu lado e peguei sua mão. Ela pressionou a cabeça no meu ombro enquanto Hawkesbury nos olhava pelo retrovisor.

— *Ich kann nicht* — sussurrou ela.

— *Du musst*, vai dar tudo certo. *Ganz ehrlich*. De verdade.

— *Du kommst nicht mit?* — Você não vem comigo?

— Mais tarde. Depois que você falar com eles.

Saí do carro e estendi a mão para ela. Doris ignorou meu gesto e saltou por conta própria. Não, ela não me ouviu. Não pode ter ouvido. Uma mulher com uniforme da aeronáutica carregando uma prancheta marchou em nossa direção. Com a garota de Hawkesbury de um lado e a mulher da aeronáutica do outro, Doris deixou-se conduzir até o avião. Ao chegar à escada, parou, olhou para cima e, preparando-se psicologicamente, começou a subir, segurando o corrimão com ambas as mãos. Esperei que ela olhasse para trás. A porta da cabine se fechou.

— Tudo certo, então — disse Hawkesbury bruscamente, ainda sem virar a cabeça para mim. — A mensagem vinda de cima é: bravo, você fez um ótimo trabalho, agora volte para casa na Bretanha, bote a cabeça no lugar, e espere pelo grande chamado. Gare Montparnasse está bom para você?

— Gare Montparnasse está ótimo, obrigado.

E você pode até ser o queridinho do Conjunto, caro Hawkesbury, mas isso não impediu Bill Haydon de me oferecer o seu posto.

*

Mesmo hoje, seria difícil descrever a torrente de emoções conflitantes que se apossaram de mim depois que voltei para a fazenda, estivesse eu dirigindo um trator, espalhando estrume pelos campos ou me esforçando para marcar minha presença como senhor do lugar. Num minuto, eu revivia na mente as sensações de uma noite importante demais para ser definida; no outro, eu me via estarrecido pela irresponsabilidade monstruosa do ato compulsório e inconsequente que eu havia cometido, e pelas palavras que eu tinha, ou não, dito.

Invocando a escuridão silenciosa na qual tivemos de conter nossos abraços, tentei me convencer de que tínhamos feito amor apenas na minha cabeça, uma ilusão provocada pelo medo de que a qualquer momento a segurança tcheca chegaria para derrubar a porta do nosso quarto. Mas um breve exame da marca dos dedos dela no meu corpo me disse que eu estava me enganando.

Além disso, minha imaginação jamais teria idealizado o momento em que, com o surgimento da primeira luz da manhã, e ainda sem nenhuma palavra trocada entre nós, ela ocultou cada parte de seu corpo, primeiro ficando de pé diante de mim, nua e sentinela, como havia se postado à minha frente na praia búlgara, depois cobrindo-se peça por peça com as roupas finas francesas até que não restasse mais nada a desejar, a não ser uma saia básica e um paletó preto abotoado até o pescoço: só que eu a desejava mais desesperadamente do que nunca.

Nem como, enquanto ela se vestia, a aura de triunfo ou de desejo aquietou-se em seu rosto, e nos tornamos, por opção dela, distantes, primeiro no ônibus até o aeroporto de Praga, quando ela recusou minha mão, e de novo no avião para Paris, quando, por motivos que me escaparam, ficamos em fileiras separadas — até que o avião parou e nós nos levantamos, começamos a desembarcar, e nossas mãos se encontraram de novo, para depois se separarem.

Na laboriosa viagem de trem para Lorient — não havia trens de alta velocidade naquela época —, houve um episódio que, pensando retrospectivamente, me traz até hoje a sensação do horror que estava por vir. Apenas uma hora depois de sairmos de Paris, nosso trem fez uma parada brusca, sem explicação. Vozes abafadas do lado de fora foram seguidas de um único grito indistinto, de homem ou mulher, isso eu nunca soube. Ainda assim, esperamos. Alguns de nós se entreolharam. Outros permaneceram mergulhados em seus livros e jornais, de um jeito deliberado. Um guarda fardado apareceu à porta do vagão, um rapaz com, no máximo, vinte anos. Eu me lembro muito bem do silêncio que precedeu seu discurso preparado, que, depois de tomar fôlego, ele executou com uma calma louvável:

— Senhoras e senhores. Lamento informar-lhes que nosso progresso foi refreado por intervenção humana. Continuaremos nossa viagem dentro de poucos minutos.

E não fui eu, mas o diligente velho cavalheiro de colarinho branco engomado sentado ao meu lado, quem ergueu a cabeça e perguntou bruscamente:

— Intervenção de que natureza?

Ao que o rapaz só pôde responder com a voz de um penitente:

— Um suicídio, *monsieur*.

— De quem?

— Um homem, senhor. Acredita-se ter sido um homem.

Poucas horas depois de minha chegada a Les Deux Églises, eu me dirigi à enseada: à *minha* enseada, meu refúgio, meu local de consolação. Primeiro, a caminhada arrastada pela encosta gramada até o limite das minhas terras, depois outra caminhada penosa ao longo da trilha do despenhadeiro, e, ao seu pé, o pequeno trecho de areia. A cada lado desse trecho, pedras baixas e compridas parecendo jacarés cochilando. Era aqui que eu vinha para pensar em meus tempos de garoto. Foi para cá que eu trouxe minhas mulheres ao longo dos anos — os amores, os meios-amores, os quartos de amores. Mas a única mulher por quem eu ansiava era Doris. Eu me martirizava com o fato de nós nunca termos tido uma única conversa que não fizesse parte do nosso disfarce. Mas eu não tinha compartilhado com ela cada hora vicária de sua vida, dormindo e acordando, pela porra de um ano inteiro? Não tinha reagido a cada impulso dela, a cada guinada de pureza, lascívia, revolta e vingança? Me apontem outra mulher que eu tenha conhecido por tanto tempo, e tão intimamente, antes mesmo de dormir com ela.

Ela havia me empoderado. Fizera de mim o homem que eu nunca tinha sido até então. Mais de uma mulher ao longo dos anos me disse — com delicadeza, frieza ou desilusão — que eu não tinha aptidão para o sexo; que eu era incapaz de dar ou receber sem reservas; que eu era desajeitado, contido; que me faltava o verdadeiro fogo instintivo.

Mas Doris *soube* de tudo isso, antes mesmo de nos abraçarmos. Ela soube quando nos esbarramos, e também quando me tomou nu em seus braços, me recebeu, me absolveu, me mostrou; então se moldou em mim até que nos sentimos como velhos amigos, e então amantes atentos e, por fim, rebeldes triunfantes, liberados de tudo o que ousava controlar nossas vidas.

Ich liebe Dich. Eu fui sincero quando disse isso. Sempre seria. E, quando eu voltasse à Inglaterra, falaria isso para ela de novo e contaria para George que eu tinha me declarado dessa forma, e argumentaria com ele que eu tinha cumprido meu tempo de serviço, e até mais, e, que se eu tivesse de abandonar o Serviço para me casar com Doris e lutar de forma justa por Gustav, faria isso também. Eu me manteria fiel à minha posição, e nem mesmo George, com todos os seus argumentos aveludados, iria me convencer do contrário.

Mas, mal eu havia tomado essa grande e irreversível decisão, a bem documentada promiscuidade de Doris veio me assombrar. Era esse o verdadeiro segredo dela? Que fazia sexo com todos os seus homens com igual e indiscriminada generosidade? Quase cheguei a me convencer de que Alec o fizera antes de mim: duas noites inteiras juntos, pelo amor de Deus! Tudo bem, a primeira com Gustav a tiracolo. Mas e aquela segunda noite, espremidos dentro do Trabant, só os dois, aconchegados para se aquecer — a cabeça dela no ombro dele, segundo as próprias palavras de Alec! — enquanto ela desnudava sua alma para ele — e o que mais tenha desnudado —, enquanto eu, mensageiro incidental, podia contar as palavras que Doris e eu tínhamos conseguido trocar na nossa vida inteira.

Mas mesmo quando eu conjurava esse espectro de traição imaginária, sabia que estava me iludindo, o que tornava a ignomínia mais dolorosa. Alec não era esse tipo de homem. Se Alec, em vez de mim, tivesse passado a noite com Doris no Hotel Balkan, teria ficado sentado fumando placidamente a um canto, assim como fizera naquela noite em Cottbus, enquanto Doris segurava Gustav, e não Alec, em seus braços.

Eu ainda olhava para o mar, raciocinando dessa forma errante e infrutífera, quando percebi que não estava sozinho. Em meu devaneio autocentrado, nem havia reparado que estava sendo seguido. Pior, que tinha sido seguido pelo representante menos palatável da nossa comunidade: Honoré, o anão venenoso, negociante de adubo, pneus usados e coisa pior. Tinha uma aparência sinistra de duende: atarracado, ombros largos, rosto maligno sob um boné bretão e usando um guarda-pó, os pés escarranchados à beira do despenhadeiro, olhando para baixo.

Gritei para ele. Perguntei, com certo desdém, como podia ajudá-lo. O que eu realmente insinuei com a pergunta foi: vá embora e me deixe sozinho com meus pensamentos. Sua resposta foi descer pela trilha do penhasco e, depois de lançar um olhar rápido para mim, empoleirar-se numa pedra próxima ao mar. O céu escurecia. Do outro lado da baía, as luzes de Lorient começavam a brilhar. Depois de um tempo, ele ergueu a cabeça e olhou para mim, com uma expressão inquisitiva. Sem obter nenhuma reação, sacou uma garrafa das profundezas do guarda-pó e, depois de encher dois copos de papel saídos do outro bolso, fez um sinal para que eu me juntasse a ele, o que, por educação, eu fiz.

— Pensando na morte? — perguntou em voz baixa.

— Não conscientemente.

— Numa mulher? Outra?

Ignorei-o. Mas fui surpreendido por sua misteriosa cortesia. Seria nova? Ou eu é que não a havia notado antes? Ele ergueu o copo; ergui o meu até o dele. Na Normandia, eles chamariam de Calvados, mas, para nós, bretões, é Lambig. Na versão de Honoré, era o líquido que passavam nas ferraduras dos cavalos para endurecê-las.

— Ao seu virtuoso pai — disse ele, falando para o mar. — O grande herói da Resistência. Matou um monte de Hunos.

— É o que dizem — respondi, circunspecto.

— Medalhas também.

— Uma ou duas.

— Torturaram o homem. E depois o mataram. Herói duas vezes. Bravo — disse ele, e bebeu de novo, ainda olhando para o mar. — Meu pai foi um herói também — prosseguiu. — *Grande* herói. Mega. Maior do que o seu por dois metros.

— O que foi que ele fez?

— Colaborou com os Hunos. Prometeram a ele que dariam a independência à Bretanha quando ganhassem a guerra. O babaca acreditou neles. A guerra acabou, e os heróis da Resistência o enforcaram na praça da aldeia, o que sobrou dele. Grande multidão. Muitos aplausos. Deu para ouvir pela cidade inteira.

Teria ele ouvido também, talvez? Tapando os ouvidos, agachado no porão da casa de alguma pessoa bondosa? Fiquei com a sensação de que devia ter acontecido assim.

— Por isso é melhor comprar sua bosta de cavalo de outra pessoa — continuou. — Ou eles vão enforcar você também.

Esperou que eu dissesse algo, mas nada me veio à cabeça, então ele reabasteceu nossos copos de papel e continuamos a olhar para o mar.

*

Naqueles dias, os camponeses ainda jogavam *boules* na praça do vilarejo e entoavam canções bretãs quando estavam bêbados. Determinado a passar por um ser humano normal, compartilhei sua *cidre* e assisti ao espetáculo de horror, *à la* Grand Guignol, que eram as fofocas locais: o casal da agência de correio que se trancou no quarto de cima e não quer sair porque o filho se suicidou; o coletor de impostos distrital cuja mulher o deixou porque seu pai sofre de demência e desce para o café da manhã completamente vestido às duas da manhã; o produtor de leite do vilarejo vizinho que foi preso por dormir com as filhas. E a tudo isso eu me esforçava para menear a cabeça nos momentos certos enquanto as perguntas que não me abandonavam se multiplicavam e se aprofundavam.

*

A incrível e estranha facilidade da coisa toda, pelo amor de Deus!

Por que tudo funcionou como um relógio quando, em qualquer outra operação na qual eu já estive envolvido, nada havia corrido com tamanha precisão, mesmo que tivesse chegado a um fim bem-sucedido?

Uma funcionária da Stasi em fuga num estado policial vizinho fervilhando de informantes? A Segurança Tcheca, notória por sua crueldade e eficiência? No entanto, longe de sermos inspecionados, seguidos, escutados e até interrogados, somos gentilmente conduzidos para os portões de saída?

E desde quando, me digam, a Inteligência Francesa passou a ser tão impecável? O que se dizia dela era que estava dilacerada por rivalidades internas. Incompetente e infiltrada de alto a baixo, e por que *isso* me soa familiar? Ainda assim, de repente, eles são mestres no que fazem — serão mesmo?

E se essas eram minhas suspeitas, e eram de fato, e se tornavam mais ensurdecedoras a cada minuto, o que eu me propus a fazer com relação a elas? Compartilhá-las com Smiley também antes de jogar a toalha e pedir demissão?

Mesmo nesse momento, pelo que eu sabia, Doris estava enclausurada com seus inquisidores em alguma fortaleza rural. Estaria contando a eles que fizemos amor ardentemente? Em questões do coração, o autocontrole não era bem o seu forte.

E se os interrogadores dela começassem a suspeitar, como eu, de que sua fuga pela Alemanha Oriental e pela Tchecoslováquia tinha sido fácil demais, a que conclusões poderiam chegar?

Que fora uma armação? Que ela era uma infiltrada, uma agente dupla, parte de um jogo de dissimulação de alto risco? E que Peter Guillam, o tolo dos tolos, havia dormido com o inimigo? Isto era algo em que eu estava começando a acreditar quando Oliver Mendel me ligou às cinco da manhã e me ordenou, em nome de George, que seguisse para a cidade de Salisbury pelo caminho mais rápido? Nenhum "Como vai, Peter?". Nem "Desculpe tirá-lo da cama de madrugada". Simplesmente "George mandou você deslocar seu traseiro aqui para o Acampamento 4 o mais rápido possível, filho".

Acampamento 4: a casa segura do Conjunto em New Forest.

*

Sentando-me no último assento que restava de um avião pequeno em Le Touquet, começo a imaginar o tribunal sumário que me aguarda. Doris confessou que é agente dupla. Está usando nossa noite de paixão como uma espécie de cortina de fumaça.

Mas então minha outra metade assume o comando. Ela ainda é a mesma Doris, pelo amor de Deus. Você a ama. Você disse isso a ela, ou acha que disse, e, de um modo ou de outro, ainda é verdade. Por isso, não corra para fazer julgamentos precipitados só porque você mesmo está prestes a ser julgado!

Quando desembarquei em Lydd, não via nenhuma lógica em nada daquilo. Quando meu trem chegou à estação de Salisbury, ainda não via. Mas pelo menos eu tinha tido tempo para elucubrar em relação à escolha do Acampamento 4 como o lugar do interrogatório de Doris. Não era, pelos padrões do Circus, a mais secreta em seu arquipélago de casas seguras, nem a mais resguardada. No papel, tinha tudo a seu favor: pequena propriedade no coração de New Forest, não pode ser vista da estrada, construção baixa de dois andares, jardim murado, um regato, um lago, quatro hectares de terra, uma parte arborizada, e o lugar todo envolto por uma cerca de dois metros de altura de tela de arame coberta por arbustos que a ocultam.

Mas, para o interrogatório de uma agente estimada, tirada somente poucos dias antes das mandíbulas da Stasi, que a empregava? Um pouco precário, certamente, um pouco mais visível do que George teria desejado, se Conjunto não fosse o dono da operação.

Na estação de Salisbury, um motorista do Circus chamado Herbert, que eu conhecia do meu tempo na seção dos Caçadores de Escalpos, segurava um cartaz com os dizeres "Passageiro para Barraclough", um dos nomes profissionais de George. Mas, quando ensaiei uma conversa amigável, Herbert disse que não estava autorizado a falar comigo.

Chegamos à comprida entrada de carros esburacada. Invasores seriam processados. Galhos baixos de limão e bordo roçaram o teto da van. Das sombras, avolumou-se a figura improvável de Fawn, seu primeiro nome desconhecido, um ex-instrutor de combate desarmado em Sarratt e eventual braço forte da Secretas. Mas o que raios *Fawn* estaria fazendo aqui, logo ele, quando o Acampamento 4 se vangloriava de seus guardas de segurança, na forma daquele celebrado casal gay amado por todos os trainees, os senhores Harper e Lowe? Então, lembrei que Smiley nutria apreço profissional por Fawn e o usara em uma certa quantidade de tarefas difíceis.

O motorista encostou a van, Fawn deu uma espiada em mim, sem sorrir, e, com um aceno de cabeça, nos deixou passar. A pista se elevou. Um par de sólidos portões de madeira se abriu e fechou atrás de nós. À nossa direita, a casa principal, uma imitação de mansão em estilo Tudor construída para um cervejeiro. À nossa esquerda, as cocheiras, dois barracões Nissen e um majestoso celeiro com telhado de palha chamado A Varanda. Três Ford Zephyrs e uma van Ford preta estavam estacionados no pátio; e, à frente deles, o único ser humano à vista, Oliver Mendel, inspetor de polícia aposentado e aliado de longa data de George, segurando um walkie-talkie junto ao ouvido.

Eu salto da van, puxando minha mochila atrás de mim. Grito: "Olá, Oliver! Cheguei!" Mas Oliver Mendel não mexe um músculo sequer, apenas murmura no seu walkie-talkie enquanto me observa caminhar até ele. De novo, vou cumprimentá-lo, mas desisto da ideia. Oliver murmura no aparelho "Está bem, George" e desliga.

— Nosso amigo está um tanto *ocupado* no momento, Peter — diz ele, em tom solene. — Tivemos um pequeno incidente. Se não se importa, você e eu vamos dar uma caminhada pelo terreno.

Entendi o recado. Doris contou tudo, até o *Ich liebe Dich*. Nosso amigo George está *ocupado*, o que significa que está revoltado, furioso, enojado pelo discípulo eleito que falhou com ele. Não consegue falar comigo e, então, delegou ao seu sempre confiável inspetor Oliver Mendel aplicar ao jovem Peter a descompostura de sua vida e, provavelmente, suas ordens de cair fora também. Mas por que Fawn? E por que essa sensação de um acampamento abandonado às pressas?

Subimos um trecho de gramado e estamos de pé obliquamente um ao outro, e não duvido de que essa seja a intenção de Mendel. Nossos olhares estão fixos em algum objeto incerto à meia distância: um par de bétulas, um antigo pombal.

— Tenho um recado triste para você, Peter.

Lá vamos nós.

— Lamento informar que aquela fonte secundária Tulip, a senhora que você exfiltrou com sucesso da Tchecoslováquia, foi declarada morta esta manhã.

*

E, como depois ninguém se lembra muito bem do que disse numa hora dessas, e eu não sou exceção, não vou me creditar o grito padrão de dor, horror ou descrença. Sei que parei de ver qualquer coisa com clareza, tanto o par de bétulas quanto o pombal. Sei que o dia estava ensolarado e quente para aquela época do ano. Sei que queria vomitar, mas, fiel à minha natureza inibida, consegui não fazer isso. Sei que acompanhei Mendel até o caramanchão abandonado, que fica na extremidade mais ao sul da propriedade, separado da casa principal por um bosque de ciprestes. E que, quando nos sentamos na varanda de piso de madeira, estávamos olhando para um campo de *croquet* com a grama alta, porque me lembro dos aros enferrujados se sobressaindo em meio ao capim.

— Pendurada pelo pescoço até morrer, receio informar, filho — estava dizendo Mendel, proferindo as palavras da sentença de morte. — Ela mesma fez o serviço. Do galho baixo de uma árvore do outro lado daquele declive ali. Perto da ponte. Localização no ponto 217 do mapa. Extinção da vida atestada às 08h00 pelo Dr. Ashley Meadows.

Ash Meadows, famoso psiquiatra com consultório em Harley Street, amigo improvável de George. Colaborador eventual do Circus, especialmente no caso de desertores neuróticos.

— Ash está aqui?

— Com ela, agora.

Processo a notícia devagar. Doris está morta. Ash está com ela. Um médico fica de guarda sobre os mortos.

— Ela deixou um bilhete ou algo assim? *Contou* a alguém o que ia fazer?

— Ela simplesmente se enforcou, filho. Com um pedaço emendado de corda de alpinismo de náilon que parece ter encontrado nas instalações. Quase três metros de comprimento. Provavelmente esquecido por aí após uma sessão de treinamento. Uma atitude negligente, na minha opinião.

— Alguém já contou a Alec? — pergunto, lembrando da cabeça dela repousando no ombro dele.

Sua voz de policial de novo.

— George vai contar para o seu amigo Alec Leamas o que Alec precisa saber quando precisar saber, e não antes, filho. E George escolherá o melhor momento para fazer isso. Entendido?

Entendido que Alec ainda acredita que deixou Tulip em segurança.

— Onde ele está agora? Não Alec. George — pergunto, estupidamente.

— Neste exato momento, George está engajado num diálogo com um cavalheiro suíço desavisado, na verdade. Apanhado numa armadilha em nosso terreno, pobre sujeito. Não exatamente uma armadilha de laço, mas um pega-ladrão, colocado por um inescrupuloso invasor à procura de carne de veado, é o que podemos supor. Uma armadilha enferrujada, escondida na grama alta, nos disseram. Podia estar ali não se sabe há quanto tempo. Mas a mola não foi afetada. E aqueles dentes podiam ter decepado o pé dele, me disseram. Até que teve sorte. — E, diante de meu silêncio prolongado, no mesmo tom coloquial: — O tal indivíduo suíço cultiva o hobby da ornitologia, o que respeito, sendo eu mesmo um entusiasta, e ele estava observando pássaros. Não pretendia invadir a propriedade, mas acabou invadindo, o que ele lamenta. Coisa que eu faria também. O que me choca, cá entre nós, é que Harper e Lowe não tenham detectado a armadilha em suas rondas pela propriedade. Tiveram sorte de não cair nela eles mesmos, é tudo o que eu posso dizer.

— Por que George está com ele agora? — e suponho que o que eu queria dizer era *numa hora destas*.

— O cavalheiro suíço? Bem, ele é uma testemunha, não é, filho? O cavalheiro suíço. Goste ou não disso. Estava na propriedade, sim, por engano, um observador de pássaros como eu, isso pode acontecer, mas aconteceu num momento relevante, para azar dele. George naturalmente deseja saber se o cavalheiro viu ou ouviu qualquer coisa que possa lançar alguma luz ao caso. Talvez a pobre Tulip tenha se dirigido a ele de alguma maneira. Pensando bem, é uma situação delicada. Estamos numa instalação altamente secreta e Tulip não aterrissou oficialmente no Reino Unido, por isso o cavalheiro suíço tropeçou no que poderíamos chamar de um ninho de vespa. Isso tem que ser levado em conta, de qualquer maneira.

Eu o ouvia, mas sem escutá-lo de verdade.

— Eu preciso vê-la, Oliver — falei.

Ao que, sem demonstrar surpresa, ele retrucou:

— Então fique aqui mesmo, filho, enquanto eu me dirijo ao lá de cima, e não se mexa em hipótese nenhuma.

Tendo dito isso, ele atravessou a passos largos o gramado alto do campo abandonado de *croquet*, murmurando outra vez em seu walkie--talkie. A um gesto seu, eu o segui pela porta maciça da Varanda. Ele bateu na porta e recuou um pouco. Depois de alguma demora, a porta se abriu com um rangido e lá estava Ash Meadows em pessoa, um ex--jogador de rúgbi de cinquenta anos de idade com suspensórios vermelhos e camisa de flanela xadrez, fumando o cachimbo de sempre.

— Sinto muito por isso, meu velho — disse Ash, afastando-se para me dar passagem; então falei que sentia muito também.

Numa mesa de pingue-pongue no centro do grande celeiro, jazia a efígie de uma mulher esguia num saco próprio para transportar cadáver com o zíper fechado. Ela estava deitada de barriga para cima.

— A pobre garota nunca soube que era chamada de Tulip até chegar aqui. — Ash fazia sua reminiscência na voz sussurrada que evidentemente havia aperfeiçoado para falar na presença dos mortos. — Assim que soube que era Tulip, Deus ajudasse qualquer um que a chamasse por outro nome. Tem certeza de que quer fazer isso?

O que ele queria dizer era: eu estava pronto para ele abrir o zíper? Eu estava.

Seu rosto, pela primeira vez desde que o conheci, estava inexpressivo. Seus cabelos ruivos presos em uma trança amarrada com uma fita verde, a trança caída ao lado da cabeça. Olhos fechados. Nunca, até então, eu a vira adormecida. O pescoço, uma crosta de azuis e cinza.

— Ok, Peter, meu velho?

E fechou o zíper mesmo assim.

*

Sigo Mendel até o ar fresco. À minha frente, o monte de grama sobe até um arvoredo de castanheiras. Tem-se uma bela vista do alto: a casa principal, uma floresta de pinheiros, campos ao redor. Porém, mal eu tinha começado a subir, Mendel colocou a mão na minha frente para barrar o meu avanço.

— Ficaremos aqui embaixo, se não se importa, filho. Não vale a pena chamar atenção — diz ele.

E suponho não ser surpresa o fato de eu não ter pensado em questionar seu motivo para falar isso.

Em seguida, há um momento — não sei precisar quantos minutos durou — em que parecemos caminhar a esmo. Mendel me conta de sua criação de abelhas. Depois me fala de seu cão de resgate Poppy, um Labrador Golden, pelo qual sua mulher é louca. Poppy, pareço lembrar, era um cachorro, não uma cadela. Lembro-me também de ter ficado surpreso, porque acho que não sabia que Oliver Mendel tinha mulher.

Pouco a pouco, começo a falar também. Quando me pergunta como vão as coisas na Bretanha, e se a colheita promete, e quantas vacas temos, eu lhe faço um relato preciso e lúcido, o que presumivelmente é o que ele estava esperando, porque, quando chegamos ao caminho de cascalho que passa pela Varanda e leva até a cocheira, ele se afasta de mim e fala algo breve em seu walkie-talkie. Quando volta a se dirigir a mim, não é mais o conversador casual, mas o policial de novo.

— Agora, filho. Sua atenção, por favor. Você vai ouvir a outra metade da história. Vai ver o que vai ver, não reagirá de nenhuma maneira e permanecerá em completo silêncio quanto ao que terá visto. Essas não são ordens minhas. São de George, pessoais para você. Além do mais, filho, se por acaso ainda estiver se culpando pelo suicídio daquela pobre senhora, pode deixar disso *agora*. Entendeu? Isso não é o George falando. Sou eu. Fala alguma coisa de suíço?

Ele sorria e, para minha surpresa, eu também. Nossa caminhada a esmo assumiu um propósito pétreo. Eu havia me esquecido, momentaneamente, do cavalheiro suíço. Eu tinha deduzido que Mendel estava de conversa fiada para me distrair. Agora o misterioso observador de pássaros que havia invadido o terreno por engano voltou com força total. Na extremidade do desfiladeiro, estava Fawn. Atrás dele, erguiam-se os degraus de pedra até uma entrada verde-oliva com a placa PERIGO DE MORTE, MANTENHA DISTÂNCIA.

Subimos. Fawn ia à frente. Chegamos a um palheiro. Arreios mofados de cavalos pendiam de velhos ganchos. Passamos por fardos de feno apodrecidos até que chegamos ao Submarino, uma célula de isolamento construída para instruir os recrutas nas artes nada galantes de resistir a interrogatórios violentos e de ministrá-los. Em nenhum curso de atualização a que eu havia comparecido podiam faltar o gostinho de suas paredes acolchoadas sem janela, algemas para os pés e as mãos, e efeitos sonoros de explodir a cabeça. A porta era de aço pintado de preto com um olho mágico que permitia espreitar apenas de fora para dentro.

Fawn mantém distância, Mendel avança até o Submarino, inclina-se para a frente, gira o olho mágico, recua de novo, faz um sinal com a cabeça para mim: sua vez. E, num sussurro, apressadamente:

— Só que ela não se enforcou, não é, filho? Foi nosso ornitólogo que fez o serviço.

Nas minhas sessões de treinamento, nunca houvera mobília dentro do Submarino. Ou você se deitava no chão de pedra, ou caminhava no escuro total enquanto os alto-falantes berravam até você não aguentar mais ou os funcionários em comando decidirem que você já tinha sofrido o suficiente. Mas esses dois improváveis ocupantes do Submarino haviam sido brindados com o luxo de uma mesa de carteado com toalha de feltro vermelha e duas cadeiras perfeitamente decentes.

Numa cadeira, está sentado George Smiley, com a cara que só George tem quando conduz um interrogatório: um pouco desconcertado, um pouco atormentado, como se a vida fosse um grande desconforto para ele e ninguém pudesse torná-la tolerável, exceto talvez você.

E à frente de George, na outra cadeira, está sentado um homem louro da minha idade, com feridas recentes ao redor dos olhos, uma perna nua enfaixada e esticada à sua frente e as mãos algemadas com as palmas para cima sobre a mesa, como as de um pedinte.

E, quando ele vira a cabeça, eu vejo exatamente o que a essa altura já esperava ver: uma velha cicatriz parecendo o resultado de um golpe de espada ao longo da face direita.

E, embora eu mal possa ver por causa das contusões, sei que ele tem os olhos azuis, porque era o que dizia em sua ficha criminal, a qual, três anos antes, eu havia roubado para George Smiley, depois que ele fora espancado com um porrete até quase a morte pelo homem que está sentado à sua frente agora.

Interrogando ou negociando? O nome do prisioneiro — como eu poderia esquecer? — é Hans-Dieter Mundt. Um ex-integrante da Missão do Aço da Alemanha Oriental em Highgate, que desfrutava de status oficial, mas não diplomático.

Durante sua estada em Londres, Mundt matou um vendedor de carros, no leste da cidade, que sabia demais para o seu gosto. Quando tentou matar George, foi pela mesma razão.

E, agora, aqui está o mesmo Mundt sentado no Submarino, um assassino da Stasi treinado na KGB, fingindo ser um ornitólogo suíço preso numa armadilha para apanhar veado, enquanto Doris, que só queria ser conhecida como Tulip, jaz morta a menos de quinze metros dele. Mendel está puxando meu braço. É só um breve percurso de carro até onde vamos, Peter. George se juntará a nós depois.

— O que aconteceu com Harper e Lowe? — pergunto a ele quando estamos a salvo no carro, o único assunto que me vem à cabeça.

— Meadows mandou Harper para o hospital para tratar do rosto. Lowe está segurando a mão dele. Nosso amigo ornitólogo não se mostrou muito manso depois que foi solto da armadilha em que pisara, digamos assim. Ele precisou de uma boa intervenção nossa, como você deve ter observado.

*

— Tenho dois papéis para você, Peter — diz Smiley, e me entrega o primeiro.

São duas da manhã. Estamos sozinhos na mesma sala principal da mesma casa policial meio distanciada, em algum lugar nos arredores de New Forest.

Nosso anfitrião, um velho amigo de Mendel, acendeu uma lareira a carvão para nós e trouxe uma bandeja de chá e biscoitos doces antes de se retirar para o andar de cima com a mulher. Nem tomamos o chá, nem tocamos os biscoitos. O primeiro papel é um simples cartão-postal inglês branco, sem selo. Existem marcas de arranhão nele, como se tivesse sido enfiado por um espaço estreito, talvez por baixo de uma porta. O lado do endereço está em branco. No outro lado há uma mensagem em alemão, escrita à mão e com tinta azul-escura, tudo em maiúsculas:

> SOU UM BOM AMIGO SUÍÇO QUE PODE LEVÁ-LA AO SEU GUSTAV. ENCONTRE-ME NA PASSARELA À OIHOO. TUDO VAI SER RESOLVIDO. SOMOS PESSOAS CRISTÃS. [Sem assinatura.]

— Por que esperar até que ela chegasse à Inglaterra? — consigo perguntar a George depois de um bom tempo. — Por que não matá-la na Alemanha?

— Para proteger a fonte deles, obviamente — retruca Smiley num tom que reprova a lentidão do meu raciocínio. — A pista foi dada pela Central de Moscou, que, naturalmente, insistiu em discrição. Nada de acidente de carro nem algo igualmente planejado. Melhor uma morte autoinfligida, que causará a maior consternação possível no campo inimigo. Eu vejo isso como inteiramente lógico, você não? Então, você não, Peter?

A raiva está no controle férreo de sua voz habitualmente gentil, na rigidez de suas feições normalmente suaves. Raiva como auto-aversão. Raiva diante da monstruosidade do que ele teve de fazer, desafiando qualquer instinto decente.

— *Guiamos* foi o verbo eleito por Mundt — continua ele, sem aguardar minha resposta, nem esperar uma. — Nós a *guiamos* até Praga, nós a *guiamos* até a Inglaterra, nós a *guiamos* até o Acampamento 4. Então, nós a estrangulamos e a enforcamos. Nunca *eu*. Sempre o coletivo *nós*. Eu disse para ele que o considerava desprezível. Gosto de pensar que entendeu o recado. — E, como se tivesse se esquecido: — Ah, e o outro papel é para você — entregando-me uma folha dobrada da papelaria Basildon Bond com "Adrien" rabiscado em letra grande, dessa vez em lápis de grafite macio. A caligrafia nítida e esmerada. Sem floreios desnecessários. Uma sincera colegial alemã escreve para seu correspondente inglês.

Meu querido Adrien, meu Jean-François.

Você é todos os homens que eu amo. Que Deus o ame também.

Tulip

— Perguntei se pretende guardar como lembrança ou queimar — repete Smiley em meu ouvido atordoado, no mesmo tom de raiva enregelada. — Sugiro a segunda opção. Millie McCraig a encontrou. Estava apoiada no espelho de maquiagem de Tulip.

Então, sem emoção aparente, ele me observa enquanto me ajoelho diante da lareira e deposito a carta de Doris, ainda dobrada, como uma oferenda para o carvão em brasa. E então me ocorre, em meio a todos os sentimentos turbulentos que me agitam, que George Smiley e eu estamos mais próximos do que gostaríamos em questões de amor fracassado. Eu danço mal. George, segundo sua mulher errante, simplesmente se recusa a dançar. E, ainda assim, eu não disse uma palavra.

— Existem certas condições úteis agregadas ao arranjo que acabei de fazer com Herr Mundt — prossegue ele, implacavelmente. — A gravação da nossa conversa, por exemplo. Seus mestres em Moscou e Berlim não ficariam felizes com ela, concordamos. Concordamos também que seu trabalho para nós, executado competentemente por ambos os lados, o fará avançar em sua distinta carreira na Stasi. Ele voltará para seus camaradas como um herói conquistador. Os mandachuvas do Diretório ficarão contentes com ele. A Central de Moscou ficará contente com ele. O cargo de Emmanuel Rapp está por um triz. Que Mundt se candidate a ele. Ele me garantiu que faria isso. À medida que a sorte lhe sorrir cada vez mais em Berlim e Moscou, e seu acesso se ampliar proporcionalmente, talvez um dia ele possa nos contar quem traiu Tulip e outros de nossos agentes que tiveram um fim prematuro. Temos muito a esperar do futuro, você e eu, não temos?

E, ainda assim, até onde me lembro, não digo nada, enquanto Smiley conclui com algo muito importante.

— Você, eu e poucas pessoas somos detentores desta informação extremamente privilegiada, Peter. No que diz respeito ao Conjunto e ao Serviço em geral, nós fomos gananciosos, trouxemos Tulip para cá muito apressadamente, não demos atenção a seus sentimentos mais profundos. Em consequência, ela se enforcou. Que é a versão que deve ser proclamada para a Central e para todas as estações no exterior. Não deve haver exceções onde quer que o Conjunto tenha influência. E isso, receio, inevitavelmente inclui nosso amigo Alec Leamas.

*

Nós a cremamos sob o nome de Tulip Brown, uma mulher de fé nascida na Rússia que havia fugido da perseguição comunista e se instalado numa vida solitária na Inglaterra. *Brown*, explicaram ao padre ortodoxo aposentado arranjado pelas senhoras da Secretas, que também providenciaram as tulipas no caixão, foi o sobrenome que ela se deu por medo de represália. O padre, um velho Eventual, não fez perguntas inconvenientes. Éramos seis: Ash Meadows, Millie McCraig, Jeanette Avon e Ingeborg Lugg da Secretas, Alec Leamas e eu. George tinha um compromisso em outro lugar. Terminada a cerimônia, as mulheres partiram e nós três, os homens, saímos em busca de um pub.

— Por que caralho essa porra dessa mulher tinha que fazer isso? — queixou-se Alec, as mãos na cabeça, enquanto estávamos sentados tomando nossos uísques. — Todo esse trabalho que tivemos. — E, no mesmo tom de indignação: — Se ela tivesse me dito o que ia fazer, eu nunca teria me dado à porra do trabalho.

— Nem eu — disse, lealmente, indo ao bar e pedindo mais três doses.

— O suicídio é uma decisão que certas pessoas tomam cedo na vida — pontificava o Dr. Meadows quando voltei. — Elas podem não *saber* disso, mas está *nelas*, Alec. Então, um dia, algo acontece que dispara o processo. Pode ser algo totalmente trivial, como esquecer a carteira no ônibus. Pode ser drástico, como a morte do melhor amigo. Mas a *intenção* sempre esteve presente. E o resultado é o mesmo.

Bebemos. Outro silêncio, dessa vez rompido por Alec.

— Talvez todos os *joes* sejam suicidas. Alguns só não chegam a consumar o ato, coitados. — E então: — Quem vai contar ao menino?

Menino? Claro. Ele está se referindo a Gustav.

— George disse para deixarmos isso com a oposição — respondi, ao que Alec grunhiu: — Jesus, que planeta. — E voltou a beber seu uísque.

10.

Parei de encarar a parede da biblioteca: Nelson, que substituiu Pepsi, está perturbado por minha desatenção. Eu obedientemente retomo a leitura do relatório que, em meu luto e remorso, compilei por ordem de Smiley, sem omitir nenhum detalhe, por mais extrínseco, na minha missão de registrar o segredo que apenas poucos compartilhariam.

FONTE SECUNDÁRIA TULIP. INTERROGATÓRIO E SUICÍDIO.
Interrogatório conduzido por Ingeborg Lugg (Secretas) e Jeanette Avon (Secretas). Em comparecimento periódico: Dr. Ashley Meadows, Eventual da Secretas.
Notas tomadas e conferidas por PG e aprovadas por C/Secretas Marylebone para submissão ao Comitê Supervisor do Tesouro. Cópia para C/Conjunto, para comentários.

Avon e Lugg são as melhores interrogadoras da Secretas, mulheres de meia-idade da Europa Central com longa experiência operacional.

1. *Recepção de TULIP e transferência para o Acampamento 4.*

À sua chegada num avião da RAF em Northolt, Tulip não passou pelas formalidades de desembarque, portanto, não entrando oficialmente no Reino Unido em nenhum momento. Descrevendo-se como "o representante de um Serviço que muito se orgulha de você", o Dr. Meadows fez um breve discurso de boas-vindas no salão de recepção VIP na área de trânsito e ofereceu-lhe um buquê de rosas inglesas, o que pareceu afetá-la bastante, pois ela as manteve encostadas ao rosto, silenciosamente, ao longo de toda a jornada.

Ela então foi levada numa van fechada diretamente até o Acampamento 4. Avon (nome profissional ANNA), sendo uma enfermeira qualificada com talento para fazer amizade, sentou-se com Tulip no banco traseiro, oferecendo-lhe consolo e conversando com ela. Lugg (nome profissional LOUISA) e o Dr. Meadows (nome profissional FRANK) se sentaram na frente com o motorista, pois sentiram que o elo entre Avon e Tulip teria mais chance de ser criado se as duas fossem deixadas sozinhas na parte de trás do veículo. Nós três falamos alemão fluentemente, Nível 6.

Durante a viagem, Tulip alternadamente cochilou e apontou, animada, para detalhes da paisagem que agradariam ao seu filho Gustav quando este chegasse ao Reino Unido, algo que ela parecia considerar iminente. Ela também indicou com entusiasmo trilhas e áreas onde gostaria de passear de bicicleta, também com Gustav. Perguntou duas vezes por "Adrien" e, ao ouvir que não conhecíamos nenhum Adrien, mudou o objeto de sua pergunta para Jean-François. O Dr. Meadows (Frank) então informou a ela que o mensageiro Jean-François tinha sido convocado para uma missão urgente, mas sem dúvida se faria presente no devido tempo.

A acomodação na ala de hóspedes do Acampamento 4 compreende um quarto principal, sala de estar, uma pequena cozinha e solário, este sendo uma extensão do século XIX em vidro e madeira com vista para a piscina externa (sem aquecimento). Todos os espaços, incluindo o solário e a área da piscina, estão equipados com microfones ocultos e instalações especiais.

Logo atrás da piscina há um bosque de coníferas cujos galhos inferiores, da maioria, foram cortados. A presença de corças é comum e elas podem ser vistas com frequência brincando junto à piscina. Em razão do perímetro cercado de arame, as corças são efetivamente um rebanho doméstico confinado à propriedade, dando ao Acampamento 4 uma aura de encanto e tranquilidade.

Primeiro, apresentamos Tulip a Millie McCraig (ELLA), que, a pedido do C/Secretas, já tinha sido instalada naquele dia como governanta da casa segura. A pedido do C/Secretas, microfones foram instalados em posições proeminentes, e os que ainda estavam ativos de operações anteriores foram desconectados.

Os aposentos pessoais da governanta da casa segura no Acampamento 4 se situam diretamente atrás do quarto de hóspedes, ao fim de um curto corredor. Um interfone conecta os dois apartamentos, permitindo ao convidado pedir assistência a qualquer hora da noite.

Por sugestão de McCraig, Avon e Lugg ocuparam quartos na casa principal, proporcionando a Tulip um ambiente inteiramente feminino.

Os guardas de segurança permanentes do Acampamento 4, Harper e Lowe, dividem aposentos na cocheira. Ambos são exímios jardineiros. Harper, como guarda-caça qualificado, controla a população de animais da propriedade. A cocheira também contém um quarto de hóspede, que foi ocupado pelo Dr. Meadows.

2. *Interrogatório, dias 1–5.*

O período inicial do interrogatório foi estipulado para de duas a três semanas, prorrogáveis, mais sessões de atualização de duração indeterminada, embora isso não tenha sido revelado a Tulip. Nossa tarefa imediata era acomodá-la, assegurá-la de que estava entre amigos, falar confiantemente de seu futuro (com Gustav), o que, no fim da primeira noite, sentimos que tínhamos conseguido, para nossa cautelosa satisfação. Ela foi informada de que o Dr. Meadows (Frank) era um dos vários entrevistadores com interesses especiais, e de que haveria outros que, como Frank, participariam apenas temporariamente das sessões. Ela foi informada ainda de que *Herr Direktor* (C/Secretas) estava ausente atendendo a questões urgentes relativas ao Dr. Riemeck (MAYFLOWER) e a outros integrantes da rede, mas ansiava muito pela honra de apertar a mão dela quando de seu retorno.

Sendo regra geral que os interrogatórios começassem quando o interrogado ainda estava "quente", nossa equipe reagrupou-se na sala de estar da casa principal prontamente às 09h00 da manhã seguinte. A sessão continuou, com intervalos, até as 21h05. A gravação em fita foi monitorada por Millie McCraig de seu apartamento, que também aproveitou a oportunidade para fazer uma busca detalhada na suíte e nos pertences de Tulip. O interrogatório era liderado por Lugg (Louisa) segundo a pauta, com contribuições de Avon (Anna) e intervenções do Dr. Meadows (Frank) sempre que surgia uma oportunidade de explorar o estado mental e a motivação de Tulip.

Apesar das tentativas de disfarçar o propósito das perguntas aparentemente inocentes de Frank, porém, Tulip foi rápida em identificar a natureza psicológica delas e, ao ser informada de que ele era psiquiatra, zombou dele por ser discípulo "daquele arquimentiroso e charlatão do Sigmund Freud". Furiosa, ela então anunciou que só tivera um médico na sua vida e seu nome era Karl Riemeck; que Frank era um babaca e que "se você [Dr. Meadows] quer ser de alguma utilidade para mim, então traga aqui o meu filho!". Não desejando ser uma presença negativa, o Dr. Meadows achou sensato voltar a Londres, mas ficar disponível caso seus serviços fossem necessários.

Nos dois dias seguintes, apesar de tais explosões periódicas, as sessões de entrevista prosseguiram com eficiência numa atmosfera de relativa calma, sendo as fitas de cada sessão encaminhadas toda noite para Marylebone.

De interesse primário para C/Secretas estava o fluxo de inteligência soviética sobre alvos britânicos, por menor que fosse, entrando no escritório de Rapp vindo de Moscou. Embora aceitando que muito pouco desse tipo de inteligência havia constado dos documentos que Tulip conseguira fotografar, havia talvez questões que ela lera ou ouvira a respeito das fontes vivas de Moscou no Reino Unido que ou esquecera ou não julgara digna de relatar? Havia alguma sugestão, algum rumor, por exemplo, de fontes vivas inseridas no establishment político e da inteligência britânicos? De criptógrafos infiltrados?

Apesar de fazermos tais perguntas a Tulip sob muitos disfarces diferentes e, a propósito, para sua irritação cada vez maior, não conseguimos chegar a nenhum resultado positivo. O valor da produção de Tulip deveria, mesmo assim, em nossa avaliação, ser cotado como alto a muito alto, levando em conta que seus informes foram severamente dificultados pelas condições operacionais. Durante todo o tempo que operou, ela só informava a Mayflower, nunca diretamente à Estação de Berlim. Questões de confidencialidade potencial não lhe foram transmitidas sob a alegação de que, caso divulgadas sob interrogatório, revelariam pontos fracos na armadura de nossa própria Inteligência. Estas poderiam ser colocadas agora sem restrição: por exemplo, perguntas referentes à confiabilidade de outras fontes secundárias potenciais ou ativas; identidade de diplomatas e políticos estrangeiros sob o controle da Stasi; a possível explicação de fluxos de pagamento secretos revelados em documentos que ela fotografara na mesa de Rapp, mas não efetuados; a localização e a aparência de instalações secretas de sinalização que ela visitara na companhia de Rapp, sua disposição, seus procedimentos de entrada, o tamanho, a forma e a direção de suas antenas, e qualquer prova da presença soviética ou não germânica no local; e, de um modo mais geral, qualquer outra informação secreta que até então não fora devidamente aproveitada, em razão da escassez de tempo disponível para *treffs* com Mayflower, da natureza dispersiva de suas conversas e das limitações impostas por métodos clandestinos de comunicação.

Embora frequentemente expressando frustração e expondo-a em linguagem chula, Tulip também parecia saborear o fato de ser o centro das atenções, até flertando de modo provocador, quando podia, com os dois guardas de segurança do Acampamento 4, Harper, o mais jovem, sendo particularmente favorecido. Com a chegada de cada noite, porém, o ânimo dela mudava depressa para um desespero culpado, seu principal objeto sendo seu filho Gustav, mas também sua irmã Lotte, cuja vida ela alegava ter arruinado com sua deserção.

A governanta da casa segura, Millie McCraig, sentava-se ao lado dela intermitentemente ao longo da noite. Tendo descoberto uma fé cristã compartilhada, as duas rezavam juntas com frequência, o santo preferido de Tulip sendo São Nicolau, do qual levara uma imagem em miniatura durante a exfiltração. O interesse que as duas compartilhavam pelo ciclismo mostrou-se mais um ponto em comum. Por insistência de Tulip, McCraig (Ella) arranjou um catálogo de bicicletas para crianças. Animada por descobrir que McCraig era escocesa, Tulip imediatamente pediu um mapa das Highlands para que pudessem combinar rotas de bicicleta juntas. Um mapa do Ordnance Survey foi entregue pela Central no dia seguinte. No entanto, seu humor perma necia oscilante e crises de nervos eram frequentes. Os sedativos e soníferos que McCraig lhe dava a seu pedido pareciam surtir pouco efeito.

A qualquer momento durante nossas sessões de entrevistas, Tulip exigia saber em que data Gustav seria trocado, e até se isso já havia acontecido. Em resposta, garantiam-lhe que a questão estava sendo negociada num nível mais elevado por *Herr Direktor* e não podia ser resolvida da noite para o dia.

3. Necessidades recreativas de TULIP.

A partir do momento de sua chegada ao Reino Unido, Tulip deixou clara sua necessidade de fazer exercícios físicos. O caça da RAF fora muito apertado, a viagem até o Acampamento 4 a fizera sentir-se como uma prisioneira, confinamento de qualquer tipo era insuportável para ela etc. Uma vez que as trilhas do Acampamento 4 não são adequadas ao ciclismo, ela correria. Tendo obtido seu número de sapato, Harper foi a Salisbury comprar um par de tênis e, nas três manhãs seguintes, Tulip e Avon (Anna), uma grande adepta de exercícios, correram juntas pelas trilhas do perímetro da propriedade antes do café da manhã. Tulip levava consigo uma bolsa a tiracolo leve para nela guardar qualquer fóssil ou pedra rara que pudesse interessar Gustav. Empregando o jargão russo, ela a chamou de "bolsa do talvez". O local também abriga um pequeno ginásio que, quando as outras opções falhavam, proporcionava a Tulip um alívio temporário de seu estresse evidente. Qualquer que fosse a hora, Millie McCraig nunca deixou de acompanhá-la ao ginásio.

A prática normal de Tulip era estar vestida e pronta junto à porta-janela de sua sala de estar às 06h00, à espera de Avon. No entanto, nesta manhã em particular, Tulip não estava lá. Avon, portanto, entrou na suíte de hóspedes pelo lado do jardim, chamando seu nome, batendo na porta do banheiro e, ao não receber resposta, abriu-a em vão. Avon então perguntou a McCraig pelo interfone por onde andaria Tulip, mas McCraig não soube lhe responder. Já bastante preocupada, Avon partiu então num passo apressado pela trilha do perímetro. Por precaução, enquanto isso, McCraig alertou Harper e Lowe de que nossa hóspede "havia se extraviado" e os dois guardas de segurança imediatamente começaram uma busca pela propriedade.

4. Descoberta de TULIP. Depoimento pessoal de J. Avon.

Entrando pelo lado leste, a trilha do circuito da propriedade se eleva abruptamente por uns vinte metros e depois se aplana por cerca de quatrocentos metros antes de virar para o norte e descer até um pequeno vale pantanoso atravessado por uma ponte de madeira, que por sua vez leva a uma escadaria ascendente de madeira de nove degraus, os superiores sendo parcialmente sombreados por uma frondosa castanheira.

Ao virar para o norte e começar minha descida para o vale, vi Tulip pendurada pelo pescoço de um galho baixo da castanheira, olhos abertos e mãos ao lado do corpo. Tenho a lembrança de que a distância entre seus pés e o degrau de madeira mais próximo não era maior do que trinta centímetros. O laço em torno de seu pescoço era tão fino que à primeira vista ela parecia estar flutuando em pleno ar.

Sou uma mulher de 42 anos. Devo enfatizar que registrei essas impressões da forma como permanecem na minha mente hoje. Sou treinada no Serviço e tenho experiência em emergência operacional. Portanto, é humilhante confessar que meu único impulso ao ver Tulip pendurada em uma árvore foi correr de volta à casa o mais rápido possível e pedir ajuda, em vez de tentar cortar a corda e ressuscitá-la. Lamento muitíssimo por essa falta de compostura operacional, embora me tenham assegurado categoricamente que Tulip estava morta havia pelo menos seis horas quando a encontrei, o que é um grande alívio para mim.

Além do fato de que eu não tinha nenhuma faca e a corda estava fora do meu alcance.

Relatório suplementar de Millie McCraig, governanta da casa segura, Acampamento 4, oficial de carreira grau 2, sobre o cuidado, a manutenção e o suicídio da fonte secundária TULIP. Cópia para George Smiley C/Secretas (somente).

Millie, como eu a conhecia naquela época: noiva do Serviço, filha devotada de um ministro da Igreja Presbiteriana Livre. Escala os Cairngorms, caça a cavalo com cães e tem um histórico em lugares perigosos. Perdeu o irmão na guerra, o pai, para um câncer, e o coração, segundo rumores, para um homem mais velho casado que amava mais a sua honra. Segundo as más línguas, o homem em questão era George, embora nada do que vi entre eles me levasse a acreditar nisso. Mas ai daquele, da jovem guarda, que tentasse botar um dedo nela. Millie não queria saber de nenhum de nós.

1. *Desaparecimento de TULIP.*
Tendo sido informada por Jeanette Avon às 06h10 de que Tulip tinha saído sozinha para uma corrida matutina, imediatamente pedi à segurança (Harper e Lowe) que iniciassem uma busca pela propriedade, concentrando-se na trilha em volta do terreno que, segundo entendi pelo relato de Avon, era a rota preferida de Tulip. Por precaução, empreendi então uma inspeção da suíte de hóspedes e verifiquei que suas roupas e seus tênis de corrida ainda estavam no guarda-roupa. As roupas do dia a dia e as peças íntimas francesas que ela recebeu em Praga, por outro lado, não estavam. Embora ela não possuísse nenhum documento de identidade nem dinheiro, sua bolsa de mão, que, conforme eu verificara anteriormente, nada mais continha além de alguns itens pessoais, também estava faltando.

Como a situação ultrapassava a competência de Secretas, e com C/Secretas estando ausente num serviço urgente em Berlim, tomei a decisão operacional de ligar para o oficial de plantão no Conjunto e pedir-lhe que informasse ao contato da polícia que uma paciente com problemas mentais com a descrição de Tulip estava desaparecida na vizinhança, que ela não era violenta, não falava inglês e estava se submetendo a tratamento psiquiátrico. Se encontrada, deveria ser trazida de volta a este Instituto.

Liguei então para o Dr. Meadows em seu consultório em Harley Street e deixei recado com sua secretária para que ele, por favor, retornasse o mais rápido possível ao Acampamento 4. Ao que fui informada de que, tendo recebido um recado da Central, ele já estava a caminho.

2. Descoberta de um intruso não autorizado no Acampamento 4.

Eu mal havia completado essas ligações quando tive notícias de Harper pelo sistema de telefonia interna do Acampamento 4, avisando-me de que, durante sua busca por Tulip, ele tinha descoberto, numa área arborizada próxima ao perímetro leste, uma pessoa ferida; um homem, aparentemente um intruso, que tendo aberto caminho por um buraco recém-cortado num ponto próximo à passagem secundária, havia pisado em uma antiga armadilha, parcialmente coberta pela vegetação, presumivelmente deixada ali por um caçador ilegal nos dias que antecederam a compra do local pelo Circus.

A referida armadilha, um dispositivo ilegal e antiquado, consistia em "dentes de dragão" enferrujados, ainda em funcionamento. O intruso, segundo Harper, havia prendido a perna esquerda no mecanismo e, ao tentar se desvencilhar, ficara ainda mais enredado. Falava bom inglês, mas com sotaque estrangeiro, e insistia que, tendo visto o buraco na cerca, havia entrado a fim de executar uma função natural. Explicou também que era um ornitólogo inveterado.

Com a chegada de Lowe, os dois homens liberaram o intruso da armadilha, e foi aí que ele deu um soco na boca do estômago de Lowe e uma cabeçada no rosto de Harper. Depois de alguma luta, os dois homens dominaram o intruso e o levaram à Varanda, que ficava convenientemente perto. Ele agora estava confinado na cela de detenção (Submarino), com um curativo temporário na perna esquerda. De acordo com os procedimentos de segurança vigentes, Harper havia feito um registro do incidente, fornecendo uma descrição tão completa quanto possível do intruso diretamente à Segurança Interna da Central e a C/Secretas, agora a caminho de volta de Berlim. Quando perguntei a Harper se ele ou Lowe tinham visto a desaparecida Tulip, ele respondeu que o intruso os desviara temporariamente de sua busca, que eles imediatamente reiniciariam.

3. Notícias da morte de TULIP.

Foi aproximadamente nessa hora que Jeanette Avon apareceu na varanda da casa principal com os nervos em frangalhos e anunciou que tinha visto Tulip pendurada pelo pescoço em uma árvore, presumivelmente morta, no ponto 217 do mapa da propriedade. Eu imediatamente repassei essa informação para Harper e Lowe e, tendo confirmado que o intruso estava imobilizado, eu os instruí a seguirem a toda velocidade ao ponto 217 e oferecerem a necessária assistência.

Acionei então um Alerta Vermelho solicitando que todo o pessoal de apoio residente se reunisse imediatamente na casa principal. Isso incluía as duas cozinheiras, um motorista, um homem da manutenção, duas faxineiras e dois homens da lavanderia: vide lista no Apêndice A. Informei-lhes que um cadáver havia sido encontrado na propriedade e que eles deveriam permanecer na casa principal até segunda ordem. Não achei necessário informar-lhes que um intruso não autorizado também fora encontrado.

Felizmente a esta altura o Dr. Meadows apareceu, tendo dirigido seu Bentley em alta velocidade. Nós dois partimos imediatamente pela trilha do perímetro leste na direção do 217. Quando chegamos, encontramos Tulip arriada da árvore e claramente morta, deitada no chão com uma braçadeira ao redor do pescoço, e Harper e Lowe de guarda ao lado dela. Harper, com o rosto sangrando depois da cabeçada que o intruso lhe deu, ficou encarregado de ligar para a polícia; Lowe, para uma ambulância. No caso, aconselhei que nenhum dos dois deveria ser chamado sem a aprovação de C/Secretas, que estava a caminho do Acampamento 4. O Dr. Meadows, depois de um exame preliminar do cadáver, foi da mesma opinião.

Assim, instruí Harper e Lowe para que voltassem à Varanda, não contatassem ninguém, aguardassem novas ordens e, de modo algum, tentassem conversar com o prisioneiro. Quando eles partiram, o Dr. Meadows me confidenciou que Tulip já estava morta várias horas antes de ser descoberta.

Enquanto o Dr. Meadows continuava a examinar a mulher morta, tomei nota de sua roupa, que consistia no *twin set* francês, saia plissada e scarpins. Os bolsos do casaco do *twin set* estavam vazios, exceto por dois lenços de papel usados. Tulip vinha se queixando de um leve resfriado. Sua "bolsa do talvez" estava cheia do restante de suas roupas de baixo francesas.

Nossas instruções, que a essa altura estavam sendo transmitidas ininterruptamente da Central para o sistema de comunicação do Acampamento 4, consistiam em transferir o corpo para a Varanda imediatamente. Convoquei, portanto, Harper e Lowe para atuarem como maqueiros. Eles atenderam na mesma hora, apesar de o ferimento de Harper estar sangrando profusamente.

Acompanhado do Dr. Meadows, voltei à casa principal. Avon tinha se recomposto e estava servindo chá e biscoitos ao pessoal e, de modo geral, animando-os. A chegada do grupo de crise da Central sob C/Secretas estava prevista para o meio da tarde. Enquanto isso, todos menos Harper e Lowe deveriam permanecer na casa principal enquanto o Dr. Meadows fazia curativos nas contusões faciais de Harper e atendia o intruso ferido, agora encarcerado no Submarino.

Nesse meio-tempo teve início uma discussão entre os que estavam confinados à casa principal. Jeannette Avon insistia em se considerar a pessoa mais responsável pelo suicídio de Tulip, mas me senti na obrigação de contradizer essa disposição dela. Tulip estava clinicamente deprimida, seu senso de culpa e saudade por Gustav eram insuportáveis, ela havia destruído a vida da irmã Lotte. O suicídio provavelmente já estava em seus pensamentos quando ela chegou a Praga e sem dúvida quando chegou ao Acampamento 4. Tinha feito suas escolhas e pago o preço.

E agora entra George, trazendo falsas mensagens:

4. Chegada de C/Secretas [Smiley] e Inspetor Mendel.
C/Secretas (Smiley) chegou às 15h55 acompanhado pelo inspetor (apstd) Oliver Mendel, um Eventual da Secretas. O Dr. Meadows e eu imediatamente os escoltamos até a Varanda.

Eu voltei, então, à casa principal, onde Ingeborg Lugg e Jeanette Avon, juntas, continuavam a aplacar a agitação do pessoal lá reunido. Levou duas horas para que o Sr. Smiley voltasse da Varanda acompanhado pelo inspetor Mendel. Convocando o pessoal, o Sr. Smiley prestou suas condolências, assegurando a todos de que a fonte secundária Tulip era a única culpada pela própria morte, e ninguém no Acampamento 4 tinha motivo para se repreender.

A noite agora estava se aproximando. Com o ônibus de ida e volta agora à espera no átrio e muitos da equipe ansiosos para voltar para casa em Salisbury, C/Secretas reservou um momento para tranquilizá--los em relação à descoberta de um "intruso misterioso" sobre quem alguns poderiam ter ouvido. Com o sorriso confiante do inspetor Mendel ao seu lado, ele confessou que iria "tagarelar" à equipe um segredo que eles normalmente não compartilhariam, mas que, por causa das circunstâncias, ele havia decidido que mereciam nada menos do que a revelação total dos fatos.

O intruso misterioso não era nenhum mistério, explicou. Era um valioso membro de uma seção de elite pouco conhecida de nosso serviço irmão, o MI5, encarregado de invadir por meios legais e ilegais as defesas das instalações mais sigilosas e secretas do nosso país. Por acaso, ele era também um amigo pessoal e profissional do inspetor Mendel aqui. Risos. Era da natureza de tais exercícios que a instalação-alvo não fosse informada, e o fato de que o exercício tenha sido marcado para o mesmo dia em que Tulip escolhera para se matar não era mais do que "o ato de uma Providência maligna", repetindo as palavras de Smiley. A mesma Providência havia guiado os pés do intruso até a armadilha de capturar veado. Risos. Harper e Lowe haviam se saído muito bem. Ambos tiveram a situação explicada para eles e pesarosamente a aceitaram, ainda que sentissem, compreensivelmente, que "nosso amigo havia de certo modo exagerado em sua reação violenta". — C/Secretas, com mais risadas.

E para nossa maior desinformação:

C/Secretas confidenciou também ao pessoal reunido que o intruso, que na verdade não era um estrangeiro, mas um honesto e autêntico britânico nativo de Clapham, já estava a caminho do pronto-socorro em Salisbury, onde receberia uma vacina antitetânica e onde cuidariam de seus ferimentos. O inspetor Mendel logo visitaria seu velho amigo e levaria para ele uma garrafa de uísque com os cumprimentos do Acampamento 4. Aplausos.

*

O show de Bunny e Laura recomeça. Nada de Leonard. Bunny lidera. Laura ouve com um ar cético.

— Então você compilou seu relatório. Com detalhes tediosos, se me permite dizer. Juntou todas as provas disponíveis e mais algumas. Mandou uma cópia para o Comitê. E então *roubou a mesma cópia de volta* dos arquivos do Circus. Isso resume a história?

— Não, não resume.

— Então por que seu relatório está armazenado aqui no Estábulo junto com uma porção de papéis que você *realmente* roubou?

— Porque ele nunca foi mandado para apreciação.

— Para ninguém?

— Para ninguém.

— Nenhuma parte dele? Nem mesmo uma versão resumida?

— O Comitê do Tesouro decidiu não se reunir.

— Você está falando do chamado Comitê dos Três Sábios, eu imagino? Do qual o Circus tinha suposto pavor?

— Era presidido por Oliver Lacon que, após muita meditação, concluiu que um relatório não servia a nenhum propósito útil. Nem mesmo uma versão resumida.

— Com base em quê?

— No fato de que uma investigação sobre o suicídio de uma mulher que não havia aterrissado no Reino Unido não era uma forma válida de usar o dinheiro dos contribuintes.

— Lacon foi levado a essa decisão por George Smiley por alguma razão plausível?

— Como eu poderia saber?

— Facilmente, eu imagino. Se era seu rabo entre outros que Smiley estava protegendo, se, por exemplo, escolhendo um caso puramente hipotético, aleatoriamente, presumíssemos que Tulip tivesse se enforcado por sua causa. Existia talvez algum elemento ou episódio em particular do relatório que Smiley considerava perturbador demais para os ouvidos sensíveis do Tesouro?

— Para os ouvidos particularmente sensíveis do Conjunto. Não do Tesouro. Conjunto já estava enfronhado muito fundo na operação Mayflower, para o consolo de George. Ele pode ter achado que uma investigação abriria ainda mais a porta. E aconselhado Lacon nesse sentido. Isso é só um palpite meu.

— Por acaso você não acha que a verdadeira razão para que a investigação fosse engavetada foi que Tulip não era a desertora cooperativa que disseram que ela era, pelo menos não pelo seu relatório puxa-saco, e que pagou o preço?

— Que *preço*? Do que diabos você está falando?

— Ela era uma mulher de grande determinação. Sabemos disso. Era também, quando queria ser, uma megera. E queria o filho de volta. Estou sugerindo que ela se recusou a cooperar com a equipe de interrogatório enquanto o filho não lhe fosse devolvido, e seus interrogadores não viram aquilo com bons olhos, e o relatório deles, o seu relatório, foi uma invencionice, montada seguindo ordens de Smiley. E o Acampamento 4, desde então desativado, se gabava de ter, como sabemos, uma cela de confinamento especial para pessoas como ela. Conhecida como Submarino. Era usada para aquilo que hoje em dia gostamos de chamar de interrogatório intensivo, e era o domínio de dois guardas de segurança um tanto pervertidos, não conhecidos por seus modos gentis. Estou insinuando que ela mereceu suas atenções. Você parece chocado. Toquei num ponto delicado?

Levei um instante até chegar lá:

— Tulip não foi *interrogada*, pelo amor de Deus! Ela estava no processo de ser ouvida, de um jeito humano e decente, por profissionais que gostavam dela e que lhe eram gratos, e entendiam os chiliques de um desertor!

— Então ria com essa aqui — sugere Bunny. — Temos outra *notificação extrajudicial* e outro litigante em potencial se o caso for a tribunal. Um certo Gustav Quinz, filho de Doris, aparentemente, mas não com certeza, por instigação de Christoph Leamas, acrescentou seu nome ao daqueles que estão dispostos a processar este Serviço. Nós, este Serviço, principalmente na sua pessoa, seduzimos a querida mãe dele, a chantageamos para espionar para nós, a tiramos clandestinamente de seu país, contra a vontade dela, submetendo-a a um inferno de torturas, o que a levou a se enforcar na árvore mais próxima. Verdade? Mentira?

Achei que ele tinha terminado, mas ainda não.

— E como essas alegações, dignificadas pela passagem do tempo, não podem ser suprimidas pela legislação draconiana que tem estado disponível para nós em casos mais recentes da mesma natureza, existe uma boa chance de que a comissão parlamentar de inquérito e qualquer litígio subsequente sejam usados para intromissões em questões consideradas de relevância muito maior para nós nos dias de hoje. Você parece estar se divertindo.

Me divertindo. Talvez estivesse. Gustav, eu estava pensando. Muito bem. Você decidiu cobrar seu quinhão, afinal, mesmo que tenha vindo bater na porta errada.

*

Pilotei a moto pela França e pela Alemanha numa velocidade perigosa sob a chuva fustigante. Estou de pé ao lado do túmulo de Alec. A mesma chuva varre o pequeno cemitério em Berlim Oriental. Estou usando minhas roupas de couro de motociclista, mas, por respeito a Alec, retirei o capacete e a chuva escorre por meu rosto nu enquanto compartilhamos trivialidades em silêncio. O sacristão idoso, ou seja lá o que for, me conduz à sua cabine e mostra o livro de condolências com o nome de Christoph entre os enlutados.

E talvez aquele tenha sido o *pont d'appui*, o aguilhão: primeiro para Christoph, depois para Gustav, com seus cabelos cor de cenoura e sorriso de trigo-sarraceno que tinha entoado canções patrióticas para mim, e depois para Alec: o mesmo menino que, desde o dia da morte da mãe, eu havia em segredo — ainda que teoricamente — tomado sob meus cuidados, imaginando-o primeiro num sinistro reformatório da Alemanha Oriental para os filhos daqueles que caíam em desgraça, depois jogado num mundo perverso.

Em segredo, também, de tempos em tempos eu violara descaradamente os regulamentos do Circus, acompanhando sua trajetória através dos arquivos sob algum pretexto e prometendo a mim mesmo

— ou, vocês diriam, fantasiando — que um dia, se por acaso o mundo girasse um centímetro ou dois sobre seu eixo, eu iria atrás dele e, por amor a Tulip, proporcionaria uma ajuda de algum modo indefinido que as circunstâncias permitissem.

A chuva ainda caía com força quando montei na minha moto e rumei não para o oeste, para a França, mas para o sul, em direção a Weimar. O último endereço possível que eu tinha de Gustav era de dez anos antes: uma aldeia a oeste da cidade, uma casa registrada no nome do seu pai, Lothar. Depois de duas horas de viagem eu estava diante da porta de uma lúgubre casa em estilo soviético construída a dez metros da igreja da aldeia como um ato de agressão socialista. As placas estavam se soltando. Algumas das janelas estavam cobertas por papel do lado de dentro. Suásticas pintadas com spray adornavam a varanda que caía aos pedaços. O apartamento de Quinz era o 8D. Apertei a campainha sem nenhuma resposta. Uma porta se abriu, uma velha desconfiada me olhou de alto a baixo.

— *Quinz?* — repetiu ela, com nojo. — *Der Lothar? Längst tot.* — Morto há muito tempo.

E Gustav?, indaguei. O filho?

— Você quer dizer o *garçom?* — perguntou com desprezo.

O hotel se chamava Elefante e dava vista para a histórica praça principal de Weimar. Não era novo. Na verdade, tinha sido o hotel favorito de Hitler: a velha me contara isso também. Mas fora reformado consideravelmente e sua fachada brilhava como um farol de prosperidade ocidental esfregado na cara de seus vizinhos mais pobres e bonitos. No balcão da recepção, uma garota num terninho preto novo interpretou mal a minha pergunta: não tem nenhum Herr Quinz aqui. Então ela corou e disse: "Ah, você está se referindo a Gustav?", e me disse que os funcionários não eram autorizados a receber visitas e eu devia esperar até o fim do expediente de Herr Quinz.

Quando seria isso? Às seis horas. E é melhor esperar aqui, por favor. Na entrada dos fundos, onde mais?

A chuva não tinha diminuído, o dia estava escurecendo. Fiquei parado nos fundos, seguindo ordens. Um homem magro e sério que parecia mais velho do que era emergiu de uma escada de porão, colocando um velho casaco de chuva do exército com um capuz. Uma bicicleta estava acorrentada à balaustrada. Ele se debruçou sobre ela e se pôs a abrir o cadeado.

— Herr Quinz? — falei. — *Gustav*?

Sua cabeça se ergueu até que ele ficou ereto sob a iluminação oscilante de um poste de luz de rua. Seus ombros estavam fixos numa corcunda prematura. Os cabelos antes vermelhos estavam ralos e tornando-se grisalhos.

— O que você quer?

— Fui amigo de sua mãe — falei. — Talvez se lembre de mim. Nos encontramos numa praia na Bulgária, há muito tempo. Você cantou uma música para mim.

E lhe revelei meu nome profissional, o mesmo que lhe falara na praia quando sua mãe ficou nua atrás dele.

— Você foi *amigo* da minha mãe? — repetiu, acostumando-se à ideia.

— Foi o que eu disse.

— Francês?

— Isso mesmo.

— Ela morreu.

— Eu soube. Sinto muito. Eu fiquei me perguntando se haveria algo que eu pudesse fazer por você. Por acaso tinha seu endereço. Eu estava em Weimar. Parecia ser uma boa oportunidade. Talvez pudéssemos tomar algo juntos. Conversar um pouco.

Ele me encarou.

— Você dormiu com a minha mãe?

— Nós éramos amigos.

— Então você dormiu com ela — disse ele, como se fosse um mero fato histórico, sua voz nem se elevando, nem abaixando. — Minha mãe era uma puta. Ela traiu a pátria. Ela traiu a revolução. Ela traiu o Partido. Ela traiu meu pai. Ela se vendeu aos ingleses e se enforcou. Era uma inimiga do povo — explicou.

E, montando em sua bicicleta, foi embora.

II.

— Acho que a *primeira* coisa que devíamos fazer, coração... — diz Tabitha com sua voz acanhada de sempre. — Você não se incomoda se eu o chamar de coração, se incomoda? Chamo meus melhores clientes de coração. Isso faz com que se lembrem de que tenho um, assim como eles, ainda que o meu esteja fatalmente em compasso de espera. Então a *primeira* coisa que fazemos é uma lista de todas as coisas vergonhosas que o outro lado está dizendo de nós, e então nós as derrubamos, uma a uma. Contanto que você esteja sentado confortavelmente. Está? Bom. Você está me ouvindo, não? Nunca sei se esses aparelhos auditivos funcionam. São desses fornecidos pela Saúde Pública?

— Francesa.

Até onde eu me lembrava das minhas leituras de infância de Beatriz Potter, Tabitha era a mãe atormentada de três crianças desobedientes. Achei uma ironia curiosa o fato de, pelo menos aparentemente, a mulher de mesmo nome sentada à minha frente compartilhar muitas de suas características: maternal, feições delicadas, quarenta e poucos anos, gorducha, um pouco ofegante e heroicamente cansada. Ela também era, tinham me dado a entender, minha advogada de defesa. Leonard havia fornecido a Bunny a prometida lista de nomes, nomes que Bunny admirava *imensamente* — lutariam por você como verdadeiros *rottweilers*, Peter —, e em relação a dois ele estava um *tantinho* duvidoso, não tinham horas de estrada suficientes, na sua opinião, mas não digam que ele falou isso, e *uma* — *totalmente* só cá entre nós, Peter, e você *precisa* me proteger nisso — com quem ele desejaria não ter nenhum contato:

não sabe quando parar e não tem a mais *vaga* ideia de como os tribunais funcionam, e os juízes a detestam completamente. Essa era Tabitha.

Eu disse que ela parecia adequada para mim e pedi para ir encontrá-la em seu escritório. Bunny disse que o escritório dela não era considerado seguro e ofereceu-me seu quartel-general na fortaleza. Eu lhe disse que não considerava seguro o quartel-general dele. E assim estamos de volta à biblioteca, com as figuras de corpo inteiro de Hans-Dieter Mundt e de seu arquirrival Josef Fiedler olhando carrancudos para nós.

*

No presente momento, só uma noite insone se passou desde que cremamos Tulip, mas o mundo que Tabitha está tentando entender deu um passo histórico para trás.

O Muro de Berlim foi erguido.

Todo agente e subagente da rede Mayflower desapareceu, foi preso, executado ou as três alternativas anteriores.

Karl Riemeck, o heroico médico de Köpenick, o fundador acidental da rede e sua inspiração, foi impiedosamente abatido a tiros quando tentava escapar para Berlim Ocidental em sua bicicleta de operário.

Para Tabitha, esses são fatos da história. Para aqueles de nós que passamos por isso, eles são um tempo de desespero, de confusão e de frustração.

Nosso agente Windfall está a nosso favor ou contra nós? De nosso reduto no Estábulo, nós, os poucos doutrinados, havíamos seguido com espanto sua ascensão mercurial pelas fileiras da Stasi até sua presente posição como chefe de seu braço de operações especiais.

Tínhamos recebido, processado e disseminado, sob o título genérico de Windfall, inteligência da mais alta qualidade numa abundância de alvos econômicos, políticos e estratégicos, sob gritos abafados de deleite dos clientes de Whitehall.

No entanto, apesar de todo poder indubitável de Mundt — ou talvez por causa disso —, ele fora incapaz de interromper ou até mesmo amenizar a implacável queima de agentes e subagentes da Secretas conduzida por seu rival Josef Fiedler.

Nesse terrível duelo pelo favorecimento da Central de Moscou e do comando da Stasi, Hans-Dieter Mundt, vulgo fonte Windfall, alegou que não tinha outra opção senão se apresentar como ainda mais fervoroso do que Fiedler na tarefa de limpar a utópica República Democrática da Alemanha de espiões, sabotadores e outros lacaios do imperialismo burguês.

À medida que um agente fiel após o outro caía sob a fúria competitiva de Mundt ou de seu arquirrival, caía também o moral da equipe Windfall a um fundo de poço totalmente novo.

E ninguém foi mais afetado do que o próprio Smiley, trancado noite após noite na Sala do Meio, com apenas a visita ocasional de Control para afundar ainda mais seu ânimo.

*

— Por que não posso ler as declarações dos querelantes? — pergunto a Tabitha. — A notificação extrajudicial, ou o que quer que seja?

— Porque, em sua sabedoria, seu ex-Serviço conseguiu carimbar uma classificação de Ultrassecreto em toda a correspondência, sob a alegação de segurança nacional, e você não é autorizado a ter acesso a ela. Eles nunca vão conseguir se safar com isso, mas a medida vai atrapalhar o processo e abrir caminho para uma restrição temporária, que é o que estão buscando. Enquanto isso, juntei o máximo de informações que consegui para você. Pronto?

— E para onde foram Bunny e Laura?

— Receio que achem que já têm tudo de que precisam. E Leonard aceitou o relatório deles. Dei uma espiada pelo buraco da fechadura. Infelizmente, parece que a coitada da Doris Gamp sentiu tesão desde o dia em que botou os olhos em você, e não viu a hora de contar tudo sobre a sua pessoa para a irmã Lotte. E depois que Lotte abriu o coração para os interrogadores da Stasi, não sobrou muito de você. É *verdade* que andou brincando nu ao luar na praia com ela na Bulgária?

— Não.

— Que bom. E tem uma noite de amor e risos que vocês supostamente passaram num hotel em Praga onde a natureza seguiu seu curso.

— Isso não aconteceu.

— Muito bem. Agora passemos às duas outras mortes: Alec Leamas e Elizabeth Gold, nossos berlinenses. Elizabeth primeiro, conforme formulada contra você pela filha dela, Karen. Alega-se que você a contatou pessoalmente, *ou* por sua própria iniciativa *ou* por instigação de George Smiley e outros conspiradores não identificados, que você então a *enganou, seduziu ou conseguiu* que ela se tornasse *forragem humana*, as expressões bestiais são da outra parte, não minhas, numa *tentativa frustrada, grandiosa e malconcebida*, quem inventa essas coisas, *não consigo* imaginar, de minar a liderança da Stasi. Você fez isso?

— Não.

— Que bom. Já deu para perceber qual é o cenário aqui? Você é um Don Juan profissional contratado pelo Serviço Secreto Britânico e atraiu garotas vulneráveis como cúmplices desavisadas em operações imprudentes que fracassaram. Verdade?

— Mentira.

— Claro que é. Você também cafetinou Elizabeth Gold para seu colega Alec Leamas. Fez isso?

— Não.

— Que bom. E você também, porque costuma fazer muito isso, *levou Elizabeth Gold para a cama*. Ou, se não a levou, esquentou a cama para Alec. Fez alguma dessas coisas?

— Não.

— Nunca, por um momento sequer, eu pensei que tivesse feito. E o suposto produto final de suas maquinações malignas: Elizabeth Gold é morta a tiros no Muro de Berlim, seu amante Alec Leamas tenta salvá-la, ou simplesmente decide morrer com ela. Seja como for, ele é alvejado por seus esforços e é tudo culpa sua. Quer fazer uma pausa para um chá ou vamos em frente? Em frente. Agora passemos à alegação de *Christoph Leamas*, que é mais substancial porque seu pai, Alec, é a vítima de tudo o que aconteceu antes. Alec, depois que você o enganou, atraiu, subornou, traiu, et cetera, para se tornar o infeliz joguete da sua natureza compulsivamente manipuladora, era um homem alquebrado, sem forças sequer para atravessar a rua sozinho, quanto mais empreender uma operação de dissimulação diabolicamente complexa, a saber: *fingir* que estava desertando para a Stasi enquanto na verdade permanecia sob sua influência maligna. É verdade?

— Não.

— Claro que não. Por isso, o que eu sugiro, com sua permissão, é que você tome um bom gole desta água, passe esses seus olhos grandes e redondos pelo que descolei nas primeiras horas desta manhã quando me permitiram *finalmente* dar uma olhada muito limitada numa *minúscula* parte do arquivo histórico do seu querido Serviço. Pergunta número um: esse episódio marca o começo do declínio do seu amigo Alec? E pergunta número dois: se marca, é um declínio *real* ou um declínio *simulado*? Em outras palavras, estamos olhando para o primeiro estágio de Alec se tornando insuportável para seu próprio Serviço e imensamente atraente para a Central de Moscou ou para os caçadores de talento da Stasi?

*

Telegrama do Circus de C/Estação de Berlim [McFadyen] *para C/Conjunto, cópia para C/Secretas, C/Pessoal Urgentíssimo, 10 de julho de 1960.*
Assunto: Transferência imediata de Alec Leamas da Estação de Berlim por questões disciplinares.

À 01h00 desta madrugada, o seguinte episódio ocorreu na boate Altes Fass em Berlim Ocidental entre SC/Estação de Berlim Alec Leamas e Cy Aflon, SC/Estação da CIA em Berlim. Os fatos não são questionados por nenhuma das partes. Os dois homens têm uma longa inimizade, pela qual, conforme declarado previamente, considero Leamas o único culpado.

Leamas entrou na boate sozinho e seguiu para a *Damengalerie*, um bar separado para mulheres solteiras em busca de companhia. Ele andara bebendo, mas não estava, em seu próprio julgamento, bêbado.

Aflon estava sentado com duas colegas de trabalho da sua Estação, assistindo ao show de cabaré e desfrutando um drinque calmamente.

Ao ver Aflon e seu grupo, Leamas mudou de rumo, caminhou até a mesa deles e, inclinando-se para a frente, dirigiu-se a Aflon em voz baixa com as seguintes palavras:

Leamas: Tente só mais uma vez comprar uma das minhas fontes e eu quebro a porra do seu pescoço.

Aflon: Êpa, Alec, calma. Não na frente das senhoras, se não se importa.

Leamas: Dois mil dólares por mês pela primeira mordida de tudo o que ele conseguir, antes de revender para nós de segunda mão. E vocês chamam isso de lutar uma porra de uma guerra? Talvez ele ganhe de lambuja um beijo de língua destas simpáticas senhoras?

Quando Aflon se levantou para protestar contra esse insulto flagrante, Leamas atingiu seu rosto com o cotovelo direito, fazendo-o cair no chão, e então o chutou na virilha. A polícia de Berlim Ocidental foi chamada, e esta convocou a polícia militar dos Estados Unidos. Aflon foi levado ao Hospital Militar americano, onde está se recuperando no momento. Felizmente, nenhuma fratura ou ferimentos que ameacem a vida foram detectados até agora.

Submeti minhas abjetas desculpas a Aflon pessoalmente e ao seu C/Estação, Milton Berger. Este é o mais recente de uma série de incidentes lamentáveis envolvendo Leamas.

Embora eu reconheça que perdas recentes da rede Mayflower tenham colocado a Estação e Leamas pessoalmente sob considerável pressão, isso de modo algum justifica o dano que ele causou a nossas relações com nosso aliado mais importante. Há muito tempo que o antiamericanismo de Leamas tem sido evidente. Agora ele se tornou totalmente inaceitável. Ou ele vai embora, ou eu vou.

E, depois do rabisco verde de Control, a lapidar resposta de Smiley: *Já mandei Alec voltar a Londres.*

*

— Então, Peter — diz Tabitha. — Simulado? *Não* simulado? Estamos encarando o começo oficial da derrocada dele?

E quando, em dúvida genuína, eu reajo com evasivas, ela oferece a própria resposta:

— Control certamente achou que era o começo — indicando o rabisco à mão em verde na base da página. — Veja a nota de pé de página para seu tio George. *Um início muito promissor*, assinado C. Não dá para ser mais claro que isso, dá, mesmo no mundo obscuro *de vocês*?

Não, Tabitha, não dá. E é obscuro mesmo, sem sombra de dúvida.

*

É um funeral. É um velório. É uma conferência de ladrões realizada em desespero na calada da noite nessa mesma sala, com Josef Fiedler e Hans-Dieter Mundt olhando do alto para nós com a mesma intensidade lúgubre. Somos os seis Windfalls, como Connie Sachs, nossa recruta mais recente, nos chamou: Control, Smiley, Jim Prideaux, Connie, eu e Millie, nossa parceira quase calada. Jim Prideaux acabou de voltar de outra missão secreta, desta vez em Budapeste, onde conseguiu um raro *treff* com nosso ativo mais precioso, Windfall. Connie Sachs, com vinte e poucos anos, já a *wunderkind* incontestável da pesquisa sobre as agências de inteligência soviéticas e das nações satélites soviéticas, recentemente saiu do Conjunto num acesso de fúria, caindo diretamente nos braços acolhedores de George. Ela é vivaz, pequena e rechonchuda, literata, bem-nascida e impaciente com mentes menos brilhantes, como a minha.

Imponente, alheia, com cabelos negros, Millie McCraig se move entre nós como uma enfermeira num hospital de campanha, servindo café e uísque aos necessitados. Control quer seu chá-verde repugnante de sempre, dá uma bicada nele e deixa o resto. Jim Prideaux fuma, um após o outro, seus costumeiros cigarros russos fedorentos.

E George? Parece tão fechado em si mesmo, tão inacessível, com um ar de introspecção tão proibitivo que seria preciso um homem muito corajoso para interromper seu devaneio.

Quando Control fala, ele passa os dedos manchados de tabaco pelos lábios como se estivesse procurando feridas. É grisalho, elegante, sempre jovem e reconhecidamente alguém sem amigos. Tem uma mulher em algum lugar, mas a fofoca que rola é que ela acha que o marido trabalha no Comitê do Carvão. Quando fica de pé, seus ombros encurvados surgem como surpresa. Você espera que se endireitem, mas nunca o fazem. Ele está no cargo desde o início dos tempos, mas eu falei com ele precisamente duas vezes e o ouvi numa palestra certa vez, e isso foi no dia da minha formatura em Sarratt. A voz é fina como faca, igual ao homem — nasal, monótona e irritável como a de uma criança mimada. E não acolhe naturalmente perguntas, nem as suas próprias.

— Então, nós *acreditamos* ou não — indaga, as pontas dos dedos tamborilantes — que ainda estamos recebendo o melhor material da porra do Herr Mundt? É coisa de segunda mão? São informações sem valor? É fumaça? E ele está nos enganando? George?

Com Control ninguém usa codinomes, regra da casa. Não liga para eles. Diz que glorificam demais. Melhor chamar pelo nome real do que por algo que aumente a sua importância.

— O produto de Mundt parece ser tão bom quanto sempre foi, Control — responde Smiley.

— Então que pena que ele não nos deu a dica sobre a porra do Muro. Ou será que ele esqueceu? Jim?

Jim Prideaux, depois de tirar relutantemente o cigarro dos lábios:

— Mundt diz que Moscou o cortou do circuito. Contaram a Fiedler. Não contaram a Mundt. E Fiedler guardou para si mesmo.

— O porco matou Riemeck, não foi? Isso não foi uma atitude amigável. O que o levou a fazer isso?

— Ele diz que por acaso chegou lá uma hora ou duas antes de Fiedler — retruca Prideaux com sua voz áspera habitualmente monótona, levemente temperada com um sotaque eslavo.

E de novo esperamos por Control, que por sua vez deixa que esperemos por ele.

— Mas não acreditamos que a oposição tenha virado Mundt de novo contra nós — zumbe Control com irritação. — Ele ainda é nosso. Bem, porra, ainda deveria ser. Podemos jogá-lo aos lobos na hora que quisermos. Ele é louco por poder. Quer ser o menino de ouro da Central de Moscou. Bem, *nós* queremos que ele seja o menino de ouro de Moscou. E *nosso* menino de ouro também. Portanto, nossos interesses são mútuos. Mas a porra do Herr Josef Fiedler está bloqueando o caminho dele. E o *nosso* caminho. Fiedler suspeita que Mundt seja nosso, e ele é. Então Fiedler está a fim de expor Mundt e ficar com o crédito. Esse é mais ou menos o resumo da ópera, George?

— Parece que sim, Control.

— *Parece* que sim. Tudo *parece*. Nada *é*. Achei que neste trabalho lidávamos com fatos. Sim ou não: Herr Josef Fiedler, um santo homem, nos informaram, segundo os padrões da Stasi, um crente fiel da causa e um judeu, ainda por cima, acha que seu estimado colega Hans-Dieter Mundt, nazista não reformado, é o cão servil da Inteligência Britânica. E ele não está de todo errado, não é?

George olha para Jim Prideaux. Jim coça o maxilar e olha para o tapete puído. Control de novo:

— Então, nós acreditamos em Herr Mundt? Outra pergunta. Ou ele estaria só tagarelando, como uma porção de outros agentes que conhecemos? Ele o está enrolando, Jim? Vocês, operadores de agentes, são moles com seus *joes*. Até um merda classe A como Mundt merece o benefício da dúvida.

Mas Jim Prideaux, como Control bem sabe, é mole como uma pedra.

— Mundt tem gente dentro do campo de Fiedler. Ele me disse quem são. Ele os escutou. Sabe que Fiedler está a fim de pegá-lo. Fiedler praticamente disse isso na cara dele. Fiedler também tem seus próprios amigos na Central de Moscou. Mundt acha que podiam tomar uma atitude em breve.

Novamente esperamos por Control, que afinal decide que precisa tomar um gole do chá-verde frio; e precisa que o observemos fazer isso também.

— O que levanta a questão, *não levanta*, George? — queixa-se ele, cansado. — Se Josef Fiedler ficasse fora do caminho, os meios a serem definidos, Moscou não amaria Mundt ainda mais? E se eles o *amarem* mais, não poderíamos finalmente descobrir quem é o babaca que está entregando nossos agentes para a Central de Moscou? — E, não recebendo resposta: — O que você acha, Guillam? A juventude tem uma resposta para essa pergunta? Estou sendo relativo.

— Receio não ter, senhor.

— Que pena. George e eu achamos que podemos ter encontrado uma resposta, sabe? Mas George não consegue engoli-la. Bem, eu consigo. Combinei de ver seu amigo Alec Leamas amanhã. Sondar a opinião dele. Ver o que ele sente a respeito de tudo, agora que perdeu sua rede para o clube de caça Mundt-Fiedler. Um sujeito na posição dele poderia ficar feliz com uma oportunidade de terminar a carreira em alta. Não concorda?

*

Tabitha está me provocando, deliberadamente, eu suspeito:

— O problema com vocês espiões, nada pessoal, é que nenhum de vocês sabe nada da verdade. O que torna extremamente difícil defendê-los. Vou empenhar meus melhores esforços, não se preocupe, sempre faço isso. — E, quando retribuo seu sorriso, mas não falo nada: — Elizabeth Gold mantinha um diário, esse é o problema. E Doris Gamp contou tudo à pobre Lotte, sua irmã. Mulheres fazem essas coisas, fofocam umas com as outras, mantêm diários, escrevem cartas tolas. O pessoal do Bunny está fazendo o diabo com esse material. Estão comparando você a nossos modernos informantes secretos da polícia que saem por aí roubando os corações de suas vítimas e engravidando-as. Dei uma espiada nas datas para conferir se você poderia ter sido o pai de Karen, filha de Elizabeth, mas você está absolutamente fora disso, o que foi um grande alívio, para ser bem franca. E Gustav, graças a Deus, é velho demais para justificar a menor suspeita.

*

É uma tarde perfumada de outono em Hampstead Heath, e uma semana depois do anúncio de Control de que sondaria a opinião de Alec. Estou sentado com George Smiley a uma mesa ao ar livre nos jardins de Kenwood House. É um dia de semana e quase não há ninguém à vista. Podíamos ter nos encontrado no Estábulo, mas George conseguiu insinuar que nossa conversa é tão particular que precisamos do ar livre. Ele usa um chapéu Panamá que obscurece seus olhos, resultando em que, assim como estou recebendo apenas parte do segredo, estou recebendo apenas parte de George.

Batemos um papo furado, ou acho que batemos. Estou feliz com o trabalho? Estou, obrigado. Já superei o que aconteceu com Tulip? Já, obrigado. Simpático da parte de Oliver Lacon ter enterrado meu relatório; havia sempre o perigo de que Conjunto exagerasse a importância daquele misterioso intruso suíço no Acampamento 4. Digo que estou feliz também, embora tenha suado sangue e lágrimas por causa daquele papel.

— Quero que você faça amizade com uma *garota* para mim, Peter — confidencia Smiley, franzindo a sobrancelha para enfatizar sua seriedade. Então, percebendo que eu poderia estar interpretando seu pedido equivocadamente: — Minha nossa, não para acomodar quaisquer necessidades da *minha* parte, pode ficar tranquilo! Estritamente com propósitos operacionais. Estaria disposto a fazer isso? Em princípio? Pelo bem da causa? Conquistar a confiança dela?

— A causa sendo Windfall — insinuo, cuidadoso.

— Sim. Completamente. Exclusivamente. Para continuar o resultado bem-sucedido da Operação Windfall. Sua preservação. Como um complemento necessário e urgente — responde ele, e nós bebemos nosso suco de maçã e vemos as pessoas irem e virem sob a luz do sol. — Também por pedido específico de Control, posso acrescentar — continua ele, ou como instigação adicional ou para passar a bola. — Ele propôs seu nome: *aquele jovem sujeito Guillam*. Escolheu-o a dedo.

Devo aceitar isso como um elogio — ou como uma advertência velada? George, eu suspeito, nunca havia gostado muito de Control e Control não gostava de ninguém.

— Estou certo de que existem várias maneiras de topar com ela — prossegue ele, sendo otimista. — Ela é integrante da divisão local do Partido Comunista, por exemplo. Vende o *Daily Worker* nos fins de semana. Mas eu realmente não o vejo comprando um exemplar do jornal com ela, não é mesmo?

— Se o que você quer saber é: se eu me acho um leitor típico do *Daily Worker*? Não, creio que não.

— Não, não, e nem deve tentar. Por favor, não tente de jeito nenhum ser alguém que você não é. Muito melhor sua costumeira e genial personalidade da classe média. Ela corre — acrescenta ele, como se só se lembrasse disso agora.

— *Corre?*

— Todo dia, de manhã cedo, ela corre. Acho isso encantador. Você não acha? Corrida para manter a forma. Corrida para manter a saúde. Dá voltas e mais voltas na pista de corrida local. Sozinha. E então segue para o trabalho numa livraria em Fulham. Não uma *loja*, mas um depósito. Mas livros, de qualquer maneira. Despachando-os para atacadistas, em pacotes. Pode soar tedioso para nós, mas ela encara isso como uma causa. Todos precisamos de livros; as massas amontoadas, ainda mais. E, é claro, ela marcha também.

— Além de correr?

— Pela Paz, Peter. Pela paz com P maiúsculo. De Aldermaston a Trafalgar Square e então até Hyde Park Corner para mais do mesmo. Se pelo menos a Paz pudesse ser assim tão fácil.

Ele está esperando que eu sorria? Eu tento.

— Mas eu também não o vejo ajudando-a a carregar uma faixa, claro que não. Você é um sujeito burguês decente, tentando trilhar seu caminho no mundo, uma espécie bastante desconhecida para ela e, portanto, bem mais interessante. Um bom par de tênis de corrida e seu sorriso travesso, e logo vocês serão amigos. E se você assumir sua *persona* francesa, vai poder fazer uma saída graciosa quando chegar a hora. Então tudo estará feito e varrido. Pode se esquecer dela. E ela, de você. Sim.

— Ajudaria se eu soubesse o nome dela — falo.

Ele também pensa a esse respeito — penosa, problematicamente.

— Sim, bem, eles são imigrantes. A família é. Os pais são da primeira geração, ela é da segunda. E decidiram optar, depois de alguma deliberação, pelo sobrenome *Gold* — revela, como se eu tivesse arrancado a informação dele. — Seu nome é *Elizabeth*. Liz para os amigos.

Eu também não me apresso. Estou tomando suco de maçã numa tarde ensolarada com um cavalheiro gorducho com chapéu Panamá. Ninguém tem pressa.

— E quando eu tiver conquistado sua confiança, como você falou, o que faço?

— Ora, você vem e me diz, claro — responde rapidamente, como se de repente toda a hesitação nele tivesse sido substituída por ira.

*

Sou um jovem vendedor viajante francês chamado Marcel Lafontaine, baseado atualmente numa pensão que pertence a um indiano em Hackney, no leste de Londres, e tenho documentos para provar isso. É o dia cinco. Toda manhã, ao raiar do dia, eu pego um ônibus para o Memorial Park e corro. Na maioria das vezes há seis ou sete de nós. Nós corremos, paramos ofegantes nos degraus da arena esportiva, verificamos nossos tempos, os comparamos uns com os outros. Trocamos algumas palavras, nos separamos e vamos para o vestiário, damos tchau e nos vemos amanhã, talvez. Meus companheiros acham interessante meu nome francês, mas ficam desapontados por eu não ter sotaque francês. Explico que minha era mãe inglesa, mas já morreu.

Numa história atrelada ao disfarce, corte todos os fios soltos antes de perder o controle.

Das três corredoras frequentes, Liz (não sabemos nossos sobrenomes) é a mais alta, mas de modo algum a mais rápida. Na verdade, ela não é uma corredora nata. Corre como um ato de vontade, de autodisciplina ou de liberação. É reservada e aparentemente não se dá conta de que é bonita, com um jeito de menina levada. Tem pernas compridas, cabelos pretos cortados curtos, uma testa larga e grandes olhos castanhos vulneráveis. Ontem, trocamos nossos primeiros sorrisos.

— Dia cheio pela frente? — pergunto.

— Estamos em greve — explica, ofegante. — Tenho que estar nos portões às oito.

— Que portões são esses?

— Onde eu trabalho. A gerência está querendo demitir o encarregado da loja. Pode durar várias semanas.

Aí chega a hora do a gente se vê, até a próxima.

E a próxima vez é o dia seguinte, que é sábado, então aparentemente não há piquete, as pessoas precisam fazer compras. Tomamos um café juntos na cantina, ela me pergunta o que eu faço. Explico que estou viajando por uma empresa farmacêutica francesa, vendendo produtos para os hospitais locais e médicos de família. Ela diz que deve ser um trabalho muito interessante. Eu digo que, *na verdade*, não, porque o que eu gostaria de estar fazendo mesmo era estudando medicina, mas meu pai não quer que eu faça isso porque a empresa que eu represento pertence à nossa família e ele quer que eu aprenda seu funcionamento de baixo para cima antes de assumir o comando. Mostro a ela meu cartão de visita. Minha empresa leva o nome fictício do meu pai. Ela o examina com um franzir de cenho e um sorriso, mas a testa franzida vence:

— Você acha isso certo? Do ponto de vista social? O filho da família herdando a empresa da família só porque ele é o filho?

E eu digo não, não acho que seja certo, isso me incomoda. E incomoda minha noiva também, e é por isso que quero ser médico igual a ela, porque eu a admiro, assim como a amo, acho que ela é uma verdadeira bênção para a humanidade.

E a razão pela qual me dei uma noiva é que, embora ache Liz desconcertantemente atraente, nunca mais vou encarar outra Tulip enquanto viver. É também graças à minha mítica noiva que Liz e eu podemos caminhar ao longo do canal e compartilhar nossas aspirações, agora que ela sabe que estou perdido de amor e de admiração por uma médica na França.

Depois de falarmos de nossas esperanças e de nossos sonhos, falamos dos pais, e como é ser, em parte, estrangeiro, e ela me pergunta se sou judeu e eu digo que não.

Tomando uma garrafa de vinho tinto no Grego, ela me pergunta se sou comunista e, em vez de dizer não de novo, eu sigo a rota frívola e digo que não consigo me decidir entre ser um bolchevique ou um menchevique e se ela poderia, por favor, me aconselhar.

Depois disso, ficamos sérios, ou ela fica, e começamos a falar do Muro de Berlim, que está tão presente na minha cabeça que nunca me ocorreu que poderia estar na dela também.

— Meu pai diz que é uma barreira para manter os fascistas do lado de fora — diz ela.

— Bem, é um ponto de vista, suponho — digo, o que a aborrece.

— Então o que *você* acha que é? — indaga.

— Eu simplesmente não acho que o Muro esteja ali para manter pessoas do lado de fora — falo. — Acho que está mais ali para manter pessoas do lado de dentro.

Ao que recebo a réplica incontestável, novamente proferida depois de séria reflexão.

— Papai não pensa assim, sabe, Marcel. Os fascistas mataram a família dele. E isso basta para papai.

*

— O diário da pobre Liz simplesmente *transborda* de você, Peter — diz Tabitha com seu doce sorriso de pena. — Você é um cavalheiro francês tão galante. Seu inglês é tão bom que ela esquece o tempo todo que você é francês. Quem dera existissem mais homens como você no mundo. Você é uma causa perdida no que concerne ao Partido, mas é um humanista, conhece o verdadeiro sentido do amor e com um empurrãozinho poderia ser convertido um dia. Ela não diz que gostaria de pôr arsênico no café de sua noiva, mas nem precisa. Também tirou uma fotografia sua, caso tenha esquecido. Essa aqui. Pegou emprestada a câmera Polaroid do pai especialmente para isso.

Estou com minha roupa de corrida, encostado em uma balaustrada, que foi como ela pediu para eu posar. Então me disse para ser natural e não sorrir.

— E receio que esteja no seu processo, também. Prova A, por assim dizer. Você é o Romeu travesso que roubou o coração de uma pobre garota e a mandou para o matadouro. Existe praticamente uma canção sobre você.

*

— Somos amigos — anuncio para Smiley, dessa vez não tomando suco de maçã no ensolarado Hampstead Heath, mas no Estábulo, ao som de fundo da máquina de criptografia no andar de cima e das irmãs de Windfall em suas máquinas de escrever manuais.

Repasso para ele o restante das informações operacionais. Ela mora com os pais. Não tem irmãos. Quase não sai. Seus pais brigam. O pai oscila entre sionismo e comunismo. Nunca deixa de ir à sinagoga nem perde uma reunião dos camaradas. A mãe não é nada religiosa. Papai quer Liz no ramo do varejo de roupas. Mamãe quer que Liz estude para ser professora. Mas tenho a sensação de que George já sabe de tudo isso, se não, por que outro motivo a teria escolhido, para começo de conversa?

— Mas o que Elizabeth quer para *si mesma?*, nós nos perguntamos — reflete ele.

— Ela quer *cair fora*, George — retruco, com mais impaciência do que pretendia.

— *Cair fora* em alguma direção específica? Ou simplesmente *cair fora* por cair?

A melhor coisa para ela seria uma biblioteca, digo. Talvez uma biblioteca marxista. Tem uma em Highgate para a qual ela escreveu, mas não responderam. Já é voluntária na biblioteca pública local, digo para ele. E lê histórias em inglês para filhos de imigrantes que ainda estão aprendendo a língua. Mas George já deve saber disso também.

— Então devemos ver o que podemos fazer por ela, não? Seria útil se você pudesse ficar ao lado dela por mais um tempo antes de desaparecer na costa francesa. Tudo bem por você?

— Não muito.

Também não acho que esteja tudo bem por George.

*

Cinco dias e duas caminhadas pelo canal depois, é noite de novo no Estábulo.

— Você podia ver se *isso* interessa a ela — sugere George, passando-me uma página arrancada de um jornal trimestral chamado *Paranormal Gazette*. — Você o viu por acaso na sala de espera de um consultório médico enquanto fazia suas visitas farmacêuticas. O salário não é lá essas coisas, mas acho que ela não vai se importar muito com isso.

A Biblioteca para Pesquisa Psíquica de Bayswater procura uma assistente. Apresentar-se com fotografia e curriculum vitae escrito à mão para a Srta. Eleanora Crail.

*

— Marcel, eu *consegui*, Marcel! — está dizendo Liz, rindo e chorando enquanto agita a carta para mim na cantina da arena esportiva. — Consegui, consegui! Papai diz que eu devia ter vergonha de mim mesma, essa coisa é superstição burguesa sem noção e certamente antissemita. Mamãe me diz para ir em frente, é o primeiro degrau da escada. Então fui em frente. Começo na primeira segunda-feira do mês que vem!

Quando ela larga a carta, dá um pulo, me abraça e diz que sou o melhor amigo que ela já teve.

E não pela primeira vez eu desejo que não tivesse inventado aquela namorada firme à minha espera na França. E acho que é o que ela deseja também.

*

Ultimamente não era preciso muito para me chatear, como Tabitha estava começando a descobrir.

— Então, depois que jogou seu pó mágico nos olhos dela, você saiu correndo e contou a seu amigo Alec que maravilhosa garota comunista você havia encontrado para ele, e tudo o que ele tinha que fazer era arrumar um emprego na mesma excêntrica biblioteca e, num piscar de olhos, os dois iriam para a cama. Foi assim que aconteceu?

— Não era o caso de contar nada disso a Alec. Eu havia feito contato com Liz Gold como parte de Windfall. Alec não tinha acesso a Windfall. O que quer que tenha acontecido entre Alec e Liz assim que arrumou o emprego na biblioteca nada tinha a ver comigo e eu não fui informado.

— Então *quais* foram exatamente as ordens de Smiley para você, com referência a Alec Leamas em seu declínio simulado, passando pela entrega à bebida, à imoralidade e à traição?

— Continuar amigo dele e agir com naturalidade à medida que as coisas fossem evoluindo. Tendo em mente que, à medida que a operação avançasse, minhas ações seriam tão passíveis de exame pela oposição quanto as de Alec.

— Então a instrução de Control para Leamas, enquanto isso, teria sido mais ou menos esta, corrija-me se estiver errada: nós sabemos que você odeia os americanos, Alec, então siga em frente e os odeie um pouco mais. Sabemos que você bebe como um gambá, então dobre a dose. E sabemos que você gosta de uma briga quando enche a cara, por isso, não se reprima e, quando partir para a briga, simplesmente vá com tudo até se ferrar. Isso mais ou menos resume tudo?

— Alec devia se comportar do jeito que achasse melhor. Foi tudo o que me contou.

— Tudo o que *Control* lhe contou?

Aonde ela está querendo chegar? Qual é a dela? Um minuto chegando quase a tocar na verdade, no outro se afastando como se a verdade fosse queimá-la.

— Tudo o que Smiley me contou.

*

Estou tomando um drinque na hora do almoço com Alec num pub que fica poucos minutos a pé do Circus. Control deu a ele sua última chance de se comportar e o colocou na Seção Bancária, no andar térreo, com instruções para surrupiar tudo em que puder botar as mãos, embora Alec não me conte isso, e não tenho certeza se ele sabe do quanto eu sei. São duas e meia, nós nos encontramos à uma hora e, se você trabalha no térreo, tem uma hora para o almoço e nada mais.

Depois de duas canecas de cerveja, ele passa para o uísque, e tudo o que comeu no almoço foi um saco de batatas fritas temperadas com Tabasco. Ele resmungou em voz alta sobre o monte de esquisitões de merda que povoam o Circus hoje em dia, e onde estão os sujeitos bacanas do tempo da guerra, e como tudo o que os chefões querem é puxar o saco dos americanos.

E eu ouvi e não falei muito porque não tenho cem por cento de certeza de quanto daquilo é o verdadeiro Alec, e quanto é encenação do papel que está desempenhando, e não estou seguro de que esteja, o que é exatamente como deveria ser. Quando saímos e estamos na calçada com o trânsito passando, ele agarra meu braço. Por um instante acho que ele vai me dar um soco. Em vez disso, ele abre bem os braços e me abraça como o bêbado irlandês emotivo que está fingindo ser, enquanto lágrimas escorrem por seu rosto com a barba por fazer.

— Eu amo você, ouviu, Pierrot?

— E eu amo você, Alec — digo, como que por obrigação.

E, antes de se desvencilhar do abraço:

— Diga aí. Só pra saber. Que porra é essa de Windfall?

— Só uma fonte da Secretas a nosso serviço. Por quê?

— Algo que aquele puto do Haydon me disse quando bebeu além da conta outro dia. Que Secretas tem essa grande fonte nova e por que ninguém está pondo Conjunto na jogada? Sabe o que eu disse a ele?

— O que foi que você disse a ele?

— Se eu estivesse chefiando Secretas, falei, e alguém de Conjunto chegasse para mim e perguntasse "quem é sua grande fonte?", eu lhe daria um chute nos colhões.

— E o que foi que Bill disse a você?

— Mandou eu me foder. Sabe o que mais eu disse a ele?

— Ainda não.

— Tire suas mãozinhas de bicha de cima da mulher do George.

*

É tarde da noite no Estábulo. Sempre é. O Estábulo é uma casa que vive à noite, em surtos imprevisíveis. Num minuto, estamos morrendo de tédio por esperar, no seguinte, ouve-se um ruído na porta da frente e um grito de *Trabalho!*, e lá entra Jim Prideaux com o lote mais recente de preciosidades de Windfall. Chegaram em microponto ou carbono; Jim as pegou numa *dead letter box* em território proibido; foram passadas a ele pessoalmente por Windfall num *treff* de um minuto num beco de Praga. De repente estou subindo e descendo as escadas com telegramas, estou debruçado na minha escrivaninha alertando os clientes de Whitehall pelo telefone verde, as máquinas de escrever manuais das irmãs de Windfall estão matraqueando e a máquina de criptografia de Ben está batucando sobre as tábuas do assoalho. Nas doze horas seguintes nós estaremos fragmentando o material bruto de Mundt, espalhando-o por uma série de fontes fictícias — um pouco da interceptação de sinais de comunicação aqui, uma interceptação de telefone ou microfone ali —, e apenas raramente, para manter o grupo vivo, o ocasional informante bem colocado e confiável, mas tudo isso sob o único nome mágico de Windfall, apenas para leitores doutrinados. Esta noite é um bonança entre as tempestades. Excepcionalmente George está sozinho na Sala do Meio.

— Topei com Alec uns dois dias atrás — começo.

— Achei que tínhamos concordado que você deixaria sua relação com seu amigo Alec esfriar, Peter.

— Existe algo sobre a Operação Windfall que eu não entendo e acho que deveria entender — digo, começando meu discurso preparado.

— *Deveria*? Com que autoridade? Pelo amor de Deus, Peter.

— É só uma pergunta simples, George.

— Eu não sabia que nós lidávamos com perguntas simples.

— Qual é o papel de Alec, só isso?

— Fazer o que está fazendo, como você bem sabe. Tornar-se um dos fracassos zangados da vida. Um refugo do Serviço. Parecer ressentido, vingativo, seduzível, comprável.

— Com que *intenção*, George? Com que finalidade?

A impaciência passou a tomar conta dele. Começou a responder, tomou fôlego e reiniciou.

— Seu amigo Alec Leamas tem ordens de exibir suas reconhecidas falhas de caráter em toda a sua glória. Para garantir que elas atraiam a atenção dos caça-talentos da oposição, com uma mãozinha do traidor ou dos traidores em nosso campo, e colocar seu considerável fundo de inteligência secreta no mercado, para que nós então acrescentemos alguns de nossos próprios itens enganosos.

— Então é uma operação-padrão de desinformação por agente duplo.

— Com alguns adornos, sim. Uma operação-padrão.

— Só que ele parece achar que está numa missão para matar Mundt.

— Ora, ele está bem certo, não? — retruca George, sem demora, sem alterar o tom de voz.

Ele me encarava furiosamente através de seus óculos de aros redondos. Eu esperava que estivéssemos sentados a esta altura, mas ainda estávamos de pé, e eu sou consideravelmente mais alto que George. Mas o que me impressionou foi a aridez de sua voz, que me lembrou de nosso encontro na casa policial poucas horas depois de ele ter feito o pacto diabólico com Mundt.

— Alec Leamas é um profissional, como você é, Peter, e como eu sou. Se Control não o convidou a ler as letrinhas miúdas do contrato de sua missão, melhor para Alec e para nós. Ele não pode errar o passo e não pode trair. Se sua missão tiver sucesso de um modo que ele não tenha previsto, ele não se sentirá enganado. Sentirá que cumpriu o que se esperava dele.

— Mas Mundt é *nosso*, George! Ele é nosso *joe*. Ele é Windfall!

— Obrigado. Hans-Dieter Mundt é um agente deste Serviço. E como tal deve ser protegido a todo custo daqueles que suspeitam de que ele seja o que é, e sonham apenas em colocá-lo contra uma parede e tomar seu lugar.

— E quanto a Liz?

— Elizabeth Gold? — como se ele tivesse esquecido o nome, ou eu o tivesse pronunciado incorretamente. — Elizabeth Gold será convidada a fazer o que lhe cai mais naturalmente: falar a verdade, nada além da verdade. Você tem agora a informação que queria?

— Não.

— Eu o invejo.

12.

É outra manhã, cinzenta para variar, e uma chuva fina cai em Dolphin Square enquanto pego meu ônibus. Chego cedo ao Estábulo, mas Tabitha já está sentada à minha espera, muito satisfeita consigo mesma por ter conseguido um maço de relatórios de vigilância do departamento de Operações Especiais que, conta, caíram de paraquedas em seu colo. Ela não sabe se são autênticos, claro, ou se poderia chegar a usá-los no futuro, mas eu não devo de modo algum contar para ninguém que ela está de posse deles. Tudo isso me faz pensar que ela tem algum amigo na Especiais e que os relatórios são exatamente o que dizem ser.

— Então vamos começar com o primeiro dia de atividade, este aqui. Nenhuma pista sobre quem *pediu* a Especiais que soltasse os cachorros em Alec. Simplesmente, a pedido de Box, e Box, pelo que entendi, era o jargão policial para Circus naqueles dias. Certo?

— Certo.

— Tem alguma ideia de *quem* em Box poderia ter feito o pedido para Especiais?

— Conjunto, provavelmente.

— Quem exatamente em Conjunto?

— Poderia ter sido qualquer um deles. Bland, Alleline, Esterhase. Até o próprio Haydon. É mais provável que ele tenha delegado o pedido a um dos seus subalternos para não sujar as mãos.

— E mandar o departamento de Operações Especiais conduzir a vigilância, e não seus queridos Amigos no Serviço de Segurança? Isso é um procedimento normal?

— Sem dúvida.
— Por quê?
— Porque os dois serviços não gostavam um do outro.
— E nossa esplêndida polícia?
— Não gostava do Serviço de Segurança por se intrometer, nem do Circus porque éramos um bando de babacas arrogantes cuja missão na vida era infringir a lei.

Ela pensou nisso, e então em mim, me examinando ostensivamente com seus tristes olhos azuis.

— Você é muito *assertivo* às vezes. Qualquer um pensaria que sabe mais do que deveria. Vamos ter que tomar cuidado com isso. O que queremos aqui é um oficial júnior apanhado num turbilhão de acontecimentos históricos. Não alguém escondendo um grande segredo.

*

Comandante Operações Especiais a Box. Ultrassecreto & Protegido.
Assunto: OPERAÇÃO GALAXY.

Antes de assumirem suas posições, meus oficiais fizeram discretas investigações com relação às atividades do casal em questão, quanto a seu emprego, estilo de vida e coabitação.

Ambas as partes estão empregadas em tempo integral na Biblioteca para Pesquisa Psíquica de Bayswater, um instituto privado administrado pela Srta. Eleanora Crail, uma mulher solteira de cinquenta e oito anos, de modos e aparência excêntricos, não conhecida previamente da polícia. Sem saber que estava se confidenciando a um dos meus oficiais, a Srta. Crail ofereceu voluntariamente as seguintes informações relacionadas ao casal.

VÊNUS, a quem ela se refere como sua "amada Lizzie", tem sido sua funcionária, atuando como assistente de biblioteca, pelos últimos seis meses, e, na visão da Srta. Crail, é impecável, pontual, respeitosa, inteligente, asseada em seus hábitos, consciencioso e com capacidade de aprendizagem rápida, boa caligrafia, e "bem articulada considerando a classe social à qual pertence". A Srta. Crail não tem objeções quanto a suas convicções comunistas, das quais ela não faz nenhum segredo, "contanto que não as traga para dentro da minha biblioteca".

MARTE, a quem ela chama de "o desagradável Sr. L", tem sido seu funcionário, atuando como segundo assistente de biblioteca, aguardando a reforma da mesma, e na sua opinião não é "nada competente". Ela já se queixou duas vezes à Agência de Emprego de Bayswater com relação ao seu comportamento, sem sucesso. Ela o descreve como desleixado, descortês, descumpridor do seu horário de almoço e frequentemente "cheira a bebida alcoólica". Ela odeia o hábito dele de falar com um forte sotaque irlandês quando interpelado, e já o teria demitido depois de uma semana não fosse sua amada Lizzie (Vênus) a interceder por ele, havendo uma atração mútua "nada saudável" entre os dois, apesar das diferenças de idade e postura, que, na opinião da Srta. Crail, já pode ter evoluído para intimidade plena. Pois, por que outro motivo, depois de meras duas semanas após terem se conhecido, eles chegariam juntos pela manhã e, também, mais de uma vez ela os viu de mãos dadas, e não apenas porque estivessem passando livros um para o outro.

Perguntada casualmente por meu oficial sobre que emprego anterior Marte havia declarado, ela respondeu que, segundo a Agência, ele havia sido "alguma espécie de atendente insignificante em um banco", ao que ela só pôde comentar que não admirava que os bancos estivessem do jeito que estavam.

Vigilância.
Para o primeiro dia de observação, meus oficiais selecionaram a segunda sexta-feira do mês, sendo este o dia em que a Divisão de Goldhawk Road do Partido Comunista Britânico patrocina seu Dia Aberto para todos os matizes da esquerda no Oddfellows' Hall, em Goldhawk Road, Vênus tendo recentemente transferido sua afiliação do Partido de Cable Street para Goldhawk Road, depois que passou a morar em Bayswater. Frequentadores habituais incluem integrantes do Partido dos Operários Socialistas, do "Militant", da Campanha para o Desarmamento Nuclear, mais dois oficiais disfarçados da minha própria Força, um homem e uma mulher, oferecendo, assim, cobertura dos banheiros.

Ao deixar a biblioteca às 17h30, o casal-alvo parou no Queen's Arms, em Bayswater Street, onde Marte bebeu uma dose dupla de uísque e Vênus, um Babycham, chegando ao Oddfellows' Hall, conforme previsto, às 19h12, o tema da noite sendo "Paz a Que Preço?", e a sala, que acomoda 508 pessoas, contendo na ocasião cerca de 130 pessoas de variadas raças e posições sociais. Marte e Vênus sentaram-se lado a lado nos fundos, perto da saída, com Vênus, uma figura popular entre os camaradas, recebendo sorrisos e acenos de cabeça.

Após um breve discurso de abertura por R. Palme Dutt, ativista e jornalista comunista, que em seguida deixou imediatamente a sala, oradores menos importantes ocuparam a tribuna, o último sendo Bert Arthur Lownes, proprietário do Lownes, a Mercearia do Povo, em Bayswater Road, autointitulado trotskista e bem conhecido da polícia por incitar violência, desordem e outros atos calculados para promover a ruptura da paz em lugares públicos.

Até Lownes pegar o microfone, Marte tinha permanecido emburrado e entediado, bocejando, chochilando e periodicamente bebendo de um cantil, cujo conteúdo não era conhecido. A conduta intimidadora de Lownes, porém, o despertou de seus cochilos, nas palavras do meu oficial, levando-o inesperadamente a erguer um dos braços para atrair a atenção do presidente que conduzia o encontro, também tesoureiro da Divisão de Goldhawk Road, Bill Flint, que na mesma hora convidou Marte a dizer seu nome e a fazer sua pergunta ao orador, segundo as regras do Dia Aberto. Os registros que meus oficiais fizeram do diálogo, durante e depois do debate, são uniformes e correm assim:

Marte [Sotaque irlandês. Diz seu nome]: Assistente de biblioteca. Eu tenho uma pergunta, camarada. Você está nos dizendo que deveríamos parar de nos armar até os dentes contra a ameaça soviética porque os soviéticos não estão ameaçando ninguém. É isso? Sair da corrida armamentista agora e gastar o dinheiro em cerveja?

[Risadas.]

Lownes: Bem, isso é uma simplificação, uma das maiores que já ouvi, camarada. Mas, tudo bem. Se quer colocar nesses termos. Sim.

Marte: Enquanto, de acordo com você, o verdadeiro inimigo com o qual deveríamos estar nos preocupando agora são os Estados Unidos. O imperialismo americano. O capitalismo americano. A ação ofensiva americana. Ou será que estou fazendo outra simplificação?

Lownes: Qual é a sua pergunta, camarada?

Marte: Ora, é esta, camarada. Não deveríamos estar nos armando até os dentes contra a *ameaça americana*, se são eles os rapazes que devemos temer?

A resposta de Lownes é abafada por risadas, vaias raivosas e aplausos esparsos. Marte e Vênus saem pela porta dos fundos. Na calçada, parecem inicialmente engajar-se numa acalorada discussão. No entanto, suas diferenças duram pouco e eles caminham de braços dados até o ponto do ônibus, parando só para se abraçar.

Adendo.

Comparando seus cadernos de anotações, cada um dos meus dois oficiais registrou separadamente a presença do mesmo homem bem-vestido, de uns trinta anos, estatura mediana, cabelos louros ondulados e aparência efeminada que, tendo abandonado a reunião logo após o casal, acompanhou-os até o ponto de ônibus e subiu no mesmo veículo, sentando-se no andar de baixo, enquanto o casal preferiu o andar superior, onde Marte poderia fumar. Quando o casal desceu, o mesmo indivíduo desceu também e, tendo seguido o casal até seu prédio e esperado que uma luz aparecesse no terceiro andar, dirigiu-se imediatamente para uma cabine telefônica. Meus oficiais não tinham permissão de seguir alvos secundários, e nenhuma tentativa foi feita de identificar ou localizar esse indivíduo.

*

— Então o grande plano estava funcionando. Os animais da floresta começavam a farejar o seu bode amarrado. Representado por nosso homem bem-vestido de uns trinta anos e aparência efeminada. Certo?

— Não o meu bode. O de Control.

— Não o de Smiley?

— Quando se tratou de plantar Alec na oposição, Smiley ficou em segundo plano.

— Que era o que ele queria?

— Provavelmente.

Estou detectando uma nova Tabitha. Ou a verdadeira, mostrando as garras.

— Você já tinha visto esse relatório?

— Eu tinha ouvido falar dele. A parte essencial.

— Aqui nesta casa? Junto com os outros que tinham acesso irrestrito à Operação Windfall?

— Isso.

— Portanto, uma grande alegria para todos. Viva, eles morderam a isca!

— Basicamente isso.

— Você não parece muito seguro. Não estava apreensivo com a operação? Desejando cair fora dela e sem saber como?

— Estávamos no curso previsto. A operação seguia de acordo com o plano. Por que eu estaria apreensivo?

Ela parecia prestes a questionar essa declaração, mas mudou de ideia.

— *Adoro* este aqui — disse, empurrando outro relatório para mim.

*

Comandante Operações Especiais para Box. Ultrassecreto & Protegido.
Assunto: OPERAÇÃO GALAXY. RELATÓRIO Nº 6.
Agressão gratuita a Bert Arthur LOWNES, proprietário de LOWNES, A MERCEARIA DO POVO, um negócio administrado em linhas cooperativas em Bayswater Road, às 17h45, 21 de abril de 1962.

A seguinte informação foi obtida de maneira informal de testemunhas não chamadas para depor oficialmente em vista da natureza inconteste do caso.

Na semana que precedeu o incidente, parece que Marte havia adotado o hábito de comparecer ao empório de Lownes em diferentes horas do dia num estado inebriado, aparentemente para fazer compras usando uma conta de crédito mantida em nome de Vênus, à qual ele tinha acesso, mas, na verdade, para se envolver em discussões verbais com Lownes, conduzidas em voz alta e com um sotaque irlandês provocador. No dia em questão, meu oficial observou Marte enchendo uma cesta com uma grande quantidade de itens comestíveis, além de uísque, no valor aproximado de 45 libras. Ao ser indagado se as compras seriam pagas em dinheiro, ou debitadas do crédito de Vênus, Marte respondeu com, e eu cito, "Crédito, seu babaca, o que é que você está pensando?", acrescentando outras palavras no sentido de que, sendo um membro integralmente pago das massas famélicas, ele tinha direito ao seu justo quinhão das riquezas do mundo. Ignorando a advertência de Lownes de que a conta de Vênus estava no vermelho e, por isso, não havia mais crédito disponível, ele avançou para a saída principal carregando a cesta cheia de artigos não pagos. Altura em que o tal Lownes saiu de trás do balcão e, falando grosso, ordenou a Marte que entregasse a cesta imediatamente e se retirasse do estabelecimento. Em vez disso, sem maiores discussões, Marte desferiu uma rápida sucessão de golpes na área do estômago e da virilha de Lownes, culminando com uma cotovelada em sua face direita.

Sem fazer nenhuma tentativa de escapar enquanto os fregueses gritavam e a Sra. Lownes ligava para a polícia, Marte não demonstrou nenhum remorso, e continuou a despejar insultos sobre sua infeliz vítima.

Como um dos meus oficiais mais jovens depois comentou, ele ficou muito grato por não ter presenciado a cena, pois teria se sentido obrigado a deixar de lado seu disfarce e intervir. Além do mais, ele duvidava francamente de sua capacidade de confrontar o agressor sozinho.

Policiais apareceram rapidamente e o agressor não resistiu à prisão.

*

— Então minha pergunta é: você sabia, de antemão, que Alec ia surrar o coitado do Sr. Lownes?

— Em tese.

— O que isso quer dizer?

— Eles esperavam por um episódio em que Alec arruinasse de vez a sua reputação. Ele sairia da prisão, estaria sem um tostão, não teria como voltar.

— Quando diz *eles* você se refere a Control e Smiley.

— Sim.

— Mas não você. Não foi sua brilhante ideia, elaborada por você e vendida aos seus superiores?

— Não.

— O que me preocupa é que você, pessoalmente, possa ter levado Alec a isso, sabe? Ou o outro lado vai sugerir que foi isso que você fez. Empurrou seu pobre amigo arruinado a profundezas ainda maiores de degeneração. Mas você não fez isso. O que é um alívio. A mesma coisa com relação ao dinheiro que Alec furtou da Seção Bancária do Circus. E foram outras seis pessoas que o mandaram fazer isso, não você?

— Control, imagino.

— Bom. Então Alec estava agindo de forma provocadora por ordem de seus superiores, você era amigo dele, não um gênio do mal. E presumo que Alec tinha noção disso. Certo?

— É o que eu imagino. Certo.

— Então Alec também sabia que você fazia parte de Windfall?

— Claro que ele não sabia de porra nenhuma! Como poderia? Ele não sabia *nada* sobre Windfall!

— Sim, claro, eu achei que você fosse ficar indignado. Vou embora para fazer meu trabalho de casa, se você não se importa, enquanto você folheia este horror. A tradução está péssima. Mas, segundo me disseram, o texto original também. Faz a gente sentir saudade do jeito todo especial que a Operações Especiais tinha com as palavras.

TRECHOS DE ARQUIVOS ATÉ ENTÃO NÃO DIVULGADOS DA STASI MARCADOS PARA NÃO SEREM LIBERADOS ANTES DE 2050 CONFORME SELECIONADOS E TRADUZIDOS POR ZARA N. POTTER

E ASSOCIADOS, INTÉRPRETES E TRADUTORES JURAMENTADOS, POR ENCOMENDA DOS SRS. SEGROVE, LOVE & BARNABAS, ADVOGADOS, LONDRES W.C.

Quando a porta fechou atrás dela, fui tomado por uma raiva irracional. Aonde a miserável tinha ido? Por que me abandonou assim? Para fazer um relato ofegante aos seus amigos na fortaleza? É esse o jogo que ela está jogando? Passam para ela um maço de relatórios da Operações Especiais e dizem: *Experimente para ver se dão conta do recado?* É assim que funciona? Mas não era assim que funcionava. Eu sabia disso.

Tabitha era o anjo bom de qualquer acusado. E seus olhos suaves e tristes viam bem mais longe que os de Bunny e Laura.

Eu sabia disso também.

*

Alec está encostado à janela encardida, espiando para fora. Eu estou sentado na única poltrona. Estamos no quarto de um andar superior num hotel em Paddington que aluga acomodações por hora. Esta manhã ele me ligou num telefone não registrado de Marylebone, reservado para *joes*.

— Me encontre no Duchess, às seis horas.

O Duchess of Albany, na Praed Street, um de seus velhos antros. Ele tem um aspecto selvagem, os olhos vermelhos e nervosos. O copo de bebida treme em sua mão. Frases curtas e rancorosas, cuspidas entre pausas.

— Tem essa garota — diz ele. — Uma comunista de merda. Não posso culpá-la. Não levando em conta de onde ela vem. Enfim, quem culpa quem mais pelo quê?

Espere. Não pergunte. Ele vai lhe dizer o que quer.

— Eu disse a Control: deixe a garota fora disso. Não confio no velho desgraçado. Nunca se sabe o que está tramando. Eu me pergunto se ele mesmo sabe. — Longa contemplação da rua lá embaixo. Um silêncio contínuo de minha parte. — De qualquer maneira, onde é que a porra do George está se escondendo? — diz, virando-se para mim com uma expressão acusadora. — Tive um *treff* com Control em Bywater Street uma noite dessas. A porra do George não apareceu.

— George está fazendo um monte de coisa em Berlim neste momento — digo, mentindo, e espero de novo.

Alec decidiu imitar a voz pedante de Control:

— *"Quero que você se livre de Mundt para mim, Alec. Faça do mundo um lugar melhor. Está disposto a isso, meu velho?"* Claro que estou disposto. O filho da mãe matou Riemeck, não foi? Matou metade da porra da minha rede. Tentou matar George também, um ou dois anos atrás. Não podemos aceitar isso, não é, Pierrot?

— Não, não podemos — concordo com sinceridade.

Será que ele detectou incerteza em minha voz? Toma um gole de uísque e continua me encarando.

— Você por acaso não a teria *conhecido*, Pierrot?

— Conhecido quem?

— Minha garota. Você sabe muito bem de quem estou falando.

— Como é que eu poderia ter conhecido essa garota, Alec? Minha nossa, o que você está dizendo?

Ele se vira, por fim.

— Alguém que ela conheceu. Um sujeito. Pela descrição parecia um pouco com você. Só isso.

Balanço a cabeça, perplexo, dou de ombros, sorrio. Alec volta a mergulhar em suas contemplações, espiando os passantes na calçada enquanto eles correm para se abrigar da chuva.

*

ASSUNTO: FALSAS ACUSAÇÕES FEITAS CONTRA O CAMARADA HANS-DIETER MUNDT POR AGENTES FASCISTAS DA INTELIGÊNCIA BRITÂNICA. EXONERAÇÃO PLENA, TOTAL E COMPLETA DE H-D MUNDT PELO TRIBUNAL DO POVO. LIQUIDAÇÃO DOS ESPIÕES IMPERIALISTAS NA TENTATIVA DE ESCAPAR. SUBMETIDO AO PRAESIDIUM DO SED, 28 DE OUTUBRO DE 1962.

Se a Câmara Estelar que se reuniu para o julgamento de Hans-Dieter Mundt foi uma piada, seu relato oficial foi ainda pior. O prólogo poderia ter sido escrito pelo próprio Mundt. Talvez tenha sido.

O odioso e corrupto agitador contrarrevolucionário Leamas era um degenerado, um burguês bêbado oportunista, mentiroso, mulherengo, assassino, obcecado por dinheiro e por um ódio pelo progresso.

Os devotados agentes da Stasi que haviam obtido o falso testemunho desse Judas maligno tinham feito isso de boa-fé e não podiam ser culpados por introduzirem uma víbora no seio daqueles dedicados a combater as forças do imperialismo fascista.

O julgamento foi um triunfo da justiça socialista e um alerta para uma vigilância cada vez maior contra as intrigas dos espiões e provocadores capitalistas.

A mulher que se chamava Elizabeth Gold era uma simplória política, com simpatias pró-Israel, que sofreu lavagem cerebral pelo Serviço Secreto Britânico, apatetada por seu amante mais velho e atraída de olhos arregalados para uma teia de intriga ocidental.

Mesmo depois de o impostor Leamas ter feito uma confissão completa de seus crimes, a mulher Gold se arriscara a ajudá-lo em sua fuga e pagara o preço por sua duplicidade.

E, só um adendo, para parabenizar o destemido guardião do Socialismo Democrático, que não hesitou em abatê-la a tiros enquanto ela tentava escapar.

*

— Então, Peter. Uma rápida recapitulação dessa terrível farsa judicial. Estamos prontos para isso?

— Pode ser.

Mas sua voz estava animada e cheia de propósito, e ela havia se plantado bem na minha frente do outro lado da mesa como uma representante do Comissariado do Povo.

— Alec chega à Câmara Estelar como testemunha de Fiedler, com planos bem elaborados para jogar lama sobre Mundt. Certo? Fiedler conta ao tribunal tudo sobre a falsa trilha de dinheiro que leva diretamente a Mundt. Certo? Ele faz uma exposição completa do tempo de Mundt como pseudodiplomata na Inglaterra, que, segundo Fiedler, foi quando ele foi recrutado e transformado pelas forças do imperialismo reacionário, vulgo Circus. Então temos uma lista de todos os chocantes segredos de Estado que Mundt supostamente vendeu a seus mestres ocidentais por suas trinta moedas de prata, e tudo está repercutindo como uma tempestade junto aos juízes do tribunal. Até *que...*?

O sorriso suave já se foi faz tempo.

— Até Liz, suponho — respondo, de má vontade.

— Até Liz, sim. E lá surge a coitada da Liz e, como não sabe de nada, joga por terra tudo o que seu amado Alec havia acabado de contar ao tribunal. Você sabia que ela ia fazer isso?

— Claro que não! Como é que eu podia saber?

— De fato, como podia saber? E você notou, por acaso, o que na verdade *derrubou* Liz, *e* o seu Alec? Foi o momento em que ela trouxe à tona o nome de George Smiley. Sua admissão absolutamente inocente à Câmara Estelar de que um tal de *George Smiley*, acompanhado por um homem mais jovem, havia aparecido para visitá-la pouco depois do misterioso desaparecimento de Alec e *contado* a ela que seu Alec estava fazendo um trabalho maravilhoso por seu *país*, e que tudo ia dar certo. George então deixou seu *cartão de visita* com Liz para garantir que ela não se esquecesse. Embora *Smiley* fosse um nome fácil de lembrar e de modo algum desconhecido da Stasi. Um *ato* tão descuidado, não acha, para uma raposa velha e astuta como George?

Eu disse algo no sentido de que até George era capaz de cometer um deslize de vez em quando.

— E você era o homem mais jovem que o acompanhava, por acaso?

— Não, não era! Como poderia ser? Eu era *Marcel*, está lembrada?

— Então quem era?

— Jim, provavelmente. Prideaux. Tinha acabado de se realocar.

— Realocar?

— De Conjunto para Secretas.

— E também tinha acesso irrestrito à Operação Windfall?

— Acho que sim.

— Só acha?

— Ele tinha acesso.

— Então me diga, se puder. Quando Alec Leamas foi enviado em sua missão para acabar com Mundt a qualquer custo, quem ele acreditava que era a *fonte anônima* que estava fornecendo ao Circus todo aquele maravilhoso material de Windfall?

— Não faço ideia. Nunca discuti isso com ele. Provavelmente Control fez isso. Não sei.

— Deixe-me colocar de outra maneira, se for mais simples. Seria justo dizer, por inferência, por um processo de eliminação, por certas insinuações veladas, que na ocasião em que Alec Leamas embarca em sua viagem fatal, ele tinha botado na sua cabeça inebriada a ideia de que Josef Fiedler era a fonte vital que ele estava protegendo, e que por isso o odioso Hans-Dieter Mundt tinha que ser eliminado?

Ouvi minha voz se erguer e não pude parar:

— *Diabos*, como *eu* poderia saber o que *Alec* pensava ou não pensava? Alec era um *agente de campo*. Você não pensa em sutilezas quando atua como agente de campo. Uma Guerra Fria está em curso. Você tem um trabalho a fazer. Você segue em frente com ele!

Eu estava falando sobre Alec? Ou sobre mim mesmo?

— Então me ajude a resolver este pequeno enigma intrincado. Você, P. Guillam, estava por dentro de Windfall. Certo? Um dos poucos, muito poucos. Posso continuar? Posso. Alec categoricamente *não* sabia de tudo de Windfall. Ele sabia que havia uma superfonte da Alemanha Oriental, ou um monte de fontes, com o nome genérico de Windfall. Sabia que era Secretas quem administrava a ele, a ela ou a eles. Mas nada sabia deste lugar onde estamos sentados agora ou o que era tramado aqui. Verdade?

— Suponho que sim.

— E era fundamental que ele *não* fizesse parte de Windfall, o que tem sido seu refrão desde o início.

— E *então*? — perguntei, com minha voz morta de cansaço.

— Se você *fazia parte* da Operação Windfall e Alec Leamas *não fazia*, o que *você* sabia que *Alec* não tinha permissão de saber? Ou estamos exercendo nosso direito ao silêncio? Eu não recomendaria isso. Não com o pessoal da Comissão de Inquérito querendo atacar você verbalmente. *Nem* quando você estiver sentado diante de um júri adestrado.

*

Foi isso o que Alec enfrentou, estou pensando: defendendo um caso inútil e vendo-o se desfazer em suas mãos, com a diferença de que aqui ninguém está morrendo, a não ser de velhice. Estou me agarrando com unhas e dentes a uma grande mentira insustentável cuja verdade prometi jamais revelar, e ela está afundando sob meu próprio peso. Mas Tabitha não perdoa:

— E nossos *sentimentos*. Podemos falar sobre *eles* para variar? Muito mais esclarecedores do que os fatos, eu sempre acho. O que *você* sentiu, você mesmo, quando soube que a pobre Liz subitamente tomou a palavra e jogou por terra todo o maravilhoso trabalho árduo de Alec? E acabou com o coitado do Fiedler, também, quando se pôs a falar?

— Eu *não* soube.

— Como assim?

— Ninguém pegou o telefone e disse: "Soube da última sobre o julgamento?" A primeira coisa que recebemos foi um notícia de última hora da Alemanha Oriental. Traidor desmascarado. Era Fiedler entrando pelo cano. Oficial sênior de segurança totalmente isentado de culpa. Era Mundt se dando bem. Então soubemos da fuga dramática dos prisioneiros e de uma caçada nacional por eles. E então soubemos...

— Os tiros no Muro, suponho?

— George estava lá. George viu. Eu não.

— E seus *sentimentos* de novo? Sentado aqui, nesta mesma sala, ou de pé ali, andando de um lado para o outro, ou seja lá o que fez, e as notícias terríveis pipocando. Agora ouça *isto*, agora ouça *aquilo*? Sem parar?

— O que acha que eu fiz? Mandei servirem champanhe? — E faço uma pausa, enquanto me controlo. — Pensei, meu Deus, aquela pobre garota. Apanhada no meio de tudo isso. Família de refugiados. Perdidamente apaixonada por Alec. Não queria mal a ninguém. Que coisa terrível ela teve que fazer.

— *Teve* que fazer? Você quer dizer que ela *teve a intenção* de comparecer ao tribunal? Ela *teve a intenção* de salvar o nazista e matar o judeu? Isso não soa como algo que Liz faria. Quem a teria mandado fazer uma coisa destas?

— Ninguém mandou nada!

— A coitada da garota nem sabia por que estava no julgamento. Fora convidada para um acampamento de camaradas na ensolarada RDA e de repente está testemunhando contra seu amante num tribunal de faz-de-conta. Como você se *sentiu* quando soube disso? Você, pessoalmente. E depois ao saber que os dois tinham sido mortos no Muro. Fuzilados enquanto fugiam, pelo que consta. Angústia, deve ter sido. Extrema angústia, certamente?

— Claro que foi.

— Para todos vocês?

— Para todos.

— Control também?

— Não sou um especialista nos sentimentos de Control.

Aquele sorriso triste dela. Ele voltou.

— E seu tio George?

— O que tem ele?

— Como reagiu à notícia?

— Não sei.

— Por que não? — questiona ela rispidamente.

— Ele desapareceu. Partiu sozinho para a Cornualha.

— Por quê?

— Para caminhar, imagino. É aonde costuma ir.

— Por quanto tempo?

— Alguns dias. Talvez uma semana.

— E quando voltou? Estava diferente?

— George não é de se alterar. Ele simplesmente recupera a compostura.

— E ele fez isso?

— Não tocou no assunto.

Tabitha pensou a respeito, pareceu relutante em deixar o assunto morrer.

— E nem uma réstia de triunfo em *nenhum lugar*? — prosseguiu depois de refletir um pouco. — No *outro* aspecto? No aspecto *operacional*, nenhuma sensação em nenhum lugar de, bem, aquele foi um dano colateral, é trágico e é terrível, mas a missão foi cumprida mesmo assim. Nada *desse* tipo, até onde sabemos?

Nada mudou. Nem sua voz gentil, nem seu sorriso suave. No mínimo sua atitude ficou ainda mais bondosa do que antes.

— O que estou lhe perguntando é: quando você *soube*, na sua própria cabeça, que a absolvição triunfal de Mundt *não* foi o fracasso que pareceu ser, mas um golpe monumental de inteligência disfarçado? E que Liz Gold foi o catalisador necessário que fez tudo acontecer? Veja bem, isso é sobre a sua defesa. Sua intenção, seu conhecimento prévio, sua cumplicidade. Você pode se manter de pé ou ser derrubado por qualquer um deles.

Um silêncio para os mortos. Rompido por Tabitha num tom inquisitivo casual.

— Você sabe com o que eu sonhei ontem à noite?

— Como cargas d'água eu poderia saber?

— Eu estava fazendo minha análise prévia, lendo aquele interminável relatório que Smiley fez você escrever e decidiu não pôr em circulação. E comecei a pensar naquele ornitólogo suíço que acabou virando um integrante disfarçado do braço de segurança doméstico do Circus. E então eu me perguntei *por que* Smiley não quis que seu relatório circulasse? Então fiz mais algumas análises e fucei onde quer que me permitissem fuçar e, sinceramente, não consegui encontrar uma única coisa sobre alguém testando as defesas do Acampamento 4 naquele período. E absolutamente *nada* sobre um operador disfarçado e superzeloso que esmurrou os guardas de segurança do Acampamento 4. Então não foi necessária uma epifania para deduzir o resto. Nenhum atestado de óbito para Tulip. Bem, nós sabemos que a pobre garota não havia desembarcado oficialmente, mas não são muitos os médicos que gostam de colocar seu nome num atestado de óbito falso, nem mesmo os médicos do Circus.

Olhei fixamente para um ponto a distância e tentei fingir que achava que ela estava louca.

— Então minha interpretação é esta: Mundt foi mandado para matar Tulip. Ele a assassinou, mas o bom Senhor não estava do lado dele e ele acabou sendo apanhado. George o apertou. Espione para nós, ou então... Ele aceita. Fonte abundante de ótima inteligência, subitamente sob risco. Fiedler parece a fim de detoná-lo. Entra Control com seu plano revoltante. George pode não ter dado bola para ele, mas, como sempre acontece com George, o dever chamava. Ninguém imaginou que Liz e Alec seriam fuzilados. Essa teria sido ideia de Mundt: atire nos mensageiros e tenha uma boa noite de sono. Nem mesmo Control poderia ter previsto isso. Seu George foi diretamente para a aposentadoria, jurando nunca mais lidar com espionagem. Um lado que amamos nele, embora não tenha durado. Ele ainda tinha que voltar e pegar Bill Haydon, o que ele fez maravilhosamente bem, abençoado seja. E você esteve a favor dele o tempo todo, o que nós só podemos aplaudir.

Nada me veio à cabeça, portanto, fiquei calado.

— E, para remexer com a faca numa ferida que já estava enorme, mal tinha a Câmara Estelar feito o seu trabalho e Hans-Dieter era convocado para uma conferência em Moscou. E nunca mais foi visto. Então adeus às últimas esperanças de que ele pudesse se insinuar na Central de Moscou e descobrir quem era o traidor do Circus. A princípio, Bill Haydon tinha chegado lá antes dele. Podemos falar um pouco mais sobre *você*?

Eu não conseguiria pará-la, então por que tentar?

— Se eu pudesse argumentar que Windfall *não foi* o fracasso de todos os tempos, mas uma operação diabolicamente inteligente que produziu inteligência do mais alto nível e só saiu dos trilhos no último minuto, não duvido nada de que todos os parlamentares rolariam de barriga para cima e levantariam as patinhas. Liz e Alec? Trágico, sim, mas, nessas circunstâncias, perdas aceitáveis em prol do bem maior. Estou ganhando? Não estou. Ai, meu Deus. Apenas sugerindo. Porque não acho que possa defendê-lo de qualquer outra maneira. De fato, tenho quase certeza de que não posso.

Ela havia começado a juntar suas coisas: óculos, casaco, lencinhos de papel, relatórios da Operações Especiais, relatórios da Stasi.

— Você falou alguma coisa, coração?

Falei? Nenhum de nós tem certeza. Ela interrompeu a arrumação das suas coisas. Segura a pasta aberta no colo, esperando que eu fale. Aliança no dedo anelar. Estranho que eu não a tivesse notado antes. Fico me perguntando quem será o marido. Provavelmente já morreu.

— Olha aqui.

— Ainda olhando, coração.

— Aceitando por um momento sua hipótese absurda...

— De que a operação diabolicamente inteligente funcionou...?

— Aceitando isso, *teoricamente*, o que de modo algum eu aceito, você está me dizendo seriamente que, na eventualidade impossível de que uma prova documental nesse sentido venha à tona...

— O que sabemos que não acontecerá, mas se um dia vier a acontecer, terá que ser totalmente legítima e incontestável...

— Você está me dizendo que, no caso de tal eventualidade improvável, as denúncias, o processo, o litígio, toda a bateria de acusações contra quem quer que seja, eu, George, se ele puder ser encontrado, até mesmo o Serviço, cairia por terra?

— Encontre a prova para mim, eu encontro o juiz para você. Enquanto conversamos, os abutres estão rondando. Se você não comparecer à audiência, os parlamentares temerão o pior e agirão de acordo. Pedi seu passaporte a Bunny. O idiota não quer abrir mão dele. Mas prolongará sua estada em Dolphin Square nos mesmos termos mesquinhos. Tudo a ser discutido. A mesma hora amanhã de manhã está bom para você?

— Podíamos passar para as dez?

— Chegarei às dez em ponto — respondeu ela, e eu disse que também chegaria.

13.

Quando a verdade alcança você, não banque o herói; corra. Mas eu tive o cuidado de caminhar, lentamente, até Dolphin Square e entrar no apartamento seguro onde eu sabia que nunca mais iria dormir. Fecho as cortinas, suspiro resignadamente para a televisão, fecho a porta do quarto. Retiro o passaporte francês do esconderijo atrás do quadro de instruções em caso de incêndio. Existe um ritual calmante na fuga. Troco de roupa. Enfio o barbeador no bolso da capa de chuva, deixo o restante onde está. Desço até o restaurante, peço um prato leve e leio meu livro entediante como um homem conformado em ter uma noite solitária. Converso com a garçonete húngara, no caso de ela vir a ter de relatar algo a alguém. Na verdade, moro na França, digo a ela, mas estou aqui para falar de negócios com um bando de advogados ingleses, ela consegue imaginar coisa pior? Rá, rá. Pago a conta. Perambulo até o pátio, onde senhoras aposentadas de chapéu branco e saia de jogar *croquet* estão sentadas em pares nos bancos do jardim. Desfruto o sol fora de época. Preparo para juntar-me ao êxodo rumo ao Embankment, para nunca mais voltar.

Só que não faço nenhuma dessas duas últimas coisas, porque a essa altura avistei Christoph, filho de Alec, com seu sobretudo preto e chapéu Homburg, refestelado uns vinte metros adiante, ocupando sozinho um banco inteiro, um braço estendido ao longo do encosto, uma perna comprida cruzada preguiçosamente sobre a outra, e a mão direita enfiada, de forma ostensiva, no bolso do sobretudo. Está olhando diretamente para mim e sorrindo, algo que nunca o vi fazer, nem quando criança, assistindo a um jogo de futebol, nem já homem feito, comendo bife com fritas. E talvez o sorriso seja algo novo para ele também, porque é acompanhado de uma palidez no rosto, intensificada pelo preto do chapéu, e noto um tremular em seu sorriso, como uma lâmpada defeituosa que não sabe se está ligada ou desligada.

Fico tão sem saber o que fazer ou dizer quanto ele. Um cansaço toma conta de mim, e suspeito que seja medo. Ignorá-lo? Acenar para ele de um jeito animado e seguir adiante com minha fuga, como planejado? Ele virá atrás de mim. Colocará a boca no trombone. Ele também tem um plano, mas qual será?

O sorriso pálido e doentio continua a tremular. Há algo em seu maxilar inferior, uma irritação que parece incapaz de controlar. E será que ele *quebrou* o braço direito? É por isso que a mão está enfiada de um modo tão esquisito no bolso do casaco? Ele não faz nenhum esforço para se levantar. Sigo em sua direção, sendo observado atentamente pelas senhoras de chapéu branco sentadas nos bancos. Em todo o pátio somos os dois únicos homens, e Christoph faz as vezes de uma figura excêntrica, para não dizer gigantesca, dominando a cena. Qual é o meu assunto com ele?, elas estão se perguntando. Eu também. Paro à sua frente. Nada nele se mexe. Poderia muito bem ser uma daquelas estátuas de bronze de celebridades que você vê sentadas em locais públicos: um Churchill ou um Roosevelt. A mesma compleição saturada, o mesmo sorriso não convincente.

A estátua ganha vida lentamente de uma maneira que outras estátuas não o fazem. Ele descruza as pernas e, com o ombro direito elevado e a mão direita ainda enfiada no bolso do casaco, arrasta o corpanzil até abrir um espaço para mim do seu lado esquerdo. E, sim, ele está doentiamente pálido e tremula o maxilar, ora sorrindo, ora fazendo careta, e seu olhar é febril.

— Quem lhe disse onde me encontrar, Christoph? — pergunto tão casualmente quanto consigo, porque a essa altura do campeonato estou considerando a possibilidade extrema de que Bunny ou Laura, ou até mesmo Tabitha, o tenham colocado no meu encalço com o objetivo de negociar algum outro tipo de acordo clandestino entre o Serviço e seus litigantes.

— Eu me lembrei — o sorriso se abrindo com orgulho —, eu sou um gênio da memória. O cérebro da porra da Alemanha. Então nós comemos uma bela refeição juntos e você manda eu me foder. Tá, você não mandou. Eu vou embora. Sento com meus amigos, fumo um pouco, cheiro um pouco, escuto. E quem eu ouço? Quer tentar adivinhar?

Faço que não com a cabeça. Também estou sorrindo.

— Meu pai. Eu ouço meu pai. A voz dele. Numa de nossas breves caminhadas pelo pátio da prisão. Estou cumprindo pena, ele está tentando recuperar o tempo perdido, ser o bom pai que nunca foi. Então está falando de si mesmo, me entretendo, me contando dos anos que não passamos juntos, tipo fingindo que passamos. Como era ser espião. Como vocês todos eram tão especiais, tão dedicados. Os garotos travessos que vocês eram. E quer saber de uma coisa? Ele está falando de *Hood House*. A casa dos bandidos. Essa piada que vocês todos compartilhavam. Como o Circus tinha esses decrépitos apartamentos seguros num lugar chamado Hood House. Somos todos bandidos, por isso é lá que nos colocam. — Seu sorriso torna-se uma carranca de indignação. — Você sabia que a porra do seu Serviço de merda *registrou* você aqui com seu nome verdadeiro? P. Guillam. Que tal *isso* em matéria de segurança? Você *sabia* disso? — perguntou ele.

Não. Eu não sabia. Nem estava impressionado, como deveria ter ficado, com o fato de que em mais de meio século o Serviço não havia pensado em mudar de hábitos.

— Então por que não me diz o motivo de ter vindo até aqui? — perguntei-lhe, desestabilizado por seu sorriso, que ele parecia incapaz de desfazer.

— Para matar você, Pierrot — explicou, sem erguer nem alterar a voz. — Para estourar a porra da sua cabeça. Bingo. Você está morto.

— Aqui? — perguntei. — Na frente dessa gente toda? Como?

Com uma pistola semiautomática Walther P38: a que ele sacou do bolso direito do sobretudo e está agora brandindo em plena vista; e só depois de muito tempo, o suficiente para que eu a admire, ele a devolve ao bolso do sobretudo, ainda a segurá-la e, na melhor tradição dos filmes de gângster, apontando o cano para mim por trás das dobras do casaco. O que as senhoras de chapéu branco pensam dessa cena, se é que pensam alguma coisa, eu nunca saberei. Talvez estejamos no meio de uma filmagem. Talvez sejamos apenas dois homens imaturos brincando com uma arma de plástico.

— Santo Deus — exclamo, um termo que nunca havia usado conscientemente na vida até agora. — De onde foi que você tirou *isso*?

A pergunta o desagradou, fazendo o sorriso desaparecer.

— Você acha que eu não conheço os malandros na porra desta cidade? Gente que vai me emprestar uma arma como *essa*? — perguntou ele, apontando o indicador e o polegar da mão livre para o meu rosto.

Incitado pelo verbo *emprestar*, examinei instintivamente o meu entorno em busca do proprietário da arma, pois não imaginava que aquele seria um empréstimo de longo prazo: e foi aí que meus olhos pousaram num Volvo sedã remendado em várias cores e estacionado numa linha amarela dupla diretamente oposta à arcada do lado do Embankment; e em seu motorista careca com as mãos no volante, olhando firme para a frente pelo para-brisa.

— Você tem uma razão específica para me matar, Christoph? — perguntei, tentando manter o tom casual. — Informei as autoridades constituídas da sua oferta, se é isso que o preocupa — falei, blefando. — Eles estão pensando a respeito. Os contadores de Sua Majestade não cospem um milhão de euros da noite para o dia, naturalmente.

— Eu fui a melhor coisa na merda da vida podre dele, ele me disse.

Falado em voz baixa, forçado por entre dentes cerrados.

— Eu nunca duvidei do amor dele por você — falei.

— Você o matou. Mentiu pro meu pai e o matou. Seu amigo.

— Christoph, isso não é verdade. Seu pai e Liz Gold não foram mortos por mim nem por ninguém no Circus. Eles foram mortos por Hans-Dieter Mundt da Stasi.

— Vocês são todos doentes. Todos vocês espiões. Não são a cura, são a porra da doença. Artistas da punheta, em jogos masturbatórios, achando que são os maiores sábios no universo. Vocês não são nada, está me ouvindo? Vocês vivem na porra do escuro porque não conseguem tolerar a porra da luz do dia. Ele também. Ele me disse isso.

— Disse? Quando?

— Na cadeia, em que porra de lugar você acha que foi? Minha primeira prisão. Prisão para garotos. Pervertidos, cheiradores e eu. *Tem visita para você, Christoph. Diz que é o seu melhor amigo.* Eles me algemam e me levam até ele. É meu pai. Ouça isso, diz ele. Você é uma causa perdida e não tem mais porra nenhuma que eu ou qualquer outra pessoa possa fazer por você. Mas Alec Leamas ama seu filho, por isso nem por um caralho se esqueça disso. Você falou?

— Não.

— Levanta, porra. Anda. Por ali. Atravessando a arcada. Como todo mundo. Se foder comigo, eu mato você.

Eu me levanto. Caminho em direção à arcada. Ele me segue, sua mão direita ainda no bolso e a arma apontada para mim por trás do pano. Há coisas que você deve fazer nesses casos, como virar e acertá-lo com o cotovelo antes que tenha tempo de atirar. Ensaiamos esse golpe com pistolas d'água em Sarratt, e na maioria das vezes a água esguichava sem atingir você e caía no tapete do ginásio. Mas isso não é uma pistola d'água e aqui não é Sarratt. Christoph está andando pouco mais de um metro atrás de mim, que é a distância a que um pistoleiro bem treinado deve ficar.

Passamos pela arcada. O homem careca sentado no Volvo multicolorido continua com as mãos no volante e, embora estejamos andando bem em sua direção, ele não presta nenhuma atenção a nós, está ocupado demais olhando para a frente. Será que Christoph pretende me levar para dar uma voltinha antes de me libertar do meu sofrimento? Se sim, minha melhor chance de escapar será quando ele tentar me enfiar no Volvo. Eu já tinha feito isso uma vez muito tempo atrás: quebrado a mão de um homem com a porta do carro enquanto ele tentava me enfiar no banco de trás.

Carros estão passando nas duas direções, e temos de esperar uma brecha no trânsito antes de atravessar a rua, e eu fico me perguntando se vou ter uma chance de me atracar com ele e, na pior das hipóteses, jogá-lo na frente de um carro. Chegamos à calçada oposta e ainda estou me perguntando isso. Também passamos pelo Volvo sem um sinal ou uma palavra trocados entre Christoph e o motorista careca, por isso eu talvez tenha interpretado tudo errado e eles nada tenham a ver um com o outro, e quem quer que tenha emprestado a Walther a Christoph está sentado em Hackney ou em qualquer outro lugar, jogando cartas com outros malandros.

Estamos no Embankment e há um parapeito de tijolos de cerca de um metro e meio de altura. Estou de pé diante dele, com o rio à minha frente e as luzes de Lambeth na outra margem, porque já é crepúsculo, a temperatura ainda amena para esta hora do dia, uma brisa agradável soprando e grandes embarcações passando. Estou de costas para Christoph, as mãos no parapeito, e à espera de que ele se aproxime o bastante para que eu possa tentar o truque da pistola d'água, mas não consigo sentir sua presença e ele não está falando.

Mantendo as mãos afastadas onde ele possa vê-las, eu me viro lentamente e vejo que ele está a quase dois metros de mim, ainda com a mão no bolso. Sua respiração está ofegante e seu grande rosto pálido está suado e brilhante à meia-luz. As pessoas passam por nós, mas não entre nós. Algo as induz a passarem ao largo. Mais precisamente, algo no tamanho de Christoph, em seu sobretudo e no chapéu Homburg. Ele brande a arma de novo ou ela está no bolso? Continua adotando a postura de gângster? Então me ocorre, com um certo atraso, que o homem que se veste assim quer ser temido; e o homem que quer ser temido tem medo, e talvez seja isso o que me dá a coragem de desafiá-lo.

— Vamos, Christoph, vá em frente — digo, enquanto um casal de meia-idade passa apressado. — Atire em mim, se veio aqui para isso. O que é mais um ano para um homem da minha idade? Estou pronto para uma boa morte a qualquer momento. Atire em mim. E depois passe o resto da vida se parabenizando enquanto apodrece na prisão. Você já viu velhos morrerem na cadeia. Seja mais um deles.

A essa altura os músculos das minhas costas estão se contraindo e há uma batida ritmada em meus ouvidos. Não saberia dizer se vinha de uma embarcação de passagem ou se era algo ocorrendo dentro da minha cabeça. Minha boca ficou seca com aquele falatório e minha visão deve ter ficado embaçada, porque levei algum tempo até perceber que Christoph estava do meu lado, debruçado sobre o parapeito, com ânsia de vômito e chorando aos soluços de dor e raiva.

Apoiei um braço nas costas dele e liberei sua mão direita do bolso. Quando ela saiu sem nenhuma arma, saquei-a por ele e a joguei tão longe quanto pude no rio, mas não ouvi nada. Ele permaneceu com as mãos no parapeito e afundou a cabeça entre os braços. Revistei o outro bolso, na remota possibilidade de ele talvez ter se municiado de um outro pente para um incentivo extra, e bingo. Eu tinha acabado de jogar o pente no rio também quando o careca do Volvo multicolorido, que em contraste com Christoph era muito baixo e parecia semidesnutrido, agarrou-o por trás, pela cintura, e o puxou, sem sucesso.

Juntando nossas forças, nós o arrastamos para longe do parapeito e conseguimos carregá-lo até o Volvo. Enquanto fazíamos isso, ele começou a uivar. Fui abrir a porta do carona, mas o camarada já tinha aberto a porta de trás. Juntos, nós o empurramos para dentro e fechamos a porta, abafando, mas não silenciando, os uivos. O Volvo partiu. Fiquei sozinho na calçada. Lentamente, o trânsito e os sons retornaram. Eu estava vivo. Chamei um táxi e pedi ao motorista que me levasse ao Museu Britânico.

*

Primeiro o beco pavimentado com paralelepípedos. Depois o estacionamento privado que fedia a lixo podre. E então as seis porteiras tipo quebra-corpo: a nossa era a última à direita. Se os uivos de Christoph ainda vibravam na minha cabeça, eu me recusava a ouvi-los. A tranca do portão rangeu. Isso eu ouvi. Ela sempre fazia isso, por mais que a lubrificássemos. Quando sabíamos que Control estava vindo, deixávamos o portão aberto para não termos de ouvir os comentários mal-humorados do velho diabo sobre ser anunciado pelo choque de metal contra metal. Lajotas de pedra. Mendel e eu as tínhamos colocado. E plantado grama nos intervalos. Nossa casa de passarinho. Todos os pássaros são bem-vindos. Três degraus até a porta da cozinha e a sombra imóvel de Millie McCraig olhando do alto para mim pela janela, erguendo a mão, proibindo-me de entrar.

Estamos num galpão de jardim improvisado, construído junto à parede para abrigar as latas de lixo dela e o que restou de sua bicicleta, exilada da casa por Laura, envolta numa lona e desprovida de rodas por questão de segurança. Estamos falando aos sussurros. Talvez sempre tenhamos falado. O gato confidencial observa da janela da cozinha.

— Não sei o que eles colocaram por aqui, Peter — confidencia ela. — Não confio no meu telefone. Bem, nunca confiei. Também não confio nas minhas paredes. Não sei as coisas que eles têm agora, nem onde as colocam.

— Você ouviu o que a Tabitha me disse sobre provas?

— Ouvi, em parte. O suficiente.

— Você ainda tem tudo o que lhe demos? Os depoimentos originais, as correspondências, o que mais George tenha lhe pedido para esconder?

— Eu mesma passei para microponto. E ocultei. Também.

— Onde?

— No meu jardim. Na minha casa de passarinho. Nos cartuchos deles. Envoltos em tecido oleado. Naquilo — *aquilo* sendo o que sobrara de sua bicicleta. — Eles não sabem onde *procurar* hoje em dia, Peter. Não têm *treinamento* adequado — acrescenta ela com indignação.

— Incluindo a entrevista de George com Windfall no Acampamento 4? A entrevista do recrutamento? O acordo?

— Sim. Como parte da minha coleção de discos de gramofone. Transferida para mim por Oliver Mendel. Eu os escuto de vez em quando. Pela voz de George. Ainda a amo. Você é casado, Peter?

— Só com a fazenda e os animais. E você tem alguém, Millie?

— Tenho minhas memórias. E meu Criador. O novo pessoal me deu até segunda-feira para ir embora. Não vou deixá-los esperando.

— Para onde você vai?

— Vou morrer. Como você. Tenho uma irmã em Aberdeen. Não vou deixar você ficar com o material, Peter, se foi para isso que veio.

— Nem pelo bem maior?

— Não há bem maior sem a ordem de George. Nunca houve.

— Onde ele está?

— Não sei. E não contaria a você se soubesse. Vivo, com certeza. Os cartões que recebo no meu aniversário e no Natal. Ele nunca esquece. Sempre para a casa da minha irmã, por segurança. O mesmo de sempre.

— Se eu precisasse encontrá-lo, a quem recorreria? Existe alguém, Millie. Você sabe quem é.

— Talvez Jim, se ele lhe contar.

— Posso ligar para ele? Qual é o número?

— Jim não é um homem de telefone. Não mais.

— Mas continua no mesmo lugar?

— Acredito que sim.

Sem dizer mais nada, ela segura meus ombros com as mãos fortes e magras e me dá um selinho bem intenso.

*

Parei em Reading naquela noite e escolhi um albergue perto da estação de trem onde ninguém ligava para nomes. Se a essa altura eu ainda não tivesse sido dado como desaparecido de Dolphin Square, a primeira pessoa a notar minha ausência seria Tabitha às dez da manhã seguinte, não às nove. Se fosse haver um fuzuê, não acho que seria deflagrado antes do meio-dia. Tomei o café da manhã com calma, comprei uma passagem para Exeter e fiquei de pé no corredor de um trem superlotado até Taunton. Atravessei o estacionamento, segui para os arredores da cidade e esperei pelo crepúsculo.

Eu não botava os olhos em Jim Prideaux desde que Control o mandara naquela missão malsucedida na Tchecoslováquia, que tinha lhe custado uma bala nas costas e a atenção integral de uma equipe de tortura tcheca. Éramos ambos mestiços de nascença: Jim era parte tcheco e parte normando, enquanto eu sou bretão. Mas a comparação parava aí. O lado eslavo em Jim era bem forte. Quando criança, ele levara recados e cortara gargantas de alemães para a Resistência Tcheca. Ele pode ter sido educado em Cambridge, mas o lugar nunca o domesticou. Quando entrou para o Circus, até os instrutores de combate corporal de Sarratt aprenderam a ser cautelosos com ele.

Um táxi me deixou no portão principal. Uma placa verde-musgo informava AGORA ABERTO PARA MENINAS. Uma entrada de veículos esburacada seguia até uma mansão senhorial em ruínas cercada por casas pré-fabricadas. Escolhendo o caminho entre buracos, passei por um campo de futebol, um pavilhão de críquete prestes a desmoronar, duas casas de operários e um grupo de pôneis peludos pastoreando. Dois meninos passaram em bicicletas, o maior com um violino nas costas, o menor com um violoncelo. Acenei para eles.

— Estou à procura do Sr. Prideaux — falei. Olharam um para o outro sem expressão. — É integrante do corpo docente aqui, me disseram. Ensina línguas. Ou ensinava.

O menino maior balançou a cabeça e começou a pedalar.

— Você não está falando de *Jim*, está? — perguntou o mais novo. — Um sujeito velho que manca. Mora num trailer no Dip. Dá aula de francês e de rúgbi.

— O que é o Dip?

— Siga à esquerda passando o prédio da escola, desça pela trilha até ver um velho Alvis. Perdão, estamos atrasados.

Segui pela esquerda. Por trás de janelas altas, meninos e meninas pequenos se debruçam sobre carteiras debaixo de luzes fluorescentes. Alcançando o outro lado do prédio, passei por uma avenida de salas de aula temporárias. Uma trilha descia até um arvoredo de pinheiros. Na frente deles, sob uma lona, os contornos de um carro antigo; e, ao lado dele, um trailer com uma luz acesa atrás da janela cortinada. Trechos de Mahler vinham lá de dentro. Bati na porta e uma voz rude respondeu com fúria.

— Vai embora, garoto! *Fous-moi la paix!* Vai ver o que isso significa.

Dei a volta até a janela cortinada e, com uma caneta que levava no bolso, batuquei meu código e então dei um tempo para que ele largasse a arma, se era o que estava fazendo, porque com Jim nunca se sabe.

*

Uma garrafa de *slivovitz* na mesa, pela metade. Jim arranjou um segundo copo e desligou o toca-discos. À luz do lampião de querosene, seu rosto sulcado mostra as marcas da dor e da idade, sua coluna torta encostada no estofamento modesto. Os torturados são uma classe à parte. Você pode imaginar — mais ou menos — onde eles estiveram, mas nunca o que trouxeram na volta.

— A porra da escola faliu — rosna ele numa explosão de risada febril. — Thursgood, esse era o nome do sujeito. Diretor da escola. Uma esposa perfeita. Dois filhos. Acabou se revelando uma tremenda bicha — declara, com escárnio exagerado. — Fugiu às escondidas com o *chef* da escola. Levou todo o dinheiro com ele. Para a Nova Zelândia ou outro lugar assim. Não restou na caixinha o suficiente para pagar o pessoal até o fim da semana. Nunca pensei que ele fosse ser capaz disso. *Então* — diz, dando uma risadinha, enquanto reabastece nossos copos —, o que *fazer*, hein? Não dá para abandonar as crianças no meio do ano letivo. As provas se aproximando. As competições esportivas e apresentações teatrais. Os prêmios da escola. Eu tinha minha pensão, mais algum extra por viagens. Alguns pais contribuíram. George conhecia um banqueiro. Bem, depois disso, a escola não vai me dispensar, não é? — Ele dá um gole, olhando para mim por cima do copo. — Você não vai me mandar para a Tcheco nem para nenhuma outra roubada, vai? Não agora que eles já estão de namoro com Moscou de novo.

— Preciso falar com George — digo.

Por algum tempo, nada acontece. Do mundo que escurecia lá fora, apenas o farfalhar das árvores e o mugido do gado. E, à minha frente, o corpo inclinado de Jim imóvel junto à parede do pequeno trailer, seu olhar eslavo me fuzilando sob sobrancelhas pretas desgrenhadas.

— Foi muito bom para mim ao longo dos anos, o velho George. Cuidar do bem-estar de um *joe* arruinado não é para qualquer um. Não tenho certeza de que ele precisa de você, para ser bem franco. Vou ter que perguntar a ele.

— Como você faria isso?

— George não é um integrante natural no jogo da espionagem. Não sei como entrou nisso. Carregou todo o peso nas costas. Não se pode fazer isso em nosso metiê. Não se pode sentir a dor dos outros. Não se você quer seguir em frente. Aquela porra da mulher dele também foi responsável por uma grande parte da história, na minha opinião. O que ela achava que estava fazendo? — perguntou ele, e uma vez mais caiu em silêncio, fazendo careta, me desafiando a responder à sua pergunta.

Mas Jim nunca tinha ligado muito para mulheres e não havia resposta que eu pudesse lhe oferecer que não incluísse o nome do seu ex-

-amante Bill Haydon, que o recrutara para o Circus, o traíra para seus mestres e, de quebra, dormira com a mulher de Smiley para despistar.

— Acabou emocionalmente abalado por *Karla*, logo quem — ainda se queixava com relação a Smiley. — O filho da mãe esperto da Central de Moscou que recrutou todos aqueles *joes* contra nós.

Dentre os quais Bill Haydon foi o mais espetacular, ele poderia ter acrescentado, se fosse capaz de falar o nome do homem cujo pescoço havia quebrado com as próprias mãos enquanto Haydon descansava em Sarratt, à espera de ser embarcado para Moscou como parte de um acordo de troca de agentes.

— Primeiro, o velho George convence Karla a vir para o Ocidente. Encontra seu ponto fraco, explora-o, todo o crédito para ele. Interroga o sujeito. Consegue um nome e um trabalho para ele na América do Sul. Ensinando Estudos Russos para latinos. Ele o realoca. Sem muitos problemas. Um ano depois, a porra do homem se mata com um tiro e parte o coração de George. Como foi que uma *merda* dessas aconteceu? Eu *disse* a ele: que diabos deu em você, George? Karla se superou. Boa sorte para ele. Sempre o problema de George, vendo os dois lados de tudo. Isso o desgastou.

Com um grunhido de dor ou censura ele nos serviu mais uma dose de *slivovitz*.

— Você está fugindo, por acaso? — perguntou.

— Estou.

— Para a França?

— É.

— Que tipo de passaporte?

— Britânico.

— A Central já divulgou seu nome?

— Não sei. Aposto que ainda não.

— Southampton é sua melhor opção. Mantenha a cabeça baixa, pegue uma balsa lotada ao meio-dia.

— Obrigado. É o que estou planejando.

— Isso não tem a ver com *Tulip*, tem? Você não está desenterrando *aquela* história, está? — fechando o punho e jogando-o na direção da boca, como se para afastar com um soco uma lembrança intolerável.

— Tem a ver com toda a operação Windfall — falei. — Tem uma megainvestigação parlamentar apontando a faca para o Circus. Na ausência de George, me escalaram como o vilão da história.

Eu mal tinha pronunciado as palavras e ele desceu o punho com toda a força na mesa entre nós, fazendo os copos tilintarem.

— Jogam toda a *merda* para cima do George! Aquele filho da mãe do Mundt a matou! Matou todos eles! Matou Alec, matou a garota dele!

— Pois bem, isso é uma coisa que precisamos poder dizer no tribunal, Jim. Estão jogando todas as acusações sobre mim. Talvez sobre você também, se conseguirem arrancar seu nome dos arquivos. É por isso que eu preciso muito de George. — E, como ele não respondeu: — Como posso entrar em contato com ele?

— Não pode.

— E você, como faz?

Outro silêncio raivoso.

— Cabines de telefone, se quer saber. Nada local, eu não tocaria neles. Nunca o mesmo duas vezes. Sempre combina o próximo *treff* antecipadamente.

— Você liga para ele? Ele para você?

— Um pouco dos dois.

— O número de telefone dele é sempre o mesmo?

— Poderia ser.

— É um número fixo?

— Poderia ser.

— Então você sabe onde encontrá-lo, não é?

Pegando um caderno escolar de uma pilha junto ao cotovelo, ele arranca uma página em branco. Eu lhe passo um lápis.

— *Kollegiengebäude drei* — entoou enquanto escrevia. — Biblioteca. Mulher chamada Friede. Está bom para você? — E, tendo me passado a folha, recostou-se com os olhos fechados, esperando que eu o deixasse em paz.

*

Não era verdade que eu pretendia pegar uma balsa lotada ao meio-dia em Southampton. Nem que eu estava viajando com um passaporte britânico. Não gostava de enganá-lo, mas com Jim nunca se sabe.

Um voo de manhã cedo saindo de Bristol me levou a Le Bourget. Descendo a passarela, fui assaltado por memórias de Tulip: *esta foi a última vez que vi você viva; foi aqui que prometi a você que logo veria Gustav; foi aqui que rezei para que virasse a cabeça para trás, mas você não virou.*

De Paris tomei um trem para a Basileia. No momento em que desembarquei em Freiburg, toda a raiva e a perplexidade que eu havia reprimido nos últimos dias da minha inquisição vieram à tona. Quem era o culpado da minha vida inteira de obediente dissimulação, se não George Smiley? Fui *eu* quem sugeriu que eu fizesse amizade com Liz Gold? Foi ideia *minha* mentir para Alec, nosso bode amarrado, como diria Tabitha, e então vê-lo caminhar para a armadilha que George preparara para Mundt?

Pois bem, e agora para o ajuste de contas final. Agora para algumas respostas diretas a perguntas difíceis, como: você, George, conscientemente, teve a intenção de suprimir a humanidade em mim, ou eu também fui apenas um dano colateral? Como: e quanto à *sua* humanidade, e por que ela sempre teve de se subordinar a uma causa maior e mais abstrata que já não consigo mais identificar, se é que um dia consegui?

Ou, pondo de outra maneira: de quanto dos nossos sentimentos humanos podemos abrir mão em nome da liberdade, você diria, antes de deixarmos de nos sentir humanos ou livres? Ou estávamos apenas sofrendo da incurável doença inglesa de precisar entrar no jogo do mundo quando não éramos mais jogadores nesse mundo?

A biblioteca do Kollegiengebäude Número Três, me disse com certo vigor a solícita senhora chamada Friede na recepção, ficava no edifício do outro lado do pátio, depois do grande portão, virando à direita. Não havia nada *indicando* BIBLIOTECA e na verdade não era uma biblioteca, apenas uma comprida e silenciosa sala de leitura posta à disposição de pesquisadores visitantes.

E será que eu me lembraria o tempo todo da regra do silêncio?

*

Não sei se Jim havia de algum modo avisado a George que eu estava a caminho, ou se ele simplesmente sentiu a minha presença. Estava sentado a uma mesa coberta de papéis, no recôncavo de uma janela com as costas voltadas para mim, um ângulo que lhe proporcionava luz para ler e, quando ele precisava, uma vista dos montes e das florestas circundantes. Não havia mais ninguém no cômodo, até onde eu podia ver: apenas uma sequência de recantos de parede revestidos de madeira com mesas e cadeiras confortáveis e vazias. Desloquei-me até ficarmos de frente um para o outro. E como George sempre parecera mais velho do que era, fiquei aliviado ao ver que nenhuma surpresa desagradável me aguardava. Era o mesmo George, apenas com a idade que sempre parecera ter: mas um George de pulôver vermelho e calças de veludo cotelê amarelo, e isso, sim, me surpreendeu, porque sempre o via com ternos baratos. E se suas feições em repouso guardavam sua tristeza sábia, não houve tristeza em sua saudação quando, com uma explosão de energia, ele se pôs de pé e pegou minha mão.

— Então, o que você está *lendo* aqui? — protestei erraticamente, mantendo a voz baixa por causa da regra do silêncio.

— Ah, meu caro rapaz, nem queira saber. Um velho espião na senilidade busca a verdade dos tempos. Você parece jovem demais, Peter. Continua dedicado a suas travessuras de sempre?

Ele começa a juntar seus livros e papéis e a enfiá-los num armário. Por força do hábito, eu lhe ofereço ajuda.

E como este não é o tipo de lugar para meu planejado confronto, pergunto como está Ann.

— Está *bem*, obrigado, Peter. Sim. *Muito* bem, considerando... — trancando o armário e enfiando a chave no bolso. — Ela me visita de vez em quando. Caminhamos. Na Floresta Negra. Não como as maratonas de antigamente, admito. Mas caminhamos.

Nosso diálogo sussurrado chega ao fim quando uma senhora idosa entra e, depois de se desvencilhar de sua bolsa a tiracolo com uma certa dificuldade, espalha seus papéis, coloca os óculos de leitura, encaixando-os numa orelha e depois na outra, e, com um suspiro forte, se instala num recanto. E eu acho que foi o seu suspiro que minou o que restava da minha determinação.

*

Nós nos sentamos no espartano apartamento de solteiro de George, localizado numa encosta com vista para a cidade. Ele ouve como ninguém. Seu corpo pequeno entra numa espécie de hibernação. As pálpebras compridas semicerradas. Nenhum franzir de testa, nenhum aceno de cabeça, nem sequer um arquejo de sobrancelha até você terminar. E, quando você termina — e ele se assegura de que você tenha feito isso de fato, pedindo-lhe o esclarecimento de algum ponto obscuro que você tenha omitido ou inventado —, ainda nenhuma surpresa, nenhum momento crítico de aprovação ou de outra coisa. Por isso é tão surpreendente que, quando chego ao fim da minha narrativa superlonga — o crepúsculo caindo e a cidade abaixo de nós desaparecendo sob as mortalhas da névoa noturna atravessada pelas luzes —, ele tenha fechado com grande energia as cortinas sobre o mundo, dando vazão a uma fúria desenfreada como nunca vi partir dele.

— Os *covardes*. Os *grandes covardes*. Peter, isso é inaceitável. Karen, você diz, é o nome dela? Vou procurar Karen imediatamente. Talvez ela permita que eu vá conversar com ela. Melhor trazê-la de avião, se ela concordar. E se Christoph quiser conversar comigo, é melhor que faça isso. — E, depois de uma pausa de certo modo enervante: — E Gustav também, claro. Me diga, já foi definida a data para a audiência? Eu devo prestar depoimento. Em juízo. Devo oferecer-me como testemunha da verdade. Em qualquer tribunal que escolherem.

E continuou no mesmo tom furioso.

— Eu não sabia de nada disso. Nada. Ninguém me procurou, ninguém me informou. Não é difícil me encontrar, mesmo eu estando afastado — insistiu, sem dizer do que estava afastado. — *O Estábulo?* — continuou, indignado. — Imaginava que estivesse fechado há muito tempo. Quando deixei o Circus, deleguei meu poder de procurador aos advogados. O que aconteceu depois disso, não posso imaginar. Nada, aparentemente. De inquéritos parlamentares? Ações judiciais? Nem uma palavra, nem um sussurro. Por que não? Vou lhe dizer por quê. Porque eles não queriam que eu soubesse. Eu estava alto demais no poleiro para o gosto deles. Já vi tudo. Um ex-chefe da Secretas no banco dos réus? Admitindo ter sacrificado um bom agente e uma mulher inocente por uma causa da qual o mundo mal se lembra? E tudo planejado e aprovado pessoalmente pelo chefe do Serviço? Isso não ficaria nada bem para nossos mestres modernos. Nada deve macular a imagem santificada do Serviço. Santo Deus. Nem é preciso dizer que vou imediatamente instruir Millie McCraig para liberar todos os documentos e o que mais tenhamos confiado aos seus cuidados — prosseguiu numa voz mais calma. — Windfall me assombra até hoje. Sempre me assombrará. Eu me culpo totalmente. Contei com a crueldade de Mundt, mas a subestimei. A tentação de matar as testemunhas foi simplesmente forte demais para ele.

— Mas, George — protesto —, Windfall era a operação de Control. Você simplesmente embarcou nela.

— O que de longe foi o pecado maior. Posso oferecer-lhe o sofá, Peter?

— Reservei um quarto na Basileia, na verdade. Daqui pra lá é um pulo. Pego o trem para Paris pela manhã.

Era uma mentira e acho que ele percebeu.

— Então seu último trem sai às onze e dez. Posso oferecer-lhe um jantar antes de partir?

Por motivos profundos demais em mim para contestar, não achei que cabia contar-lhe sobre a tentativa fracassada de Christoph de me matar, menos ainda sobre o discurso veemente de seu pai Alec contra o Serviço que ele, ainda assim, amava. No entanto, as palavras seguintes de George poderiam ser usadas como resposta à conclusão do discurso de Christoph.

— Nós não fomos impiedosos, Peter. Nós *nunca* fomos impiedosos. Tínhamos grande compaixão. Pode-se discutir que era mal direcionada. Certamente era fútil. Sabemos disso agora. Não sabíamos na época.

Pela primeira vez desde que me recordo, ele se aventurou a colocar a mão no meu ombro, mas logo a retirou como se a tivesse queimado.

— Mas *você* sabia, Peter! Claro que sabia. Você e seu bom coração. Por que outro motivo iria procurar o pobre Gustav? Eu o admirei por isto. Fiel a Gustav, fiel à sua pobre mãe. Ela foi uma grande perda para você, tenho certeza.

Eu não fazia a menor ideia de que ele tinha conhecimento do meu esforço infrutífero de oferecer ajuda a Gustav, mas eu não estava de todo surpreso. Este era o George de que eu me lembrava: sabendo tudo sobre a fragilidade dos outros, enquanto estoicamente se recusava a reconhecer a sua própria.

— E sua Catherine, está bem?

— Sim, está muito bem, obrigado.

— E o filho dela também?

— Na verdade, filha. Está ótima.

Teria ele esquecido que Isabelle era uma menina? Ou ainda estava pensando em Gustav?

*

Uma antiga estalagem perto da catedral. Troféus de caça exibidos sobre painéis de madeira escura. O lugar está ali desde sempre, ou foi arrasado pelas bombas e restaurado com a ajuda de antigas gravuras. A especialidade da casa hoje é guisado de carne de veado. George a recomenda, e a harmonização com um vinho de Baden. Sim, eu ainda moro na França, George. Ele está contente por mim. E fez de Freiburg seu lar?, pergunto. Ele hesita. Temporariamente, sim, Peter, ele fez. Quão temporário, resta ver. Então, como se o pensamento só agora tivesse vindo à sua mente, embora eu suspeite de que estivesse o tempo todo entre nós:

— Creio que você tenha vindo aqui para me acusar de alguma coisa, Peter. Estou certo? — E, quando é minha vez de hesitar: — Foi pelas coisas que fizemos, você diria? Ou por que motivo as fizemos, no fim das contas? — perguntou ele no mais suave dos tons. — Por que razão *eu* as fiz, o que é mais preciso. Você foi apenas um soldado leal. Não era *seu* trabalho perguntar por que o sol nascia toda manhã.

Eu podia ter questionado isso, mas temi interromper o fluxo.

— Pela paz mundial, o que quer que seja *isso*? Sim, sim, naturalmente. Não haverá guerra, mas na luta pela paz nenhuma pedra será deixada de pé, como nossos amigos russos costumavam dizer. — Então ficou quieto, só para discursar com mais vigor ainda: — Ou foi tudo em nome do grande *capitalismo*? Queira Deus que não. Cristianismo? Queira Deus que não também.

Um gole de vinho, um sorriso de perplexidade, dirigido não a mim, mas a si mesmo.

— Foi tudo pela *Inglaterra*, então? — prosseguiu. — Houve uma época, claro, que sim. Mas pela Inglaterra *de quem*? Por *qual* Inglaterra? A Inglaterra sozinha, um cidadão de lugar algum? Sou europeu, Peter. Se eu tinha uma missão... se algum dia tive uma além do nosso negócio com o inimigo, foi pela Europa. Se eu fui impiedoso, fui impiedoso pela Europa. Se eu tive um ideal inatingível, foi o de tirar a Europa da sua escuridão para uma nova era de razão. E ainda tenho.

Um silêncio, mais profundo, mais longo do que qualquer um de que me lembrava, até nos piores tempos. Os contornos fluidos do rosto congelados, a sobrancelha lançada para a frente, pálpebras sombrias abaixadas. Um dedo indicador sobe distraidamente até o aro dos óculos, verificando se ainda estão no lugar. Até que, balançando a cabeça, como se para se livrar de um pesadelo, ele sorriu.

— Desculpe-me, Peter. Estou pontificando. Daqui até a estação é uma caminhada de dez minutos. Permite que o acompanhe?

14.

Escrevo isso sentado à minha mesa na fazenda de Les Deux Églises. Os acontecimentos que descrevi aqui ocorreram muito tempo atrás, mas são tão reais para mim hoje quanto aquele vaso de begônias pousado no peitoril da janela, ou como as medalhas do meu pai brilhando em sua caixa de mogno. Catherine comprou um computador. Ela me contou que está fazendo progressos. Na noite passada fizemos amor, mas era Tulip que eu segurava nos braços.

Ainda vou até o trecho de areia ao pé do penhasco. Levo minha bengala. É uma descida difícil, mas dou conta. Às vezes, meu amigo Honoré chega lá antes de mim, e agacha-se no seu costumeiro nicho de rochedo com uma garrafa de *cidre* aninhada entre as botas. Na primavera, nós dois pegamos o ônibus para Lorient e, por insistência dele, caminhamos pela orla aonde minha mãe costumava me levar para ver os grandes navios que zarpavam para terras orientais. Hoje o cais está desfigurado pelas monstruosas fortalezas de concreto construídas pelos alemães para seus submarinos. Por mais que os Aliados as tenham bombardeado, nenhum estrago foi feito nelas, mas a cidade foi arrasada. Então lá estão elas, com uma altura de seis andares, eternas como as pirâmides.

Eu me perguntava por que Honoré teria me trazido aqui, até que ele fez uma parada súbita e gesticulou com raiva para as fortalezas.

— O filho da mãe vendeu cimento para eles — protestou, com seu sotaque bretão peculiar.

Filho da mãe?

Levo um tempo para entender. Claro: ele está se referindo ao falecido pai, enforcado por ter colaborado com os alemães. Ele espera que eu fique chocado, mas se sente grato por eu não ficar.

No domingo, tivemos nossa primeira neve do inverno. O gado está triste por ter de ficar preso. Isabelle é uma menina crescida agora. Ontem, quando falei com ela, sorriu olhando diretamente para mim. Acreditamos que um dia ela vá falar comigo, enfim. E eis que lá vem o *Monsieur le Général*, avançando pelo morro com sua van amarela. Talvez esteja trazendo uma carta da Inglaterra.

Agradecimentos

Meus mais sinceros agradecimentos a Théo e Marie Paule Guillou, por suas orientações generosas e esclarecedoras sobre o sul da Bretanha; a Anke Ertner, por suas incansáveis pesquisas sobre Berlim Oriental e Berlim Ocidental nos anos 1960, e pelas preciosas joias de sua lembrança pessoal; a Jürgen Schwämmle, explorador *extraordinaire*, por descobrir a rota de fuga escolhida por Alec Leamas e Tulip de Berlim Oriental para Praga e por me acompanhar ao longo dela; e ao nosso impecável motorista Darin Damjanov, que transformou a viagem cheia de neve em um duplo deleite. Tenho de agradecer também a Jörg Drieselmann, John Steer e Steffen Leide, do museu da Stasi em Berlim, por um passeio privado por seus domínios e por me presentearem com minha própria *Petschaft*. E, por fim, meus agradecimentos especiais a Philippe Sands que, com olho de advogado e entendimento de escritor, me guiou pelo emaranhado de comissões parlamentares e processos jurídicos. A sabedoria é dele. Se existem erros, são todos meus.

John le Carré

Este livro foi composto na tipologia Dante MT Std,
em corpo 12/15,15, e impresso em papel offwhite
no Sistema Cameron da Divisão Gráfica
da Distribuidora Record.